Melanie Sachs

AYURWEDA natürlich schön und gesund

Praktische Anleitungen zur Erhaltung und Entfaltung von Gesundheit und Schönheit mit den wirkungsvollsten Methoden ayurwedischer Heilkunst

Die ayurwedische Verjüngungstherapie

WINDPFERD

Titel der Originalausgabe *Ayurveda Beauty Care*
Erschienen bei *Lotus Press, Twin Lakes, WI*

Übertragen aus dem Amerikanischen von Christopher Baker

Wichtiger Hinweis der Autorin: Personen, die an einer akuten oder chronischen Krankheit leiden, sollten den medizinischen Rat eines entsprechend qualifizierten Arztes einholen. Obwohl sich die in diesem Buch vorgestellten ayurwedischen Prinzipien und Praktiken in den meisten Fällen als nützlich und verträglich erweisen, sollten sie nicht im Sinne einer klinischen Diagnose oder als Therapie pathologischer Zustände verstanden werden.

Die ayurwedische Lebensweise ist eine ausgezeichnete Unterstützung aller Formen medizinischer Pflege- und Behandlungssysteme, sollte jedoch keinen Ersatz für eine qualifizierte ärztliche Diagnose und Therapie darstellen.

Wichtiger Hinweis des Verlages: Die Methoden in diesem Buch sind nach bestem Wissen und Gewissen beschrieben, die Informationen sollen aber ärztlichen Rat und Hilfe nicht ersetzen. Der Verlag übernimmt keinerlei Haftung für Schäden, die sich aus dem Gebrauch oder Mißbrauch der hier dargestellten Behandlungsmethoden sowie Rezepten ergeben. Die Informationen in diesem Buch sind für Interessierte und zur Weiterbildung gedacht und nicht als Therapie- oder Diagnoseanweisung im medizinischen Sinne zu verstehen.

1. Auflage 1995

Umschlaggestaltung: Wolfgang Jünemann, unter
Verwendung einer Illustration von Barbara Falconer
Zeichnungen im Innenteil:Morag Charlton
Fotos: Thomas Bonner
Lektorat: Karin Brunke
Gesamtherstellung: Schneelöwe, D-87648 Aitrang
ISBN 3-89385-139-9

Printed in Germany

Inhaltsverzeichnis

Danksagungen

Den folgenden Personen gilt meine besondere Liebe und Dankbarkeit:
Meinen Lehrern ...

Dr. David Frawley
Margo Gal
Dr. Shalmali Joshi
Dr. Sunil Joshi
Dr. Vasant Lad
Amadea Morningstar
Dr. Pankaj Naram
Dr. Smita Naram
Dr. Lobsang Rapgay
Dr. Robert Svoboda

Den Freunden, die mich zum Schreiben dieses Buches ermutigt haben ...

Ella Helgrin
Marilyn Hunt
Mrs. Neeta Kale
Rex Lassalle
Elizabeth Ray
Dorothy Parks
Jo Wackett

Allen, die mir bei meinem ersten, kleinen Büchlein mit dem Titel *„Invoking Beauty with Ayurveda"* geholfen haben ...

Susie Biggs – Computerarbeit
Morag Charlton – Grafische Gestaltung, Layout und Modell
Karuna Fluhart – Fotograf
Bob Sachs – Lektor
Dianna Shannon und Rita Zamora – Modelle

Den folgenden Freunden, die mit großem Engagement und Sorgfalt an diesem Buch gearbeitet haben ...

Thomas Bonner – Fotografie
Morag Charlton – Grafische Gestaltung
Barbara Falconer – Umschlag & Gestaltung
Bob Sachs – Maschineschreiben und Lektorat
Lenny Blank, Margie Hughes, Connie Durand, Buffalo Publications, Lavon Alt und Santosh Krinsky

Meinen schönen Freunden, die sich mir als Modelle zur Verfügung gestellt haben ...

Valancia Dela Vega
Ann Levin
Carol Merrill
Ashley und Shelly Miller
Peggy Moor
Kai Ling Sachs
Victoria Tieje

Den Freunden, die sich die Zeit genommen haben, ihre Erfahrungsberichte zu schreiben ...

Deb Bergeron
Dave Davenport
Patricia Deva
Karuna Fluhart
Michelle Herman
Carol Hoy
Wendy Portman
Margaret Thompson
Detchen Wallace

Ich möchte ebenfalls meiner Familie, meinem Mann Bob und unseren Kindern Kai Ling, Christina und Jabeth, danken, die mir die Zeit für das Schreiben gegeben haben ...
Und natürlich danke ich meiner geliebten Familie in England für ihre große Güte und Unterstützung.

Widmung

Dieses Buch widme ich
in Liebe
meinen Eltern,
Penny und Percy Brown,
die mich gelehrt haben,
die Schönheit der Natur
und
die Kraft des menschlichen Geistes
zu achten und zu ehren.

Vorwort

An diesem Abend, am Ufer des Ganges, vor einer langen Meditation in der Stille, in Gegenwart der Weisen und der Alten, ist es mir eine große Freude, Melanie Sachs zu ihrem vorliegenden Buch über Ayurweda zu gratulieren. Vor drei Jahren habe ich die ayurwedischen Vorstellungen von Schönheit in meinem Buch *Diet for Natural Beauty* vorgestellt. Als mein Kollege Bob Sach's mich bat, ein Vorwort für das Buch seiner Frau Melanie, *Ayurweda – natürlich schön und gesund*, zu schreiben, dachte ich über die Wunder der Vorsehung nach.

Die Weisen, die in jener Zeit ohne Anfang und ohne Ende gewirkt haben, hinterließen dem Universum ein großes Vermächtnis. Darin sind die geheimen Codes des Göttlichen Bauplans enthalten. Ayurweda birgt diese Geheimnisse der Gesundheit, die so außerordentlich sind, daß eine wahre Kenntnis davon den menschlichen Körper gleichsam wie einen Kristall erleuchtet, der das Unendliche widerspiegelt. „Rasa" ist unsere grundlegende, wesenhafte Natur und der geheime Code, der uns anleitet, wenn wir unsere Wahl und unsere Entscheidungen treffen. Es ist die Schönheit des Universums, die wir reflektieren. Rasa ist in jedem Getreidekorn und in jedem kleinsten Bissen, den wir zu uns nehmen, enthalten. Durch Rasa bleibt unser Streben heilig. Tief in uns haben wir einen Anteil am Ursprung aller Lebewesen und bergen das Gedächtnis aller Zeiten in uns. Unser Potential, diese Schönheit des Selbst zu erkennen, ist so unendlich wie unsere zeitlosen Erinnerungen. Nur durch die Suche und die Erkenntnis unserer wahren Natur sind wir fähig, in den Besitz dieser Energie von überwältigender Freude zu gelangen.

Melanie betrachtet die Methoden dieses altehrwürdigen Wissens der Gesundheits- und Schönheitspflege aus einer frischen und einzigartigen Perspektive. Ihre einfache Darstellung der Körpertypen, der Reinigungsanwendungen und der unvergänglichen Ästhetik des Ayurweda machen dieses Buch zu einem ausgesprochen praktischen Begleiter.

Bereits seit vielen Jahren arbeitet Melanie an der Verfeinerung ihres dem Heilen gewidmeten Lebens. Durch ayurwedische Behandlungsmethoden ist es ihr gelungen, sich vom tiefen Schmerz des Verlustes eines ihrer Kinder und später von Gebärmutterhalskrebs zu heilen. In diesem Buch hat sie eine große Fülle und Vielfalt von Wissenswertem und Sadhanas aus ihrer persönlichen ayurwedischen Praxis sowie aus ihrem Leben als Lehrer und auch als Mutter zusammengestellt.

Ayurweda – natürlich schön und gesund ist ein ansehnliches Werk, das die Verfeinerung des menschlichen Geistes, der zum Licht gefunden hat, zu verwirklichen hilft. Diese Arbeit wird alle diejenigen erreichen, die bereit sind, von diesen uralten Geheimnissen einer vitalen Gesundheit zu lernen und sie zu verbreiten.

Bri Maya Tiwari

Asheville, N.C.
9. Dezember 1993

Einleitung

Der Ayurweda wurde den Sehern des alten Indiens vor Jahrtausenden offenbart. Aus einer natürlichen Umwelt heraus schöpfend, die das gesamte Leben nährt, sind diese Seher, die auch als „Rishis" bezeichnet wurden, zu einem tiefen Verständnis jener Prinzipien gelangt, die sowohl dem Aufbau, als auch dem Abbau von Gesundheit und Wohlbefinden zugrunde liegen. Ayurweda, die „Wissenschaft von der Langlebigkeit", verhilft zu größerer Gesundheit, natürlicher Schönheit und einem langen Leben. Die ersten Aufzeichnungen dieser Wissenschaft sind etwa 2 500 Jahre alt. Obwohl die Wurzeln des Ayurweda im ehrwürdigen Altertum liegen, beruht der Ayurweda auf universell gültigen Prinzipien und ist eine lebendige, sich stets weiterentwickelnde Wissenschaft, deren praktische Anwendung nichts von ihrer Berechtigung und Wirkung verloren hat.

Der traditionelle Ayurweda fügt sich nahtlos in moderne ganzheitliche Heilungsysteme ein, die an einer umfassenden Sicht der gesamten Gesundheit des Individuums orientiert sind, also des körperlichen, emotionalen und spirituellen Befindens des einzelnen. Neben den speziellen ayurwedischen Methoden und Verfahren kann der Ayurweda andere holistische Heilverfahren um ein tieferes Verständnis grundlegender Zusammenhänge bereichern, etwa so wie der Körper und unsere Erlebniswelt als Mikrokosmos des größeren, uns umgebenden Universums funktionieren und die Beziehungen darstellen, die in den Wechselwirkungen zwischen unseren Innen- und Außenwelten enthalten sind.

Nach ayurwedischer Lehre wird unsere Gesundheit durch das Gleichgewicht von drei feinstofflichen Energien, die als Vata, Pitta und Kapha bezeichnet werden, aufrechterhalten. Diese Energien bestimmen alle Formen der Materie (Kapha), die Kraft und die Richtung, in der sich diese Formen bewegen (Vata), sowie die Umwandlungen, die diese durchlaufen (Pitta). Da diese Eigenschaften in allen Formen des Lebens vorhanden sind, besteht der Sinn des Ayurweda darin, diese Kräfte in eine harmonische Wechselwirkung zu versetzen, damit sie unser physisches, emotionales und spirituelles Wachstum fördern. Alle ayurwedischen Behandlungsverfahren zielen auf die Herstellung eines harmonischen Gleichgewichts zwischen diesen Kräften, anstatt sich auf die Manifestationen oder Endprodukte ihres Ungleichgewichts zu konzentrieren. Auf diese Weise wendet sich Ayurweda an die Ursachen und nicht an die Auswirkungen, die Symptome von Krankheiten. Da jeder Mensch sein ganz eigenes, individuelles Gleichgewicht oder eine Mischung dieser drei Kräfte aufweist, sind ayurwedische Behandlungen stets personenbezogen und keineswegs krankheitsspezifisch. Dieser Ansatz hat seine hervorragende Wirksamkeit über den Verlauf von Jahrhunderten eindrucksvoll unter Beweis gestellt, weswegen ayurwedische Heilverfahren von Völkern auf der ganzen Welt übernommen und verfeinert wurden. Dies mag wohl auch der Grund sein, warum Ayurweda als „Mutter der Heilkunde" betrachtet wird.

Während die ayurwedische Wissenschaft den Einsatz der Chirurgie und stark wirksamer Medikamente von jeher beinhaltet hat, bietet sie ebenfalls vollständig überlieferte Systeme der täglichen Gesundheitspflege mit ausführlichen Richtlinien und Empfehlungen für Ernährung, Bewegung, Meditation, Pflanzenheilkunde und die Verjüngungstherapie. Diese Verfahren sind keineswegs als rein palliative (schmerzlindernde) Maßnahmen zu verstehen, sondern stellen einen integrierten und anerkannten Bestandteil des Heilungsvorgangs dar. Westliche Heilkundige haben viele dieser Methoden und Verfahren in ihre Praxis aufgenommen und den Anforderungen der westlichen Kultur und einer veränderten globalen Ökologie angepaßt. Da diese Anpassungen in Übereinstimmung mit den ayurwedischen Prinzipien stehen, verdienen sie unsere Anerkennung für ihren Beitrag zum Fortschritt und zur Weiterentwicklung des Ayurweda im 20. Jahrhundert. Dies ist ein Beleg für die ungebrochene Vitalität und Anpassungsfähigkeit der „Mutter der Heilkunde".

Die Rolle der Schönheit im Ayurweda

Wenn wir im Zusammenhang mit Ayurweda über Schönheit sprechen, dann sollte es von vornherein vollkommen klar sein, daß wir damit nicht die aktuellen, von Markt und Mode bestimmten Ideale meinen. Im Ayurweda sind innere und äußere Schönheit aufs engste miteinander verwoben. Je vollkommener wir uns im wahrsten Sinne des Wortes ernähren, desto mehr nimmt unsere physische Ausstrahlung und die Strahlkraft unseres Ausdrucks zu – ungeachtet von Körperbau oder individuellen Proportionen.

In Übereinstimmung mit der allgemeinen Orientierung der östlichen Philosophie und Heilkunde gibt es drei große Hauptaspekte der Schönheit, nämlich ein äußerer, ein innerer und ein geheimer, verborgener Aspekt. Werden äußerer und innerer Aspekt ins Gleichgewicht gebracht, wird der verborgene Aspekt dadurch erfüllt.

Die heutige Schönheitspflege befaßt sich in erster Linie mit der rein äußerlichen Schönheit. Mit anderen Worten: um die Perfektion dessen, was optisch wahrgenommen wird. Hierzu gehören augenscheinliche Merkmale wie die Konturen des Körpers, die Beschaffenheit der Haut, Haare und Nägel. Im Ayurweda umfaßt der Begriff der Schönheit auch solche Dinge wie die Anmut der Haltung und der Bewegungen, subtile Qualitäten der Frische und Vitalität und die magnetisierende Strahlkraft des Seins. In Übereinstimmung mit den modernen Autoritäten auf dem Gebiet der Schönheitspflege hat Ayurweda stets die Schönheit des einzelnen als Resultat der allgemeinen körperlichen Gesundheit und einer angemessenen täglichen Pflege aufgefaßt. Es geht hier um wesentlich mehr als rein kosmetische Fragen. Die Betonung liegt auf Selbsterkenntnis und der Befolgung positiver Maßnahmen und Gewohnheiten, die im ganz wörtlichen Sinne das Beste in uns hervortreten lassen. Auf diese Weise wird jeder Mensch sich einer guten äußeren Erscheinung erfreuen können. Und dank der richtigen Pflege werden wir auch mit zunehmendem Alter mit einer Kraft und Vitalität reifen, die unserer äußerlichen Schönheit eine neue Tiefe verleiht – eine Schönheit, die aus der Erfahrung des Lebens geboren wird.

Unsere innere Schönheit steht in Beziehung mit inneren Qualitäten des Seins, einschließlich emotionalen Zuständen und geistigen Fähigkeiten. Wie unsere körperliche Beschaffenheit und Eigenarten sind diese Faktoren zum Zeitpunkt der Geburt bereits festgelegt und werden als die Folgen unseres Handelns und Strebens in früheren Leben angesehen. So, wie unsere physische Form durch unsere Ernährung und Lebensweise geformt wird, können wir auch unseren Geist schulen, um positive Zustände zu fördern. Und so, wie man den Körper reinigen und stärken kann, um die äußere Schönheit zu steigern, kann man auch den Geist zähmen und einer Disziplin unterziehen. Dieser Prozeß beginnt damit, daß wir anfangen, uns einfach so, wie wir sind, zu akzeptieren, und damit beginnen, uns wirklich zu schätzen und zu pflegen. Durch die Schulung des Geistes entwickeln wir die Fähigkeit, uns zu entspannen und gleichzeitig zu konzentrieren, wodurch unsere Aufmerksamkeit steigt und wir den Augenblick mit geschärftem Bewußtsein wahrnehmen. Dadurch entwickelt sich unser ganzes Wesen auf natürliche Art und Weise in die Richtung unserer größten menschlichen Potentiale und Handlungsweisen, nämlich hin zu einem wissenden, fundierten Handeln in dieser Welt, das von Mitgefühl und liebender Fürsorge getragen wird.

Der geheime, verborgene Aspekt der Schönheit bezieht sich auf die Energie, Einsicht und Inspiration, die erforderlich sind, um Inneres und Äußeres in einen Zustand des Gleichgewichts zu bringen. Die Entwicklung dieser besonderen Eigenschaft erfordert Zeit, Geduld und die Bereitschaft, durch Erfahrung zu lernen. Dies ist das Kennzeichen echter Reife, die sich zu tiefer, dauerhafter Schönheit entwickelt, einer Schönheit, die von innen erfahren und von allen von außen wahrgenommen wird.

In ihrem Buch *Diet and Beauty* (Japan Publishing) hat Maya Tiwari diese Zusammenhänge sehr treffend mit den folgenden Worten geschildert: „Die drei Aspekte der Schönheit sind wie eine Waage, auf der einen Seite befinden sich die *Alankaras* oder äußeren Bestandteile, während die *Gunas* oder inneren Bestandteile auf der gegenüberliegenden Seite enthalten sind. Der dritte Aspekt ist der Vorgang des Ausgleichens und wird als *Rasa* bezeichnet ... Dies ist Magie. Dies ist Reife ... und Schönheit in ihrer ganzen Fülle.“

In diesem Sinne zeige ich Dir sowohl uralte als auch moderne Geheimnisse für die Schönheitspflege aus der Schatztruhe des ayurwedischen Wissens. Es geht mir dabei in erster Linie darum, unseren westlichen Schönheitsbegriff durch die tiefer reichenden, ayurwedischen Einsichten auf neue Ebenen zu transponieren. Diese Einsichten beinhalten außerordentlich wirksame, gesundheitsfördernde Verfahren und wohltuende Schönheitsanwendungen, die in unserer zunehmend schnellebigen und chaotischen Welt auf allen Ebenen der Schönheit (äußere, innere und verborgene Ebene) eingesetzt und verwirklicht werden können.

Dieses Buch wendet sich vor allem an zwei Lesergruppen. In erster Linie möchte ich jedem Menschen bei der Entdeckung der Faktoren helfen, die seine wahre Schönheit zum Vorschein kommen lassen. In diesem Sinn ist mein Buch als eine Anleitung zur Selbsthilfe gedacht. Gleichzeitig wende ich mich jedoch an alle Menschen, deren Berufe im weitesten Sinn mit der Schönheitspflege zu tun haben, damit auch sie und die Personen, die sie betreuen und pflegen, von den tiefen Einsichten und den wunderbaren Wirkungen profitieren können, die uns Ayurweda eröffnet.

Zum Umgang mit diesem Buch ...

1. Als ersten Schritt solltest Du Dein „Prakruti“ entdecken, jene einzigartige Mischung von universellen Energien, die Deinen Körpertypus und Dein Temperament bestimmen.

2. Danach solltest Du weiterlesen, damit Du im Kapitel über die Dhatus eine Vorstellung von der Ernährung des Körpers aus ayurwedischer Sicht bekommst. Durch die Verbindung dieser beiden Schritte erhältst Du eine erste Grundlage sowie Anregungen und Ermutigungen, um jene Veränderungen Deiner Lebensweise durchzuführen, die Deine natürlichen Stärken und natürliche Schönheit fördern, was in den nachfolgenden Kapiteln erörtert wird.

   Da ein guter Gesundheitszustand die Grundlage für unsere Schönheit ist, sind die Richtlinien für eine gesunde Lebensweise von ebenso großer Bedeutung wie die spezifischeren Methoden der Schönheitspflege. Diese Richtlinien für eine gesunde Lebensweise sind zwar kein unerläßlicher Faktor für die unmittelbare Wirkung oder den Genuß der Anwendung der ayurwedischen Schönheitspflege, doch können sie – besonders langfristig betrachtet – die Wirkung steigern und haben einen günstigen Einfluß auf die Besserung chronischer Beschwerden. Unter den besprochenen Faktoren für eine gesunde Lebensweise spielen Ernährung und Massage die wichtigste Rolle. Durch die richtige Ernährung werden alle Gewebe des Körpers ernährt, und so entsteht ein gesunder Muskeltonus, eine reine Haut und eine natürliche Aura des Wohlbefindens. Die richtige Massage setzt auf allen Ebenen an und verbessert den Teint, den Tonus der Haut, die Körperhaltung und nährt das innere Selbst.

3. Wähle die Ernährungsrichtlinien, Methoden zur Entspannung und täglichen Schönheitspflege aus, die Deinem „Prakruti“ entsprechen.

4. Für alle diejenigen, die ihren Partner pflegen wollen, sowie für Personen, deren Arbeit mit Schönheitspflege zu tun hat, ist das Kapitel über die ayurwedische Gesichtsmassage als einzigartige, nährende und wohltuende Pflegemaßnahme zu empfehlen.

5. Jetzt kannst Du über die besonderen ayurwedischen Behandlungsverfahren nachlesen und die Gelegenheit ergreifen, diese am eigenen Körper zu erfahren.

6. *Genieße die Ergebnisse.*

Bestimme Dein Prakruti

Ganz wörtlich bedeutet Prakruti soviel wie „die erste Schöpfung". Prakruti wird zum Zeitpunkt der Empfängnis bestimmt und bezeichnet die innerste Natur eines menschlichen Wesens. Es handelt sich um jene einzigartige Mischung von Eigenschaften, die jeden einzelnen Menschen vom Augenblick der Empfängnis an als völlig einzigartig kennzeichnen. Wir werden als Einzelwesen geformt und sind dennoch ein integrierter Bestandteil des Universums, aus dem wir geboren worden sind. Mit der Bestimmung des eigenen Prakrutis beginnen wir, die Eigenschaften und Qualitäten unserer Einzigartigkeit zu verstehen. Indem wir uns mit diesen Eigenschaften und Qualitäten vertraut machen, erhalten wir zugleich eine Anleitung, die uns lehrt, wie wir am besten mit uns umgehen und unsere einzigartige, natürliche Schönheit entfalten können.

Um ein besseres Gespür für Prakruti zu bekommen, muß man zunächst lernen, den Körper aus ayurwedischer Sicht besser zu verstehen. Nach dieser Betrachtungsweise sind es drei lebensspendende Kräfte, die für die Entstehung des menschlichen Wesens verantwortlich sind. Diese Kräfte werden als die drei *Doshas Vata, Pitta* und *Kapha* bezeichnet. Sie gelten ganz einfach als die innewohnende Intelligenz des Körpers. Sie sind die unsichtbaren Kräfte, die alle Körperfunktionen und deren Zusammenspiel dirigieren und dadurch unser Aussehen bestimmen, die Art und Weise, in der unsere Stoffwechselprozesse ablaufen, unsere Reaktionen auf unterschiedliche Umgebungen und sogar unsere Denkweise und Gefühlswelt beeinflussen.

Ein Beispiel: Wenn wir hungrig sind und etwas sehen, das unseren Appetit anregt, kommt es durch den Einfluß von Kapha zur Speichelbildung. Vata fördert den Schluckvorgang, während Pitta den anschließenden Verdauungsvorgang ermöglicht. An diesem Beispiel erkennen wir die Bedeutung des harmonischen Zusammenwirkens der Doshas, das erforderlich ist, damit der Körper sein volles Leistungspotential entfalten kann. In gleicher Weise betrachtet der Ayurweda Gleichgewichtsstörungen der Doshas als die grundlegende Ursache aller körperlichen, geistigen und spirituellen Störungen.

Der physische Körper ist eine Kombination aus zwei Arten von Substanzen:

- zurückgehaltene Substanzen oder Substanzen, die als Teil des Körpers bestehen bleiben, werden als *Dhatus* bezeichnet. Hierzu gehören die Substanzen, die wir im allgemeinen als Plasma (*Rasa*), Blut (*Raka*), Muskulatur (*Mamsa*), Fett (*Meda*), Knochen (*Asthi*), Knochenmark (*Majja*) und Nerven- und Fortpflanzungsgewebe (*Shukra*) bezeichnen.

- Nicht im Körper verbleibende Substanzen, also solche, die wieder ausgeschieden werden, sind die *Malas.* Es sind die Abfallstoffe des Organismus, wie Stuhl, Harn und Schweiß.

Schließlich gibt es *Agni,* den Herrscher aller Stoffwechselvorgänge. Agni bewirkt die Umwandlung all dessen, was wir von außen aufnehmen und was zu einem Teil unseres Körpers oder unserer Erfahrung und Erinnerung wird. Agni bewirkt zum Beispiel die Verdauung der Nahrung im Magen, so daß der Aufbau der Gewebe erfolgen kann; es ist jedoch ebenfalls Agni im Geist des Menschen, das die Erfahrungen gleichsam verdaut, so daß Eindrücke und Erinnerungen geformt werden.

Die Herstellung von Gleichgewicht und Gesundheit im gesamten System (Doshas, Dhatus, Malas und Agni) ist das Grundprinzip der ayurwedischen Heilung. Auf diese Art und Weise setzt Ayurweda am Körper an, um zur Entfaltung der ureigenen, innewohnenden Schönheit des einzelnen Menschen zu verhelfen.

In diesem Kapitel werden wir die Doshas betrachten und die Eigenschaften, die sie dem Körper verleihen.

Die Doshas

Die Doshas sind wiederum Kombinationen von Energien, die wir als die fünf Elemente bezeichnen.

ERDE	–	Materie im festen Zustand.
WASSER	–	Materie im flüssigen Zustand.
FEUER	–	Die Energie oder Kraft, die Materie von einem Zustand in einen anderen Zustand umzuwandeln.
LUFT	–	Die Materie im Gaszustand.
ÄTHER	–	Der Raum, in dem die Materie existiert und enthalten ist.

Die drei Doshas sind die Manifestationen dieser fünf Zustände im Körper.

Vata ist eine Kombination von Luft und Äther. Vata ist für alle Bewegungen des Körpers, Geistes, der Sinne und der Ausscheidungsvorgänge verantwortlich.

Pitta ist eine Kombination von Feuer und Wasser. Pitta ist verantwortlich für Hitze, den Stoffwechsel sowie für die Energieproduktion und die Verdauungsfunktionen des Körpers.

Kapha ist eine Verbindung von Erde und Wasser. Kapha ist verantwortlich für physische Stabilität, die richtige Struktur des Körpers und das Gleichgewicht von Flüssigkeiten.

Die drei Doshas sind durch charakteristische Eigenschaften gekennzeichnet, die sich als besondere Qualitäten in Körper und Geist des Menschen zeigen. Diese Eigenschaften stimmen mit der charakteristischen Beschaffenheit der jeweiligen Elemente überein.

Vata	**Pitta**	**Kapha**
trocken	ölig	ölig
kalt	heiß	kalt
leicht	leicht	schwer
unregelmäßig	intensiv	stabil
beweglich	fließend	zähflüssig (viskös)
verdünnt	säurehaltig	dicht
rauh	flüssig	glatt
schnell	scharf	stumpf

Das einzigartige Merkmal von Vata ist die Trockenheit, von Pitta die Hitze und von Kapha die Schwere. Wenn wir also ausgeprägte Trockenheit im Körper vorfinden, können wir von einem erhöhten Anteil von Vata-Energie ausgehen. Diese Trockenheit kann in Form von trockener Haut, trockenen Haare, rissigen Lippen oder auch als innere Trockenheit auftreten, die zur Verstopfung führt. Übermäßige Hitze deutet auf eine Fülle von Pitta-Energie hin, was sich in wiederholt auftretendem Fieber, Entzündungen oder auch als hitziges Temperament zeigen kann. Ein Übermaß an Schwere läßt auf viel Kapha-Energie schließen, und dies zeigt sich als Übergewicht, Zellulitis, Flüssigkeitsretention, Schwellungen oder Aufgedunsenheit.

Ihr Prakruti verändert sich nicht und bleibt während des ganzen Lebens konstant bestehen. Der Zustand der Doshas ist jedoch Veränderungen unterworfen. Dieses veränderte Muster wird als *Vikruti* oder Zustandsveränderung bezeichnet. Dieser Zustand verursacht Störungen, die sich schließlich als Krankheitssymptome zeigen. Wir wollen nun die Entstehung von Vikruti ein wenig genauer betrachten.

Die Eigenschaften von Vata, Pitta und Kapha sind in unserer gesamten Umwelt zu finden und erkennbar im Klima, den Lebensbedingungen, der emotionalen Atmosphäre und in den Nahrungsmitteln, die wir zu uns nehmen. Diese Qualitäten aus unserer Umwelt wirken auf unseren Körper, dem sie ihre Eigenschaften übertragen. Die äußeren Elemente können das Gleichgewicht der inneren Elemente direkt verändern.

Nehmen wir folgendes Beispiel:

Der Wind ist trocken und vermehrt das Vata-Dosha, wodurch die Haut trocken und rissig wird.

Fette, gewürzte Nahrungsmittel sind erhitzend und ölig und vermehren Pitta, was wiederum zu einer fettigen Haut oder zu Akne führen kann.

Übermäßiger Schlaf hat Kapha-Natur und vermehrt demnach das Kapha-Dosha. Diese Trägheit wiederum hat eine Gewichtszunahme zur Folge.

Dies wirkt entsprechend dem Prinzip: Ähnliches steigert Ähnliches. Die gegensätzlichen Eigenschaften eines Doshas können gemäß derselben Logik zum Ausgleich beitragen. Dies sind die grundlegenden Prinzipien ayurwedischer Heilung, und sie sind zugleich der Schlüssel zu den richtigen Entscheidungen für mehr Gesundheit und Schönheit. Betrachten wir nun folgende Beispiele:

Vata ist kalt und geräumig, weswegen es für Personen mit einem Übermaß an Vata wichtig ist, sich zu allen Zeiten warm zu halten. Innere Kälte, die durch von außen zugeführte Wärme ausgeglichen wird, hat eine entspannende und erdende Wirkung auf den Körper.

Pitta ist von Natur aus heiß, und daher sollten Personen mit ausgeprägtem Pitta fetten Nahrungsmitteln eher zurückhaltend begegnen. Darüber hinaus sind sie gut beraten, Gewürze, Kräuter und Würzmittel zu bevorzugen, die kühlend wirken und die Fettverdauung fördern.

Kapha ist von Natur aus stumpf; deswegen sollten Personen mit einer starken Kapha-Betonung für ausreichend geistige Anregung und körperliche Bewegung sorgen.

Diese Sicht von der Natur des Lebens sollte keineswegs als eine weitere bequeme Methode, Personen in bestimmte Kategorien zu stecken, aufgefaßt werden. Die Kombinationen der Doshas sind auch ganz ohne Werturteile zu betrachten. Man kann nie sagen, eine bestimmte Kombination von Energie sei grundsätzlich besser als eine andere. Jede Kombination hat ihre eigenen potentiellen Schwächen und Stärken und die Möglichkeit, einen Zustand des Gleichgewichts zu wahren oder nicht. Die Entdeckung Deines Prakrutis ist eine Möglichkeit, zu einem besseren Verständnis Deiner Individualität zu gelangen. Mit Deinem gegebenen energetischen System vertraut zu werden, es zu leben und zu lernen, es in einem harmonischen Zustand zu halten, ist die Grundvoraussetzung nicht nur für die ayurwedische Schönheitspflege, sondern auch für ein langes, erfülltes und glückliches Leben. So findet jeder Mensch zu seiner eigenen Schönheit.

Im klassischen Ayurweda erfolgt die Bestimmung des Prakruti oder des individuellen Zustands der Doshas mit Hilfe der Pulsdiagnose, einem Verfahren, das ein erhebliches Maß an Feinfühligkeit und Erfahrung voraussetzt. Da es für viele Leser kaum möglich sein wird, sich an einen geübten Pulsdiagnostiker zu wenden, haben wir die folgenden Tabellen zum Ermitteln des eigenen Dosha-Gleichgewichts erstellt. Vom Standpunkt der Schönheitspflege, bei der wir uns auch mit Symptomen befassen, sind diese Tabellen von praktischem Wert. Für eine gründliche und genaue Bestimmung des Prakrutis liefern sie jedoch keinen endgültigen Aufschluß. Die Tabellen dürfen demnach nicht verwendet werden, um irgendwelche festen Schlüsse zu ziehen, sondern sollen vielmehr helfen, ein Bewußtsein für die eigene Natur und die Natur anderer Personen zu fördern, wobei wir lernen sollten, auf Unterschiede des Körperbaus, der Konstitution sowie auf unterschiedliche Herangehensweisen an das Leben zu achten und diese zu akzeptieren. Um den Weg zu dauerhafter Anmut und Schönheit zu betreten, müssen wir neben den einfachen, hier beschriebenen ayurwedischen Richtlinien nur lernen, uns unseres Körpers bewußt zu werden und mit diesem zu kommunizieren.

Zur Bestimmung der Eigenschaften

Bei der Bestimmung der Eigenschaften sollte man Personen derselben Hautfarbe und desselben ethnischen Ursprungs vergleichen.

Neben jeder Eigenschaft haben wir einen Platz für Eintragungen gelassen. Der besseren Übersicht halber oder um später darauf zurückzukommen, kannst Du ein Zeichen neben den zutreffenden Eigenschaften machen. In manchen Fällen sind mehrere Eigenschaften in einer Zeile aufgeführt. Wenn mindestens eine dieser Eigenschaften zutrifft, kannst Du die ganze Zeile ankreuzen.

Vata

Körper-Typus

__ schlank oder übergewichtig
__ als Kind mager
__ unterentwickelte Muskulatur, flacher Brustkorb
__ zarter Knochenbau, feingliedrig und/oder hervorstehende Gelenke
__ ungewöhnlich groß oder klein
__ schmale Hüften und Schultern oder schmale Hüften und breite Schultern oder umgekehrt
__ Gliedmaßen, Finger und Zehen gedrungen oder lang und schlank
__ Neigung zu leichtem Krachen, Schmerzen oder Verstauchung der Gelenke
__ Neigung zum Gewichtsansatz an der Taille; nimmt nur schwer zu, verliert Gewicht relativ leicht
__ hervorstehende Venen und Sehnen, besonders an den Händen und im Brustbereich
__ Brüste klein oder unverhältnismäßig groß
__ dunklerer oder heller Teint, jedoch blaß, fahl oder mit einem gräulichen Schimmer
__ Haut fühlt sich kalt an, trocken und rauh, besonders an den Händen und Füßen
__ zarte, feinporige Haut; bisweilen mit trockenen Stellen
__ wenige Muttermale dunkel gefärbt
__ Hautprobleme in Verbindung mit Trockenheit, besonders im Winter; zu den weiteren typischen Störungen gehören Psoriasis, trockene Ekzeme, ledrige Beschaffenheit der Haut, Hühneraugen, Hornhaut, Risse
__ Körperbehaarung entweder spärlich oder übermäßig stark; dunkel, kräftig und lockig oder sehr fein;
__ Kopfhaare eher dunkel, kräftig, drahtig, gekräuselt;
__ Haar verhakt sich leicht; Neigung zu Stumpfheit mit Haarspliß
__ Nägel hart, brüchig, von unterschiedlicher Form und Größe; manchmal mit Rillen, abgebissene Nägel mit Niednägeln und einem blaß-bläulichen Anflug
__ Augen grau, violett, schieferblau oder von dunkler, schokoladenbrauner Farbe
__ Augen ungewöhnlich groß oder klein oder unterschiedlich groß, von unregelmäßiger Position, trocken, mit bläulichem Weiß im Auge

__ schnelle oder zuckende Augenbewegungen; zuweilen Juckreiz
__ kurze, spärliche und trockene Wimpern oder übermäßig lange
__ spärliche, dünne Augenbrauen
__ großer oder kleiner Mund mit großer, schmaler oder ungleichmäßiger oberer und unterer Lippe
__ Zähne von unregelmäßiger Größe, Neigung zum Vorstehen, brüchig, Neigung zum Zahnfleischschwund
__ Zunge häufig stark belegt mit einem feinen, gräulich-rosa Belag
__ Lippen trocken, neigen zu Rissen, besonders im Winter
__ schmale Nase, kleine Nasenlöcher, häufig Verbiegung der Nasenscheidewand
__ dünne Ohren, knochig und unregelmäßig geformt; kleine Ohrläppchen
__ rascher und leichtfüßiger Gang
__ veränderliche Verdauung; bisweilen mit Blähungen, Verstopfung, manchmal auch Durchfall

Menstruation

__ Zyklus unregelmäßig
__ verlängerte Abstände zwischen den Blutungen
__ schwache Blutungen mit Klumpen
__ dunkles Blut
__ während der Menstruation Verstopfung und schwere Krämpfe

Appetit

__ schwankend
__ Augen größer als der Magen
__ liebt knusprige Snacks
__ muß häufig essen
__ große Schwäche beim Fasten

Bevorzugte Lebensmittel

__ trockene, knusprige Snacks
__ salzige, saure Speisen
__ ißt entweder viel oder sehr wenig

Sexueller Antrieb

__ Verlangen schwankend
__ sehr leidenschaftlich
__ ermüdet leicht

__ viele Phantasien
__ geringe Fruchtbarkeit

Aktivität

__ sehr ruhelos
__ wenig Ausdauer
__ Neigung zu übermäßiger Begeisterung, übernimmt sich dann
__ schlechter Körpertonus und Koordination
__ Hunger nach Anstrengungen
__ schwitzt selten

Schlaf

__ entweder sehr leicht oder sehr tief
__ reger Geist hindert am Einschlafen
__ Schlaf häufig unterbrochen
__ fühlt sich selten gut ausgeruht
__ knirscht mit den Zähnen
__ Schlafwandeln

Träume

__ aktiv, gewalttätig, intensiv, lebhaft
__ viele Träume, häufig jedoch vergessen
__ Träume vom Verfolgtwerden oder vom Fliegen

Stimme

__ heiser, brüchig, atembetont

Sprache

__ spricht schnell, sehr gesprächig
__ schweift vom Gegenstand ab, langatmig
__ genießt Monologe
__ redet mit jedem

Bewegungen

__ schnell, flitzend
__ schwach und leicht

Klima

__ liebt Sonne und Wärme
__ unglücklich, nervös bei starkem Wind, Trockenheit und Kälte

_/_ ruhige, weite, offene Gebiete haben positiven Einfluß

Finanzen

_/_ gibt Geld leicht aus
_/_ kauft nach Laune in größeren Mengen ein

Lebensweise

_/_ tut sich schwer, nützliche Gewohnheiten anzueignen
_/_ Wohnräume überfüllt und/oder unaufgeräumt

Gedächtnis

__ schwankend
_/_ Kurzzeitgedächtnis besser als Langzeitgedächtnis
_/_ rasches Vergeben und Vergessen

Denkweise

_/_ theoretisiert gern, sehr flexibel, produziert Geistesblitze
__ kein Interesse an praktischer Anwendung
__ denkt in Wörtern
__ tut sich schwer mit Entscheidungen

Empfindlich gegen

_/_ Lärm, Schmerzen, Kälte, Zug

Streß verursacht

__ Furcht, Angst
_/_ Erregbarkeit

Gefühle

__ emotional und veränderlich aus keinem erkennbaren Grund
_/_ kreativ, wach, aktiv, ruhelos
__ schwacher Wille; gerät leicht aus dem Gleichgewicht

36 V

Pitta

Körper-Typus

__ mittel-großer Körperbau
__ als Kind von mittel-großem Körperbau
__ athletische Muskulatur
__ durchschnittlicher Knochenbau
__ durchschnittliche Körpergröße
__ durchschnittliche Hüften und Schultern, wohlproportioniert
__ wohlproportionierte Gliedmaßen, Hände und Füße
__ normale Gelenke; keine Probleme
__ gleichmäßiger Gewichtsansatz an der Taille; kann durch Willensentschluß erfolgreich abnehmen
__ Venen und Sehnen mäßig hervorstehend
__ Brüste mittelgroß
__ Teint normal oder leicht fettig; heller, kupferfarbener oder rosa Teint; Sommersprossen, rascher Sonnenbrand
__ Haut fühlt sich überall warm an
__ zarte Haut, zur vorzeitigen Faltenbildung neigend, fettig im „T-Bereich" des Gesichts; Entzündung und Juckreiz; errötet leicht
__ viele Muttermale von bläulicher oder bräunlich-roter Färbung
__ typische Hautprobleme sind Hautausschläge, Akne, Mitesser, Hautgrieß, trockene und fette Bereiche, rötlich-braune Flecken
__ Körperbehaarung spärlich und fein
__ Kopfhaare rot, blond, helle Tönung, vorzeitig grau; feines, seidiges Haar; vorzeitiger Haarausfall
__ Haar fettet schnell, besonders bei heißem Wetter, bekommt dann ein stumpfes Aussehen
__ Nägel elastisch, jedoch stark, von gleichmäßiger, ovaler Form, mit einem rosa-, kupferfarbenen Ton
__ Augen haselnußbraun, grün, hellblau, elektrisches Blau
__ Augen von durchschnittlicher Größe und gleichmäßiger Position; empfindlich gegen Sonne und chemische Einflüsse, mit feinen roten Linien im Weiß des Auges, Wimpern und Augenbrauen von durchschnittlicher Beschaffenheit
__ scharfer, wacher, direkter, durchdringender Blick
__ durchschnittlich großer Mund mit ebenmäßigen Lippen
__ Zähne ebenmäßig, gelblich; Neigung zu Karies und Zahnfleischbluten

__ Zunge gelegentlich mit gelblichem, orangefarbenen, rotem Belag überzogen; in manchen Fällen auch Mundgeschwüre
__ Neigung zu Lippenherpes
__ Nase durchschnittlich groß, Neigung zu feiner Äderung
__ Ohren von durchschnittlicher Stärke und ebenmäßiger Form, mit mittelgroßen Ohrläppchen; häufig rot und warm
__ robuste Verdauung; Störungen durch große Mengen von scharfen, gewürzten oder fetten Speisen

Menstruation

__ Zyklus regelmäßig
__ längere Blutungen
__ starke Blutungen
__ hellrotes Blut
__ Regel begleitet von Durchfall und leichten Krämpfen

Appetit

__ starker Appetit
__ genießt das Essen sehr; ißt gerne in Gesellschaft
__ liebt gewürzte, scharfe und ölige Speisen
__ reizbar, wenn das Essen zu spät stattfindet oder eine Mahlzeit entfallen muß
__ fastet nicht gern

Bevorzugte Lebensmittel

__ fettreiche Nahrungsmittel
__ gewürzte Speisen
__ eisgekühlte Getränke und kalte Speisen

Sexueller Antrieb

__ starkes Verlangen
__ Leidenschaft gut unter Kontrolle
__ durchschnittliche Ausdauer
__ Nichterfüllung von Wünschen weckt Zorn
__ durchschnittliche Fruchtbarkeit

Aktivität

__ sehr effizient, genau und ordentlich
__ zwanghaft, wettbewerbsbetont
__ durchschnittliche Ausdauer, außer bei Hitze

_/_ Erschöpfung durch übermäßiges Essen
__ hungrig und durstig nach der Arbeit
__ schwitzt leicht; Neigung zu starkem Körpergeruch

Schlaf

_/_ leichter Schlaf
__ schläft leicht ein, außer bei Sorgen
__ Schlaf selten unterbrochen
__ fühlt sich leistungsfähig auch nach vielen Nächten mit leichtem Schlaf
_/_ arbeitsbedingte Sorgen setzen zu
_/_ Nachtschweiß

Träume

__ leidenschaftlich, farbig
__ gute Traumerinnerung
__ Träume von Verfolgungen, Wettbewerbsituation, von Kaufen und Verkaufen

Stimme

__ intensiv, durchdringend, klar

Sprache

__ ungeduldiger Ton, gute Betonung
__ scharfzüngig, genauer Ausdruck
__ liebt Debatten
__ redet mit allen Menschen, die als intellektuell ebenbürtig betrachtet werden

Bewegungen

_/_ direkt, genau und sich durchsetzend

Klima

_/_ liebt kühles Wetter
_/_ Reizbarkeit bei Hitze und bei hoher Luftfeuchtigkeit
_/_ die Nähe von klaren Seen, Flüssen oder Meeren haben positiven Einfluß

Finanzen

__ geht effizient mit seinem Geld um

_/_ kauft hochwertige Dinge

Lebensweise

__ gut organisiert

Gedächtnis

_/_ befriedigend

Denkweise

__ Planer, Visionär, Organisator
_/_ findet gern praktische Anwendungen
__ denkt in Bildern

Empfindlich gegen

_/_ Hitze, Licht, Farbe

Streß verursacht

__ Zorn und Reizbarkeit

Geist

_/_ intelligent, ehrgeizig
_/_ stark, druckvoll, stur, entschlossen
_/_ kritisch
__ scharfe Wahrnehmung, freudig, selbstbewußt
_/_ Perfektionist
_/_ stolz
__ idealistisch, unternehmerisch, intensive Natur
__ eitel
__ rachsüchtig
__ eifersüchtig
_/_ egozentrisch

48 P

Kapha

Körper-Typus

__ schwerer Körperbau; groß, stark, robust
__ als Kind dick oder stämmig, untersetzt
__ kräftige Muskulatur

__ schwerer Knochenbau; Knochen jedoch nicht vorstehend
__ mittelgroß
__ breiter Körperbau, besonders an Hüften und Schultern
__ Gliedmaßen wohlproportioniert
__ sehr gute Gelenkfunktionen; gut „geschmiert“
__ Neigung zum Gewichtsansatz am Gesäß und an den Hüften; nimmt leicht zu und hat Probleme mit dem Abnehmen
__ Venen und Sehnen von einer kräftigen Haut überlagert
__ schwere Brüste
__ blasse Haut; Brennen nach längerer Sonneneinstrahlung; gleichmäßige Bräunung auch nach relativ kurzem Sonnenbad
__ Haut fühlt sich kühl an, jedoch selten kalte Hände oder Füße
__ blaß, schimmernd-weiße Hautfarbe; weiche, feuchte, kräftige, glatte, etwas fettige Haut mit einer Neigung zu großen Poren
__ wenige Muttermale, bisweilen weiße oder braune Flecken
__ Hautprobleme kommen selten vor, manchmal Empfindlichkeit der Haut, große offene Poren; Pustelakne nur in extremen Fällen
__ Körperbehaarung mäßig, Haare kräftig
__ Kopfhaare dunkel oder hell; kräftiges, schweres, lockiges Haar
__ Haar glänzend, obwohl nur leicht fettend
__ Nägel kräftig, dick, groß, rechteckig, symmetrisch und blaß gefärbt
__ Augen milchig-schokoladenbraun
__ Augen groß, feucht, strahlen Ruhe aus
__ kräftige, ausgeprägte Wimpern und Augenbrauen
__ der Blick ist unbeweglich und ruhig
__ Mund mittelgroß, mit ebenmäßigen Lippen
__ Zähne groß, kräftig, ebenmäßig und strahlend weiß
__ Zungenbelag, wenn vorhanden, dick, weiß, manchmal grünlich und flockig-käsig
__ Lippen feucht
__ breite Nase mit großen Nasenlöchern
__ kräftige Ohren, regelmäßig geformt mit großen Ohrläppchen
__ rascher und leichtfüßiger Gang
__ regelmäßige Verdauung; Neigung zu Trägheit

Menstruation

__ regelmäßig
__ keine Beschwerden
__ durchschnittlich starke Blutung

__ helle Farbe
__ dumpfe, leichte Krämpfe mit Flüssigkeitsretention verbunden

Appetit

__ gleichbleibend
__ ißt, um Gefühle zu bewältigen („emotionaler" Esser)
__ liebt süße, kohlenhydratreiche Speisen
_/_ kann ohne weiteres eine Mahlzeit auslassen
__ zieht den größten Nutzen aus dem Fasten

Bevorzugte Lebensmittel

__ süße, klebrige Nachspeisen
__ Speisen von cremiger, gleichmäßiger Beschaffenheit

Sexueller Antrieb

__ Verlangen gleichmäßig
__ wenn beflügelt, tiefe Bindung
__ große Ausdauer
__ sehr intensiv und anhänglich
__ große Fruchtbarkeit

Aktivität

_/_ zieht Ruhezustand vor
__ wenn angeregt, große Ausdauer
__ Bewegung hat großen positiven Einfluß
__ langsam und methodisch
__ guter Tonus und Koordination
__ wenig Hunger oder Durst nach der Arbeit

Schlaf

__ schläft tief und lange
__ schläft leicht ein, auch am Tag
__ Schlaf selten unterbrochen
_/_ Trägheit am Morgen; braucht mindesten 8 Stunden Schlaf
__ fühlt sich ausgeruht und erfrischt durch Schlaf
_/_ schnarcht

Träume

__ kühl, friedlich, ereignisarm
__ Träume werden selten vergessen, jedoch von geringer Bedeutung

__ ländliche Szenen, starker emotionaler Inhalt

Stimme

__ sanft, süß, melodiös

Sprache

__ spricht langsam und überlegt
__ gebraucht wenig Worte
__ gütige, ermutigende Worte
__ spricht erst, wenn angesprochen

Bewegungen

__ langsam und fließend, entspannt

Klima

__ liebt Wärme, Sonne und Komfort
__ leidet bei hoher Luftfeuchtigkeit, Kälte und feuchtem Wetter
__ relativ unempfindlich gegenüber Wetterwechsel

Finanzen

__ versteht es zu sparen und mit Geld gut zu wirtschaften
__ gibt Geld gefühlsbetont aus

Lebensweise

__ durch Gewohnheiten bestimmt

Gedächtnis

__ langsames Lernen, denkt gründlich nach
__ ausgezeichnet, wenn Informationen erst einmal verarbeitet worden sind
__ hält an alten Verletzungen fest

Denkweise

__ beständig, stabil, aber flexibel
__ zuverlässig und vertrauenswürdig bei laufenden Angelegenheiten
__ denkt in konkreten Begriffen und Bezügen

Empfindlich gegen

__ Berührung und Emotionen

Streß verursacht

__ Furcht und Angst (in extremen Situationen, ansonsten im allgemeinen robust)

Geist

__ tolerant
__ mutig
__ ruhig, friedlich, gelassen
__ großzügig
__ Stumpfheit, Depression, Schwere, engstirnig, Freunden gegenüber loyal
__ verständnisvoll
__ gierig
__ anhänglich
__ neidisch
__ besitzergreifend

Die drei Doshas im Überblick

Wenn Du die oben aufgeführten Listen durchgearbeitet hast, solltest Du die nachfolgenden Listen als Zusammenfassung der wichtigsten Eigenschaften durchgehen. Mache Dir diese Punkte bewußt, um den ayurwedischen Ansatz zur Pflege Deines besonderen Körpertypus besser zu verstehen; Du kannst Dich auch darauf beziehen, ehe Du die längeren Fragebögen durcharbeitest.

Vata

__ dünn, leichter Knochenbau
__ trockenes Haar, Haut und Nägel
__ rasches Denken, Sprechen, rasche Bewegungen
__ begeisterungsfähig, fantasiebegabt, empfindlich, nicht sehr praktisch veranlagt
__ rasche Auffassungsgabe, vergißt schnell
__ neigt zu Sorgen und Stimmungsschwankungen
__ haßt die Kälte, liebt die Sonne
__ ermüdet leicht
__ hat zu jeder Zeit Hunger
__ keine Routine im Leben; liebt Reisen und Veränderungen

__ liebt knusprige, salzige Snacks und Knabbereien
__ gibt Geld leicht aus

Pitta

__ mittlerer, athletischer Wuchs – blond, rothaarig oder vorzeitig ergraut; heller Teint oder Sommersprossen
__ durchdringende Augen, direkte Sprache
__ selbstvertrauend, mutig, aggressiv
__ intelligent, Scharfblick, Ehrgeizig
__ ein Führer, Organisator, idealistisch, bringt Ideen und Geistesblitze hervor
__ großer Planer, verfügt über Selbstdisziplin
__ Neigung zu raschem Zorn und übermäßiger Kritik
__ ermüdet durch übermäßige Hitze
__ liebt körperliche und geistige Herausforderungen
__ haßt es, eine Mahlzeit auslassen zu müssen; ißt große Mengen
__ liebt gewürzte, fettreiche Speisen oder Eis
__ gibt Geld für Luxusartikel aus

Kapha

__ gedrungener, kräftiger Körperbau
__ exotisches Aussehen, gesetztes Aussehen, glänzendes Haar
__ anmutig, entspannt
__ tolerant, mitfühlend, loyal, ruhig
__ ausgezeichnetes Gedächtnis
__ kann stumpf, langweilig oder gierig oder übermäßig besitzergreifend sein
__ schläft gern viel
__ haßt unbequeme Umgebungen
__ ein zuverlässiger Arbeiter
__ Feinschmecker, liebt alle Annehmlichkeiten des Lebens
__ mag das eigene „Nest"
__ liebt süße, klebrige, cremige Leckereien
__ Talent zum Geldverdienen und Anlegen

Betonung eines Doshas

Wenn Du im obigen Abschnitt *Zur Bestimmung der Eigenschaften* eine der Kategorien (Vata, Pitta, Kapha) zweimal so häufig angekreuzt hast wie die beiden anderen, ist Dein Typus durch ein einziges Dosha geprägt. Da dies sehr ungewöhnlich ist, solltest Du die Listen noch einmal durchgehen, wenn Deine persönliche Situation oder die Jahreszeit sich ändert.

Betonung von zwei Doshas

Die meisten Menschen fallen in diese Kategorie. Dabei treffen die Eigenschaften von zwei Doshas relativ stark und gleichmäßig zu, während das dritte Dosha weitaus weniger ausgeprägt ist. Achte darauf, ob sich eines der Doshas durch den Wechsel der Jahreszeiten oder Veränderungen der persönlichen Situation verstärkt oder aus dem Gleichgewicht gerät.

Tridosha-Typus

Dies kommt selten vor. Wenn jedes Dosha im gleichem Maße zutrifft, könntest Du tatsächlich einen Tridosha-Typus haben. Es empfiehlt sich jedoch, die körperlichen Eigenschaften noch einmal sorgfältig zu überprüfen. Du bist auch gut beraten, die Meinung anderer einzuholen. Bei diesem Typus sind die Behandlungen für die Haut, Haare und Nägel rein symptomatisch auszuwählen; das heißt, bei kühler, trockener oder rauher Haut wird Vata behandelt. Bei roten, glatten und fettigen Haaren wendet sich die Behandlung an Pitta. Bei kräftigen, rechteckigen und dicken Nägeln ist die Behandlung auf Kapha ausgerichtet.

Ganz gleich, welches Dosha vorherrscht (ein Dosha, zwei Doshas oder Tridosha), Du mußt Dir bewußt sein, daß alle sowohl ihre innewohnenden Schwächen und Probleme als auch ein großartiges Potential in sich bergen. Zu unterschiedlichen Zeiten und nach verschiedenen kulturellen Ansichten entspricht einmal der eine, dann wieder der andere Typus dem Ideal der jeweiligen Modeströmungen. Ob Du diesem gerade bevorzugten Typus entsprichst oder nicht, wird überstrahlt durch die wahre Kraft der Schönheit, die Dir aus der ayurwedische Pflege erwächst.

Die angemessene Pflege Deines Prakrutis verleiht Deinem Körper Anmut, Deinen Augen Licht, Deiner Haut einen sanften Glanz und Deinem Herzen Freude.

Auswahl der Behandlungsmaßnahmen für einen gemischten Dosha-Typus

- Wenn Du etwas mehr zu Vata als zu Pitta neigst, ...
  ... ist Pitta zu behandeln, wenn die Haut fettiger, wärmer oder entzündet ist.
  ... wird Vata behandelt, wenn die Haut trockener, kälter oder bläßlicher ist.

- Wenn Vata etwas stärker betont ist als Kapha, ...
  ... wird Kapha behandelt, wenn die Haut fetter, weißer oder gedunsener ist.
  ... ist Vata zu behandeln, wenn die Haut trockener oder bläßlicher ist.

- Wenn Du etwas mehr zu Pitta als Vata neigst, ...
  ... wird Vata behandelt, wenn die Haut trockener, kühler oder rauher und das Haar trockener und gröber ist.
  ... ist Pitta zu behandeln, wenn die Haut fettiger, wärmer, feuchter oder entzündet ist.

- Wenn Du etwas mehr zu Pitta als Kapha neigst, ...
  ... ist Kapha zu behandeln, wenn die Haut fettiger, kühler, weißlicher und weniger feucht ist.
  ... wird Pitta behandelt, wenn die Haut wärmer, feuchter, empfindlich und entzündet ist.

- Wenn Kapha etwas stärker als Vata betont ist, ...
  ... soll Vata behandelt werden, wenn die Haut trockener oder bläßlicher ist.
  ... ist Kapha zu behandeln, wenn die Haut fettiger, stärker durchblutet oder weißer erscheint.

- Wenn Du etwas mehr Kapha- als Pitta-betont bist, ...
  ... wird Pitta behandelt, wenn die Haut weniger fett, feuchter, wärmer oder entzündet ist.

... ist Kapha zu behandeln, wenn die Haut fettiger, kühler, weißlicher und weniger feucht ist.

Neben Deinem Prakruti oder Deiner Konstitution muß Dein derzeitiger Zustand oder Vikruti ebenfalls berücksichtigt werden. Dies ist der am meisten veränderliche Aspekt Deines Wesens, das am stärksten durch äußere Faktoren beeinflußt wird, vornehmlich durch das Klima und durch Deine Ernährung. Bei der Auswahl von Behandlungsverfahren solltest Du klimatische Faktoren mit einbeziehen.

Heißes, sonniges Wetter wird naturgemäß Pitta verstärken und Vata und Kapha vermindern.

Kaltes, trockenes, windiges oder wenig veränderliches Wetter wird Vata vermehren und Pitta und Kapha vermindern (wenn keine allzu große Kälte, das heißt Kapha, vorherrscht).

Kaltes, feuchtes, nebliges, bewölktes, regnerisches, verschneites Wetter wird Kapha steigern und Pitta und Vata vermindern (wenn keine übermäßige Kälte, das heißt Vata, gegeben ist).

Die Rolle der Dhatus für die Schönheit des Körpers

Es gibt sieben *Dhatus* oder Körpergewebe, die dem Körper Form und Gestalt geben. Diese sieben heißen *Rasa* (Gewebsflüssigkeiten), *Rakta* (rote Blutkörperchen), *Mamsa* (Skelettmuskulatur), *Meda* (Fettgewebe und Bindegewebe), *Asthi* (Knochen), *Majja* (Knochenmark) und *Shukra* (Fortpflanzungsgewebe). Ihre Aufgabe ist es, sich gegenseitig zu nähren und zu unterstützen, wobei Rasa Rakta nährt, Rakta wiederum Mamsa und so weiter und so fort. Daher wirkt sich eine Störung in einem der sieben Dhatus auf die im Kreislauf nachfolgenden Dhatus aus, da diese dann nicht mehr richtig unterstützt werden.

Jedes der sieben Dhatus nährt und unterstützt ein untergeordnetes Gewebe oder *Upadhatu* und erzeugt Abfallprodukte oder *Malas*. Die Upadhatus haben jedoch nicht die Funktion, sich gegenseitig oder andere Körpergewebe zu ernähren. Nachfolgend schildern wir kurz die Beziehung zwischen Dhatus, Upadhatus und Malas. Dabei beleuchten wir auch die Art und Weise, in der die Dhatus unser gesamtes physiologisches Wohlbefinden beeinflussen.

- Rasa unterstützt die Milchbildung, die Menstruation und erzeugt Schleim als Abfallprodukt. Da Rasa-Dhatu die Nährstoffe aus dem Verdauungsprozeß erhält, hilft Rasa, den gesamten Körper zu ernähren.
- Rakta unterstützt die Blutgefäße und Sehnen und erzeugt Galle als Abfallprodukt. Rakta führt Sauerstoff in die Körpergewebe und entfernt Kohlendioxid, wodurch der gesamte Körper gekräftigt und gestärkt wird.
- Mamsa unterstützt subkutanes Fett und die Haut und erzeugt Abfallprodukte, die aus Körperöffnungen ausgeschieden werden. Da Mamsa für das Muskelgewebe verantwortlich ist, werden die Konturen des Körpers hierdurch bestimmt.

Tabelle 1

Dhatu	**Upadhatu**	**Malas**	**Körperfunktion**	**Positiver emotionaler Ausdruck**
Rasa (Chylus, Lymphe, Blutplasma)	Stanya (Brustdrüsen) Artava (Menstruation + Milchbildung)	Schleim	Nähren	Zufriedenheit mit der Nahrung, Mitgefühl, Hochgefühl, Lebenslust
Rakta (Rote Blutkörperchen)	Sira (Blutgefäße) Kardrara (Muskelsehnen)	Galle	Stärken	Begeisterung, Vitalität, Erregung
Mamsa (Skelett-muskulatur)	Snayu (flache Muskulatur) Twacha (Haut)	Abfallprod.in Körperöffnungen: Ohrenschmalz, Fussel am Nabel, Schleim in der Nase, Smegma	Bedeckt das Skelettsystem	mutig, geschützt, vergebend, gute Koordination
Meda (Fettgewebe in Gliedmaßen und Rumpf)	Snaya (subkutanes Fettgewebe)	Schweiß	Schmieren	Fähigkeit zur Bindung in Liebe oder Freund-schaft
Asthi (Knochen)	Danta (Zähne)	Nägel, Körperbehaarung und Bart	Stützen	unterstützt, geerdet, Stärke, zielgerichtet
Majja (Knochenmark und Nervengewebe)	Akshivit Sneha (Kopfhaare)	Tränenabson-derung	„Ausfüllung" von Räumen, unter-hält Funktion der Tränenabsonde-rung	stabiles Selbstge-fühl, kann sich schützen mit klarem, ruhigem Blick
Shukra (männl. + weibl. Fortpflanzungs-funktionen)	Ojas (Erzeugt die Aura + steuert Immun-funktionen)	(keine)	Fortpflanzung	Kinderwunsch oder starke Krea-tivität, fähig, sich einen Namen zu machen

Tabelle 1 (Fortsetzung)

Emotionaler Ausdruck bei gestörtem Gleichgewicht	**Schönheit: Auswirkungen bei gestörtem Gleichgewicht**	**Negativ wirkende Nahrungsmittel**	**Positiv wirkende Nahrungsmittel**	**Bes. Behandlungsverfahren zum Ausgleichen**
Mißtrauen, wird betrogen, frustriert, mißbraucht; Mangel an Vertrauen und Geschmack, Mangel an Selbstvertrauen	Müdigkeit, Depressionen, allg. Trockenheit, Blutarmut, Schweregefühl, verstopfte Venen, vorz. Altern, Abmagerung, PMS, Schmerzen	fettige, zuckerhaltige Speisen	Meeresgemüse (besonders Agar-Agar), Obst- und Gemüsesäfte, Aloe vera	Fasten
Zorn, Reizbarkeit, Gewalttätigkeit, Mangel an Liebe	Trockenheit, stumpfe Haut, Krampfadern, Hautausschl., Akne, Quetschungen, blaue Flecken	säurebildende Nahrungsmittel	mineralstoffreiche (besonders eisenreiche) Nahrungsmittel	Fasten, Abführmittel, Aderlaß, tiefe Atmung
schutzlos, ohne Unterstützung, kann nicht vergeben, schlecht organisiert	Schwäche und Abmagerung der Muskeln, Ekzeme, Dermatitis, Zysten, Psoriasis, Abszesse	eiweißarme Ernährungsformen	hochwertiges Eiweiß, alle essentiellen Aminosäuren	chirurgische Maßnahmen, Kauterisieren
festhaltend, starkes Bedürfnis nach emotionaler Zuwendung	trockene Haut, Fettleibigkeit *oder* Abmagerung, trockenes *od.* fettiges Haar u. Nägel, schw. Brüste, stark riechender Schweiß	schwere, fettreiche Speisen	essentielle Fettsäuren	Fasten, Bewegung, Schwitzen, Erbrechen
nicht geerdet, schwach, geringe Energie	Osteoporose, schlechte Haltung, Karies, Haarausfall, Bart bei Frauen	übermäßig eiweißreich, Feinzucker	mineralreiche Nahrung, Sesam, Meeresgemüse	Pancha Karma, besonders Basti
geistige Leere, sich wertlos fühlen, leblose Augen, manipulierend doch schwach, selbstisch	eingefallende oder vorstehende Augen, schwere, verklebte Augen, Taubheit	Streß bei der Nahrungsaufnahme	Vitamin-B-reiche Nahrungsmittel, Eiweiß, Lezithin	Ausschaltung übermäßig starker Doshas
schwache Kreativität, Verwundbarkeit	Störungen der Libido	beim Essen übermäßig mit Ängsten und Sorgen beschäftigt	Milch, Ghee, verjüngende Heilpflanzen (wie Shatavari, Ashwagandha)	Bewegung, süße und bittere Nahrungsmittel, sexuelle Aktivität

- Meda unterstützt das Fettgewebe und flaches Muskelgewebe und erzeugt den Schweiß als Abfallprodukt. Aufgrund seiner Gleitfähigkeitist es für die Schmierung im Körper und die Schlüpfrigkeit aller Gewebe verantwortlich.
- Asthi unterstützt die Zähne und erzeugt das Körperhaar, Bart und Nägel aus Abfallprodukten. Es sorgt für das Stützgerüst der Muskulatur (Knochen, Knochengewebe).
- Majja unterstützt die Kopfhaare und erzeugt die Muttermilch als Nebenprodukt. Majja hilft, die Räume des Körpers zu füllen.
- Shukra unterstützt Ojas, Glanz der Gesundheit und erzeugt keine Abfallprodukte. Shukra ist für die Fortpflanzung verantwortlich.

Die Tabelle 1 auf den Seiten 40 und 41 dient dem besseren Verständnis dieser Zusammenhänge. Um die Beziehung zwischen den Dhatus, Upadhatus und Abfallprodukten besser zu verstehen, betrachten wir die Haut als Beispiel.

Die Haut wird als „Rahm von Rasa“ bezeichnet, doch in Wirklichkeit müssen die Rasa-, Rakta- und Mamsa-Dhatus in einem guten Zustand sein, um eine schöne Haut zu bilden. Die Gesundheit des Rasa-Dhatus hängt von einer guten Verdauung und der richtigen Auswahl der Nahrungsmittel ab. Mineralstoffreiche Nahrungsmittel und eine gute Sauerstoffzufuhr sowie die Abwesenheit von Toxinen im Blut sind für die Gesundheit von Rakta-Dhatu erforderlich. Die Gesundheit des Mamsa-Dhatus wird durch reines, gut ernährtes Blut und regelmäßige Bewegung unterstützt. Auf diese Weise erkennen wir, daß die Ernährung, die Verdauung, frische Luft und Bewegung wichtige Faktoren für den Zustand der Haut sind. So sehen wir, wie uns das Wissen um die Dhatus zu verstehen hilft, wie wir die Schönheit eines bestimmten Gewebes beeinflussen können. Wenn wir auf diesem Weg nicht zum erwünschten Resultat gelangen, wird eine Untersuchung der Upadhatus und Malas helfen zu bestimmen, welches der Dhatus unserer Aufmerksamkeit bedarf. Als weiteres Beispiel betrachten wir die Nägel.

Der Zustand von Asthi-Dhatu bestimmt ebenfalls den Zustand der Nägel, denn eine mineralstoffreiche Ernährung versorgt nicht nur das Knochengewebe, sondern trägt auch zur Bildung von strahlend weißen Zähnen und kräftigen Nägeln bei. Da Asthi-Dhatu jedoch auch von anderen Dhatus unterstützt wird, können Probleme mit den Nägeln Ausdruck von Störungen in den Rasa-, Rakta-, Mamsa oder Meda-Dhatus sein, eben jenen Dhatus, die Asthi-Dhatu unterstützen. Dies liefert uns auch die Erklärung, warum uns die Nägel (Nageldiagnose) Aufschluß über den inneren Zustand des Organismus liefern können. So weisen Längsrillen der Nägel zum Beispiel auf Malabsorption[1] hin, eine Störung des Rasa-Dhatus (weitere Einzelheiten über Zustände der Nägel und Behandlungsverfahren sind im Abschnitt über Nagelpflege auf S. 181 enthalten).

Ein gesundes Majja-Dhatu sorgt für kräftiges, glänzendes Haar – was allgemein als ein Zeichen von guter Gesundheit gilt. Das Shukra-Dhatu schließlich bringt Ojas hervor, jenen Glanz der Vitalität, der von der Gesundheit aller Körpergewebe abhängig ist, weswegen wir sagen können, daß die Gesundheit des ganzen Organismus die Voraussetzung für eine strahlende Schönheit ist.

Mit Hilfe der Tabelle 1 (siehe S. 40 und 41) kannst Du Dir die Wechselbeziehungen veranschaulichen. Hier sind auch die emotionalen Zustände aufgeführt, die den verschiedenen Dhatus zugeordnet werden. Der Zustand der einzelnen Dhatus wirkt sich also nicht nur auf den Allgemeinzustand des Körpers aus, sondern auch auf den Geist. Die Gesundheit und Ausgeglichenheit der Dhatus bringt angenehme, anziehende Verhaltensweisen hervor. Gleichzeitig können Faktoren, die eine förderliche, ausgleichende Wirkung auf den Geist ausüben wie das Gebet, Meditation und Tätigkeiten, die Liebe, Mitgefühl und Friede vermitteln, ihrerseits eine ausgleichende Wirkung auf die Dhatus entfalten. Natürlich kann es keine bessere Lebensweise geben als jene, die die positive Entwicklung von Körper und Geist fördert. Auf diese Weise wirst Du sicherlich keinen Fehler machen, und Dein Aussehen und Verhalten wird auch die Ergebnisse einer solchen Lebensweise ausstrahlen.

Die Bedeutung der Malas

Nach ayurwedischer Ansicht ist die Ausscheidung von Abfallprodukten (Malas) genauso wichtig für die Gesundheit und Schönheit des Körpers wie die Ernährung, die ihm zugeführt wird. Die Abwesenheit von Schlacken und Abfallprodukten in den Geweben und ihre regelmäßige Reinigung über die physiologischen Ausscheidungswege ist der Schlüssel zu Spannkraft, Frische und Vitalität. Nur ein von Stoffwechselschlacken und Toxinen unbelasteter Körper kann Spitzenleistungen vollbringen und

---

[1] Ungenügende Aufnahme von Nahrungsbestandteilen aus dem Verdauungstrakt, vor allem aus dem Dünndarm, und zwar infolge Störung der Verdauung oder Resorption.

die zugeführten Nährstoffe optimal nutzen, so wie nur ein offener Geist über die Freiheit verfügt, die Welt zu genießen.

In diesem Buch werden eine Reihe von Verfahren vorgestellt, um die Gesundheit der Dhatus zu unterstützen. Eine der besten Methoden besteht jedoch darin, *Ojas* zu stärken.

Das Wesen von Ojas

Ojas ist die feine Essenz aller Dhatus und die subtile Essenz des *Shukra-Dhatus*. In unserem Körper zeigt sich Ojas als der Saft der Lebensenergie, der dem Herzmuskel Kraft verleiht, den natürlichen Schrittmacher des Herzens reguliert, die gesamte Muskulatur nährt, die Tätigkeit der Leber und Nieren aufrechterhält und ein starkes Immunsystem gewährleistet. Auf einer mehr feinstofflichen Ebene handelt es sich hier um die Lebensenergie, die Du als Schwingungen von Frische und Licht wahrnehmen kannst, wenn Du einen besonders vitalen Menschen berührst. Ein Mensch mit starkem Ojas verfügt über einen festen, starken und geschmeidigen Körper. Die Haut ist glatt, rein und strahlend, das Haar ist kräftig, glänzend und läßt sich leicht kämmen und legen. Diese Menschen haben einen ruhigen Gesichtsausdruck mit einem natürlichen Lächeln; die Körperhaltung ist entspannt, und die Bewegungen zeichnen sich durch eine natürliche Anmut aus; die Stimme ist melodiös, und die sprachlichen Äußerungen sind liebenswürdig. *Soma*, die Substanz, die Ojas im Gehirn erzeugt, ist die Quelle für unsere Fähigkeit zur Liebe. Soma befähigt den Geist auf subtiler, physischer Ebene zum Ausdruck von natürlichem Mitgefühl, liebender Güte, Friede und Kreativität – den höchsten Eigenschaften der Schönheit. Durch spirituelle Übung wird Ojas transformiert und stärkt die Aura, was dem Körper des Adepten einen strahlenden Glanz verleiht. Spirituelle Übungen wie Meditation, Gebet und Rezitationen haben ebenfalls einen ausgesprochen stärkenden Einfluß auf Ojas. Denk einmal nach, wieviele religiöse Darstellungen und Gemälde die strahlenden Eigenschaften der Gestalten und Gesichter von Göttern, Weisen und Heiligen betonen. Dieser Glanz, diese Strahlung ist nichts anderes als Ojas.

Bei einem Verlust oder einer Vernichtung von Ojas tritt das Gegenteil von Gesundheit auf den Plan. Nun zeigen sich alle Eigenschaften, die wir mit einem Mangel an Vitalität – sowohl körperlich, als auch geistig – assoziieren. Nachfolgend sind einige Faktoren, die zur Zerstörung von Ojas beitragen, aufgelistet:

- eine Lebensweise, die das Vata-Dosha verschlechtert
- denaturierte Nahrungsmittel; übermäßig verfeinert, konserviert, Mikrowellenkost, alte, verdorbene Lebensmittel, „Junk food und Fast food" und so weiter
- Fliegen, sehr schnelles Autofahren, schnelle, sehr fordernde Sportarten ohne ausgleichende Entspannung
- Computerarbeit, Fernsehen und Hintergrundstrahlung
- laute Musik
- fortgesetzte Ablenkung
- übermäßig starke körperliche Betätigung, Bewegung
- zu langes oder zu häufiges Fasten
- fortgesetzte Gefühlskonflikte: Furcht, Sorgen, Zorn, Trauer, Festhalten, Ungeduld
- Überarbeitung
- Mangel an Vertrauen oder Selbstvertrauen
- übermäßige sexuelle Betätigung
- Krankheiten

Obwohl Ojas zerstört werden kann, besteht die Möglichkeit, Ojas wiederzugewinnen und zu stärken. Neben religiösen und spirituellen Übungen gibt es natürliche, alltägliche Maßnahmen, die zur Vermehrung von Ojas beitragen. Entscheidende Bedeutung hat eine Lebensweise, die das Gleichgewicht des Körpers fördert. Dabei solltest Du Deine Aufmerksamkeit auf eine angemessene, liebende Pflege Deines Körpers richten. Dann gibt es natürlich auch spezifische Mittel. Warme Rohmilch und Ghee (geklärte Butter) sind hochgeschätzte Nahrungsmittel, da sie Ojas auf direktem Wege nähren, wie dies auch bei den verjüngenden Heilpflanzen *Shatavari, Ashwagandha* und *Guduchi* der Fall ist. (Eine Tasse Rohmilch und ein Teelöffel Ghee mit einem halben Teelöffel von Shatavari, Ashwagandha oder Guduchi ergibt einen wunderbares Getränk vor dem Schlafengehen.) Ein entspannender Urlaub mit Spaziergängen auf dem Land, gutes Essen, Ruhe und guter Schlaf können Wunder wirken. Aus ayurwedischer Sicht ist die Regeneration von Ojas im Körper der Grund, warum ein Mensch nach einem solchen Urlaub ausgeruht und erholt aussieht und ein größeres Maß an Ruhe und Kraft ausstrahlt. So betrachtet, wirken offensichtlich viele Aspekte des modernen Lebens sehr nachteilig auf Ojas. Deswegen sind die richtige Ernährung, Lebensweise und unsere spirituelle Praxis die wesentlichen Elemente bei der Wiederherstellung von Ojas, unserer Vitalität und unserer natürlichen Schönheit.

Tägliche Maßnahmen für mehr Schönheit

„Wie der Wille, so die Handlungen des Menschen. Und wie der Mensch handelt, so wird er sich entwickeln."
Brihadaranyaka U 4.5

Der nachfolgende Abschnitt enthält detaillierte Angaben darüber, wie wir viele Aspekte des täglichen Lebens angehen und bewältigen können, um einen Zustand von Harmonie im Körper herzustellen. Diese Informationen sind als Richtlinien für unser Leben zu betrachten und sollten allmählich, den jeweiligen Umständen entsprechend übernommen werden. Keinesfalls besteht die Absicht, Einschränkungen aufzuerlegen, sondern vielmehr geht es darum, sich an die grundlegende Natur des Körpers zu wenden. Diese ureigene Natur – die entsprechenden Wahlmöglichkeiten und Anpassungszeit vorausgesetzt – wird geordnete Abläufe stets dem Chaos vorziehen und verlangt nach Freiheit und dem Raum, um eine wirklich kreative Lebensweise zu entwickeln. Bitte denke auch daran, daß zu viele Veränderungen auf einmal – auch positive – den Körper leicht überfordern können. Am besten ist es, zunächst einige wenige Dinge umzustellen und nach einer Weile über die erzielten Resultate nachzudenken. Wenn die ersten Veränderungen zu einem wahrnehmbaren Unterschied im Befinden und Aussehen geführt haben, werden diese neuen Wege sehr wahrscheinlich zu einem Bestandteil Deines täglichen Lebens werden. So entsteht eine echte Disziplin, nämlich eine Disziplin, die Deinem wahren Selbst entspringt und mit einem Gefühl von Freude an dem, was sich gut bewährt, verbunden ist. Wer die ayurwedischen Prinzipien auf diese Art und Weise als Werkzeuge verwendet, um sich selbst zu entdecken, wird sich zu seinem eigenen Heiler entwickeln und sein innewohnendes Potential bestmöglich ausschöpfen können.

Die Bedeutung der Ernährung für die Schönheit

„Solange wir nicht in Harmonie mit
unserer Natur und unserer Konstitution leben,
können wir keine echte Heilung erwarten.
Der Ayurweda gibt uns die erforderlichen Mittel.“
David Frawley

Nach ayurwedischer Lehre ist die vollkommene Verdauung und Assimilation unserer Nahrung in Verbindung mit der regelmäßigen und effizienten Ausscheidung von Abfallprodukten die unerläßliche Voraussetzung für unsere Schönheit. Diese Faktoren bilden das Fundament für ein starkes, ausgeglichenes und schönes Wesen. Alle zusammen sind verantwortlich für die Bildung einer reinen Haut, für klare Augen, glänzendes Haar, starke Nägel, Ausdauer und fördern Klarheit und eine sanfte, mitfühlende Natur. Alle Nahrungsmittel, ganz gleich, wie vollkommen sie sein mögen, die nicht gründlich verdaut werden, erzeugen toxische Abfallstoffe, die im Ayurweda als *„Ama“* bezeichnet werden. Ama belastet wiederum den Organismus und verschlechtert die Verdauungsleistung, so daß es durch die Entstehung von Blockaden in den lebenswichtigen Kanälen und der Trübung geistiger Funktionen zu einer Verschlimmerung der ursprünglichen Störung kommt.

Eine gute Verdauung wird durch eine intelligente Auswahl und sachgerechte Zubereitung der Nahrungsmittel sowie durch die richtige Aufmerksamkeit und Geisteshaltung beim Essen unterstützt. Bevor wir im einzelnen auf die Auswahl und Zubereitung der Nahrung eingehen, wollen wir zunächst einige Richtlinien betrachten, die einer guten Verdauung förderlich sind.

Allgemeine Richtlinien für eine gute Verdauung

- Wenn zum Beispiel Mundgeruch, eine stark belegte Zunge, Blähungen, trüber, wolkiger Urin, Übelkeit oder Verdauungsstörungen auf eine schlechte Verdauung oder Ama hinweisen, solltest Du Deinem Körper Zeit geben, sich zu reinigen und das Gleichgewicht wiederherzustellen. Dies geschieht am besten, indem Du einen Fastentag einlegst oder zumindest eine Mahlzeit ausläßt, bis sich der richtige Appetit wieder einstellt.

- Du solltest nie essen, wenn Du zornig, deprimiert, gelangweilt, beunruhigt oder erschöpft bist.
- Baden vor dem Essen. Wenn dies aus praktischen Gründen nicht machbar ist, solltest Du auf jeden Fall die Hände und das Gesicht waschen.
- Du solltest soviel wie möglich zu Hause essen. Speisen, die mit Liebe und der Absicht, anderen Gutes zu tun, zubereitet worden sind, übertragen stets eine bessere Energie, als Speisen, die in einem Restaurant bereitet werden, dessen Hauptanliegen darin besteht, einen Gewinn zu erwirtschaften. Nach alter Tradition wurden die Köche in Indien früher aus der Priesterkaste ausgewählt, um sicherzustellen, daß die Speisen mit positiver Energie aufgeladen wurden.
- Iß allein oder in der Gesellschaft von Freunden und Familie, die eine vollkommene Entspannung ermöglichen.
- Der Ort, an dem man ißt, sollte ruhig und sauber sein. Nach Osten gewandt entsteht die größte Verdauungsenergie.
- Klassische westliche oder indische Musik fördert die Verdauung. Beide Musikarten sind zur Einstimmung auf das Essen hilfreich.
- Warmes Wasser, schluckweise während der Mahlzeit getrunken, unterstützt die Verdauung. Eisgekühltes Wasser oder kalte Milch solltest Du niemals während einer Mahlzeit trinken.
- Ingwer regt den Appetit an. Kleingehackter Ingwer wird mit ein wenig Zitronensaft und einer kleinen Menge Steinsalz vermischt. Diese Anregung ist bei Pitta-betonten Menschen meist nicht erforderlich, und solange sie einen lebhaften Appetit haben, sollten sie am besten darauf verzichten.
- Rohe Speisen sollten stark reduziert werden. Gekochte Speisen sind im allgemeinen besser verdaulich.
- Danke für das, was Du gleich essen wirst, und übertrage dieses positive Gefühl auf Dein Essen, damit es jeder einzelnen Zelle Deines Körpers zugute kommt.
- Abgesehen von einer ruhigen Musik im Hintergrund sollte beim Essen Ruhe herrschen. Man sagt, daß die Qualität der Gespräche nach dem Essen die Natur und die Qualität des Essens widerspiegeln, während Gespräche während des Essens einer guten Verdauung nur abträglich sind.

- Iß nur so viel, wie Deine beiden zusammengelegten Handflächen umfassen können.
- Iß Nahrungsmittel von allen sechs Geschmacksrichtungen: süß, sauer, salzig, bitter, scharf und zusammenziehend, wobei die Anteile Deinem Dosha beziehungsweise Deiner Dosha-Zusammensetzung angepaßt werden sollten.
- Wann immer möglich, sind frische, örtlich angebaute Produkte in der jeweiligen Saison zu bevorzugen.
- Übermäßig saure oder fermentierte Nahrungsmittel, besonders Brot mit Hefe, sind zu vermeiden.
- Auch nach dem Essen solltest Du dafür danken.
- Anschließend solltest Du die Mundhöhle reinigen, die Augen mit Wasser spülen und einen kurzen Spaziergang machen.
- Zwischen den einzelnen Mahlzeiten sollten drei bis sechs Stunden liegen.
- Wenn möglich, sind regelmäßige Essenszeiten einzuhalten.
- Zwei Stunden nach einer Mahlzeit und besonders nach dem Abendessen solltest Du weder schlafen, anstrengende geistige Arbeit leisten oder sexuell aktiv sein. Fernsehen, während und nach den Mahlzeiten, verhindert eine gute Verdauung der Speisen.

Richtlinien für die Auswahl der Nahrungsmittel

Die *Rishis*, die die ursprünglichen ayurwedischen Schriften über die Ernährung verfaßt haben, lebten in einer einfacheren, weniger umweltbelasteten Welt. Vieles hat sich seit jener Zeit verändert, und es gibt zahlreiche neue Fragen, die sich im Zusammenhang mit unserer Ernährung stellen. Die nachfolgenden Vorschläge sind nicht Bestandteil der ayurwedischen Tradition, doch entsprechen sie dem Geist des Ayurweda.

- Nahrungsmittel aus biologischem Anbau sind stets zu bevorzugen. Hierbei ist es nicht nur eine Frage von negativ wirkenden chemischen Verbindungen, die dem Organismus schaden und die Gewebsalterung beschleunigen, sondern Produkte aus natürlichem Anbau sind auch nährstoffreicher, besonders hinsichtlich der Spurenelemente – Vitalstoffe, die eine wichtige Rolle für unsere Haut, Haare, Nägel und unser psychosomatisches Wohlbefinden spielen.

- Zu bevorzugen sind ebenfalls Nahrungsmittel, die aus derselben Gegend stammen, in der wir leben, oder innerhalb eines Umkreises von einigen hundert Kilometern und daher in einer ähnlichen Klimazone gewachsen sind. Produkte, die in Deiner jeweiligen Gegend gut wachsen, verhelfen Dir ebenfalls zu einem guten Aussehen und Wohlbefinden. Alles, was um uns herum gut gedeiht, ist auch für uns förderlich.

- Die Erzeugnisse der jeweiligen Saison sind stets am frischesten und entsprechen in natürlicher Weise dem Klima zur gegebenen Zeit. So ist es empfehlenswert, frisches grünes Blattemüse im Frühjahr zu essen, Zucchini im Sommer, Karotten im Herbst und Acorn-Kürbis im Winter. Frische Erzeugnisse haben ein Höchstmaß an Vitalstoffen und vermitteln mehr Energie.

- Bei der Auswahl der Nahrung ist auf die eigene Dosha-Zusammensetzung zu achten. Die Jahreszeit und die Tageszeit, zu der ein Dosha von Natur aus am stärksten ist, sollten ebenfalls bei der Auswahl beachtet werden. Beim Reisen und Essengehen ist ganz besonders auf die Auswahl der Speisen zu achten.
  Vata ist im Herbst und Winter am stärksten und während des Tages am Nachmittag.
  Pitta ist im Sommer und zur Mittagszeit am stärksten.
  Kapha ist im Frühjahr, am frühen Morgen und Abend am stärksten.

Hier sind noch einige Richtlinien, ehe wir uns im nachfolgenden näher mit den Doshas und der entsprechenden Auswahl der Nahrung befassen:

- Frisch zubereitete Speisen sind stets zu bevorzugen. Frische Reste (jedoch nicht älter als ein Tag) sind aber immer noch besser als Fast food.
- Vermeide ausgesprochen ungünstige Kombinationen wie ...
  sehr heiße und sehr kalte Speisen
  Rohkost und gekochte Speisen
  Milch und Fisch
  Milch und Fleisch

- Mikrowellen sind in jedem Fall zu vermeiden. Diese Form des Kochens führt zu einer Zerstreuung, anstatt zu einer Verdichtung von Energie und wirkt langfristig schwächend. Wissenschaftliche und empirische Beweise hierfür liegen bereits vor.
- Unsere Speisen sollten gut aussehen und appetitanregend riechen. Hübsche, zierende Beilagen und ein schön gedeckter Tisch fördern eine Empfindung von Harmonie beim Essen.
- Das beste Wasser ist Quellwasser (Mineralwasser) oder filtriertes Wasser. Destilliertes Wasser ist zu meiden, da es keine Mineralstoffe enthält und diese sogar dem Organismus entzieht, wodurch Knochen, Zähne, Haare, Nägel und Haut geschwächt werden. Es gibt jedoch Mineralstoffzusatzpräparate, die zur Anreicherung von destilliertem Wasser verwendet werden können.
- Jeder Bissen sollte wirklich gut gekaut werden – zumindest so lange, bis ein flüssiger Zustand erreicht ist.
- Zum Abschluß einer Mahlzeit sollte Lassi gereicht werden, ein aus Joghurt hergestelltes Getränk, das biologisch aktive Acidophilus-Bakterien enthalten sollte, die die Verdauungsvorgänge fördern. Moderne Ernährungsweisen beeinflussen die physiologische Darmflora negativ und verursachen Probleme, die eine Vielzahl von Verdauungsstörungen nach sich ziehen. Acidophilus-Bakterien wirken ausgesprochen ausgleichend. Für die Bereitung von Lassi eignet sich selbst hergestellter Joghurt am besten. Du solltest aus den nachfolgenden Rezepten die für Dein Dosha oder Deine Dosha-Kombination in Frage kommenden entsprechend Deinen Bedürfnissen aussuchen.

Die Ernährung entsprechend den Doshas

Die Betrachtung und Behandlung von Menschen als Individuen ist eine der größten Stärken des ayurwedischen Verständnisses von Gesundheit und Schönheit. Dieser Ansatz kommt bei der Auswahl der optimalen individuellen Ernährung ganz besonders zum Tragen.

Anstatt Fragen der Ernährung in bezug auf Kalorien oder besonderen Nährstoffen anzugehen, wie dies im Westen üblich ist, stützt sich eine ayurwedische Ernährungsweise mehr auf eine intuitive Wahrnehmung dessen, was jemand hinsichtlich Farbe, Geruch, Temperatur, Geschmack und Beschaffenheit als anziehend empfindet. Dabei wird der Tatsache vertraut, daß der Körper in einem Zustand des Gleichgewichts aufgrund seiner innewohnenden Intelligenz zu den richtigen Nahrungsmitteln hingezogen wird. Dieses Prinzip funktioniert, wenn wir gesund sind. Da die moderne Welt jedoch so viele Einflüsse mit sich bringt, die uns aus dem Gleichgewicht werfen, ist es nützlich, wenn wir über genauer definierte Richtlinien verfügen.

Im Ayurweda werden Nahrungsmittel nach ihren Eigenschaften, „*Gunas*", und nach ihrem Geschmack, „*Rasa*", eingeteilt. Die sechs wichtigsten Gunas sind:

schwer	leicht
trocken	ölig
heiß	kalt

Und die sechs Rasas sind:

süß	bitter
sauer	scharf oder gewürzt
salzig	zusammenziehend

Die Eigenschaften und Geschmacksrichtungen der Nahrungsmittel, die sich für ein bestimmtes Dosha am besten eignen, wirken den Eigenschaften des Doshas entgegen. Mit anderen Worten: Die Nahrungsmittel, die wir für ein bestimmtes Dosha aussuchen, sollen dieses nicht steigern oder verstärken, sondern mit entgegengesetzten Eigenschaften und Tendenzen eine ausgleichende Wirkung erzielen. Nehmen wir Vata als Beispiel, das von seiner Natur her trocken, kalt und unregelmäßig ist. Die Vata-ausgleichenden Nahrungsmittel sind demnach feucht und wärmend und sollen zu regelmäßigen Essenszeiten zugeführt werden.

Dennoch sollten alle Geschmacksrichtungen und alle Eigenschaften in einer Mahlzeit enthalten sein, wobei die Anteile anzupassen sind, um das am stärksten hervortretende Dosha des betreffenden Menschen auszugleichen. Mahlzeiten, die auf diese Weise zusammengesetzt werden, sind eine außerordentlich befriedigende kulinarische Erfahrung und schränken zudem das Verlangen nach übermäßig großen Portionen oder Zwischenmahlzeiten ein. Dieses Ausgleichen mag zunächst etwas kompliziert erscheinen, ist aber letztendlich auch nicht belastender oder mühsamer als das, was viele Menschen erleben, wenn sie eine Mahlzeit essen und danach das Gefühl haben, daß irgend etwas noch fehlt, daß dieses oder jenes noch erforderlich wäre, um die Mahlzeit wirklich abzurunden. Indem Du bei Deinen Mahlzeiten auf die Gunas und Geschmacksrichtungen achtest, kannst Du stets die ideale Mahlzeit im voraus planen. Bei der Gestaltung einer Mahlzeit ist Deine Fantasie, Intuition und Intelligenz gefragt. Das Kochen ist eine Kunst und dessen Vervollkommnung erfordert Zeit und Geduld.

Es gibt unzählige Ernährungsformen und Diäten, die als „perfekt", als wahre Allheilmittel in die Welt gesetzt und angepriesen wurden. Der Ayurweda lehrt uns eine ganz andere Sicht der Dinge. Was dem einen zum Heilmittel gereicht, kann für den nächsten ein Gift sein. Was wunderbar gesund bei Vata-Menschen wirkt, wird bei Kapha-Personen nicht immer von Vorteil sein. Für Vata-Menschen ist zum Beispiel eine Schale mit heißem Vollkorngetreide und heiße Milch ein gesundes Frühstück, denn es hilft, sie zu erden, und schenkt ihnen Energie für den ganzen Morgen. Nähmen Kapha-Menschen dasselbe Frühstück zu sich, würden sie wohl ein Gefühl von Schwere erleben und möglicherweise auf dem Weg zur Arbeit einschlafen.

Obwohl die Ernährung den jeweiligen Dosha-Betonungen angepaßt wird, fußt die ayurwedische Ernährungsweise auf den Nahrungsmitteln und ihren Anteilen, die sich im Laufe der Geschichte der Menschheit als am meisten lebenserhaltend erwiesen haben, nämlich eine Ernährung mit einem 40- bis 60%igen Anteil an Vollkorngetreide, einem 30- bis 50%igen Anteil an frischem Obst und Gemüse und einem 10- bis 20%igen Anteil an hochwertigem Eiweiß. Hierbei werden spezifische Arten der einzelnen Kategorien und ihr Anteil gemäß der jeweiligen Dosha-Betonungen ausgewählt. Mit diesem Grundkonzept kannst Du auch Deinen eigenen Ernährungsplan vereinfachen.

Ehe wir zu den spezifischen Ernährungsempfehlungen für die verschiedenen Doshas und ihre Kombinationen schreiten, sollten wir die Tageszeiten einmal betrachten, die von Natur aus bestimmte Doshas im Körper verstärken. Die Kenntnis dieser Zeiten hilft Dir, die besten Zeiten für Mahlzeiten zu planen, um ein gutes Gleichgewicht der Doshas zu gewährleisten.

6:00 Uhr bis 10:00 Uhr – Kapha-Zeit: Frühstücke vor 8:00 Uhr, und zwar nur ein leichtes Frühstück. Vata-Menschen brauchen ein nahrhaftes Frühstück, während Kapha-Personen ganz ohne Frühstück auskommen oder sich mit einem Getränk begnügen können. Pitta-Menschen können ein leichtes Frühstück zu sich nehmen, damit der Hunger mittags nicht allzu groß ist.

10:00 Uhr bis 14:00 Uhr – PITTA-ZEIT: Dies sind die besten Stunden für das Mittagessen oder einen Brunch. Für Pitta-Personen ist ein frühes Mittagessen am besten. Dies sollte nach Möglichkeit auch ihre Hauptmahlzeit sein. Vata-Menschen sind mit einem leichten Mittagessen am besten beraten, allerdings in Verbindung mit je einer Zwischenmahlzeit am Vormittag und am Nachmittag. Kapha-Menschen sollten ebenfalls ein leichtes Mittagessen bevorzugen.

14:00 Uhr bis 18:00 Uhr – VATA-ZEIT: Menschen mit Vata- und Pitta-Typus nehmen vielleicht gerne zwischen 15:00 Uhr und 16:00 Uhr eine Zwischenmahlzeit zu sich, damit ihr Energiepegel nicht abfällt. Für alle Doshas gilt, daß die Abendmahlzeit möglichst vor 18:00 Uhr eingenommen werden sollte. Nach Möglichkeit sollte das Abendessen leichter als das Mittagessen ausfallen.

18:00 Uhr bis 22:00 Uhr – KAPHA-ZEIT: Die Verdauungsleistung des Organismus nimmt gegend Abend ab. Vata-Personen brauchen vielleicht noch eine Zwischenmahlzeit am Abend. Pitta-Menschen können eine kleine Portion Obst essen, wenn sie bis spät abends aufbleiben. Menschen vom Kapha-Typus sollten nichts Weiteres zu sich nehmen außer einer Tasse heißen Tee. Mindestens zwei Stunden vor dem Schlafengehen solltest Du nichts mehr essen.

Wenn Du vorwiegend dem Typus eines einzigen Doshas entsprichst, solltest Du die Richtlinien für dieses Dosha befolgen. Wenn Du mehr einer Dosha-Kombination zuzuordnen bist, solltest Du Deine Ernährung Deinen Bedürfnissen und der jeweiligen Jahreszeit anpassen.

Bitte denke stets daran, daß wir hier nur Vorschläge für die Ernährung vorstellen. Probiere sie aus, arbeite damit, denke darüber nach und finde zu Deinem eigenen Gleichgewicht. Du solltest versuchen, stets flexibel zu sein und Deine Nahrung immer zu genießen.

Vata-Pitta-Typus: Befolge eine Vata-Ernährung im Herbst und Winter und eine Pitta-betonte Ernährung im Frühjahr und im Sommer. Gewürze sollten nur in Maßen verwendet werden.

Pitta-Kapha-Typus: Für das späte Frühjahr bis in den Herbst empfiehlt sich eine Pitta-Ernährung. Vom Spätherbst und im Frühjahr ist eine Kapha-Ernährung zu bevorzugen. Kalte Speise sollten nur in Maßen gegessen werden.

Vata-Kapha-Typus: Befolge eine Vata-Ernährung im Sommer und Herbst und eine Kapha-Ernährung im Winter und Frühjahr.

Die Ernährung für Vata

Allgemeine Richtlinien

- Da Personen mit einem ausgeprägten Vata-Dosha sowohl durch ihren launischen Appetit als auch durch eine tiefgreifende Abneigung gegen Routine gekennzeichnet sind, empfiehlt es sich, für eine ausreichende Versorgung mit hochwertigen Nahrungsmitteln durch häufigere Mahlzeiten, Appetit vorausgesetzt, zu sorgen.
- Die wichtigsten Eigenschaften einer Vata-Ernährung lassen sich mit den Begriffen warm, schwer, befeuchtend, nährend, beruhigend, befriedigend und erdend beschreiben. Warme Speisen eignen sich am besten, besonders Eintopfgerichte und einfache Mahlzeiten mit einem einzigen Gericht. Große Vielfalt bei einer einzigen Mahlzeit ist zu vermeiden.
- Verwende leichte, mildere Gewürze und ein wenig Salz, um die Verdauung anzuregen.
- Vata-Menschen sollten am besten zu Hause essen. Für sie ist Fast food ganz besonders abträglich.
- Vor Allergien sollten sich Vata-Menschen vorsehen. In vielen Fällen besteht eine Unverträglichkeit gegenüber Nachtschattengewächsen (Kartoffeln, Tomaten, Paprika, Auberginen) und eine Laktoseunverträglichkeit.
- Wenn Du nervös, ängstlich, in tiefen Gedanken versunken bist, Sorgen hast oder anderweitig abgelenkt bist, solltest Du auf Essen verzichten.
- Da die Vata-Verdauung die am wenigsten starke von den drei Doshas ist, solltest Du beim Essen Deine Aufmerksamkeit auch auf das Essen richten; Ablenkungen wie Fernsehen, Radiohören und Lesen sind nicht zu empfehlen.
- Iß mit Menschen zusammen, die Freude daran haben, in einer ruhigen, aufgeräumten, sauberen und geräumigen Atmosphäre zu essen.
- Das Auslassen von Mahlzeiten ist nicht gut, aber Überessen ist viel schlimmer. Exzesse jeder Art werden von Vata-Menschen schlecht vertragen.
- Vata vermehrend sind das Alter, der Herbst, der Nachmittag, Reisen,

laute Geräusche, Lärm, Kälte und Wind. In diesen Zeiten und Situationen solltest Du ganz besonders auf Deine Ernährung achten.

- Nahrungsmittel mit den folgenden Eigenschaften haben eine ausgleichende Wirkung auf Vata: süß, schwer, sauer, salzig, ölig, warm. Erhöhe Deinen Anteil an diesen Nahrungsmitteln entsprechend.
- Nahrungsmittel mit nachfolgenden Eigenschaften haben eine gleichgewichtstörende Wirkung bei Vata: scharf, bitter, zusammenziehend, leicht, trocken und kalt. Nahrungsmittel mit diesen Eigenschaften sind entsprechend einzuschränken und weniger häufig zu essen.

Ein täglicher Ernährungsplan für Vata-Menschen

- Iß drei oder vier kleine Mahlzeiten zu regelmäßigen Zeiten. Zwischen kleinen Mahlzeiten oder Zwischenmahlzeiten sollten mindestens zwei Stunden liegen.
- Ein gutes Frühstück ist wichtig. Ein Getränk mit heißer Milch vor dem Schlafengehen verhilft zu einem tiefen Schlaf.
- Empfehlenswert sind fünf bis sechs Portionen Vollkorngetreide oder eines Vollkornproduktes täglich in Verbindung mit ...
  1 bis 2 Portionen von hochwertigem Eiweiß
  2 bis 3 Portionen von frischem, gekochtem Gemüse
  1 Portion Obst
  Denke daran, eine ausreichende Menge zu trinken
- Eine Vata-Betonung geht häufig mit Schwankungen der Verdauungskraft einher. Daher ist es gut, auf entsprechende Zeichen wie Verdauungsstörungen, Blähungen, Schwere im Kopf und in den Gliedern, Unruhe, Lethargie oder schlechte Ausscheidung (Verstopfung) zu achten. Wenn Symptome dieser Art auftreten, ist es am besten, nur sehr kleine Portionen zu essen, bis die Verdauung wieder gestärkt ist und besser arbeitet.

Eine Einkaufsliste für Vata-Menschen

(Diese Liste kannst Du fotokopieren und verkleinern, damit Du sie beim Einkaufen mitnehmen und eine Kopie in der Küche anbringen kannst.)

Der gelegentliche Genuß der mit einem * gekennzeichneten Nahrungsmittel ist empfehlenswert.

Getreide: Brauner Reis, süßer brauner Reis, Basmati-Reis, Wilder Reis, Hafer (gekocht), *Amaranth, Vollkorngetreideflocken und Vollkornnudeln, Udon-Nudeln

Hülsenfrüchte: Mungbohnen, rote Linsen, Aduki-Bohnen, Tofu, Getränke auf Soja-Basis

Tierische Nahrungsmittel: Eier, Hühnerfleisch, Truthahn, Süß- und Salzwasserfische, Garnelen

Gemüse (am besten in der jeweiligen Saison): Spargel, Acorn-Kürbis, Artischocken, Bete, Butternut-Kürbis, Karotten, Gurken, grüne Bohnen, scharfe Paprika, Lauch, Senfblätter, Okra, Oliven, Zwiebeln, Pastinaken, Kürbisse, Rettiche, Schwedische Rüben (Gelbe Kohlrübe), Sommerkürbisse, Süßkartoffeln

Milchprodukte: Nicht homogenisierte Kuhmilch, *Ziegenmilch, Hüttenkäse, Buttermilch, weiche und harte Käsesorten, Joghurt, *Eis, *Sauerrahm

Obst: Aprikosen, Avocados, Bananen (reife), Beeren (süße), Kirschen, Kokosnüsse, Datteln, frische Feigen, Pampelmusen, Kiwis, Zitronen, Limonen, *Mangos, Melonen, Orangen, Papayas, Pfirsiche, Ananas, Pflaumen, Rhabarber, Rosinen (eingeweicht)

Nüsse und Samen: Mandeln, *Paranüsse, *Cashewnüsse, *Haselnüsse, *Pekannüsse, *Pinienkerne, *Pistazien, Kürbiskerne, Sesamsamen, Sonnenblumenkerne, *Walnüsse

Süßmittel: Gerstenmalzsirup, Sirup aus braunem Reis, *Ghur, Jaggery, Fruchtsaftkonzentrate, Honig, Ahornsirup, Melasse, *Sucanat, *Zuckerrohrsaft

Würzmittel und Pickles: Zitronensaft, Limonensaft, Gomasio (Mischung aus Sesamsamen und Meersalz), japanische Ingwer-Pickles, Mayonnaise, Miso, natürliche Sojasoße, süße Pickles, süßer Chutney, Meeresgemüse, Sesamsamen und Umeboshi-Pflaumen

Öle und Gewürze: Asafoetida, Ajwan, Knoblauch, Ingwer, Senföl, Sesamöl (alle Gewürze sind vorteilhaft bei mäßigem Gebrauch und sachgerechter Kochweise. Weiterführende Informationen sind dem Buch *Die Ayurweda-Küche* von Amadea Morningstar zu entnehmen)

Getränke: Aloe-vera-Saft, Obst- und Gemüsesäfte, Mixgetränke und Shakes, Kaffee-Ersatzprodukte (Cafix, Roma, Pero, Yannoh), Kräutertees (Kamille, Lavendel, Süßholz, Fenchel, Ingwer, Himbeerblätter), Gemüsebrühen

Essen außer Haus

- Starke alkoholische Getränke und Bier sind zu meiden.
- Angewärmter medizinischer Wein oder verdünnter Tafelwein sind unbedenklich.
- Suppe ist dem Salat vorzuziehen; wenn Salat gegessen wird, dann mit einer cremigen oder öligen Salatsoße, damit der Salat besser verdaulich wird und den Organismus weniger belastet.
- Trinke schluckweise heißes Wasser während der Mahlzeit und vermeide eisgekühltes Wasser.
- Nach der Mahlzeit ist eine warme Nachspeise oder ein heißer Tee zu empfehlen.
- Wenn Du auf Eis nicht verzichten kannst, trinke etwas später einen heißen Tee mit Nelke und Kardamom.

Hinweise für die Zubereitung der Speisen für eine Vata-Ernährung

Getreide: Aufgrund ihrer wärmenden und erdenden Eigenschaften sind die meisten Getreidearten nützlich für Vata-Menschen. Einige sind für einen regelmäßigen Gebrauch jedoch zu trocken. Mit Hefe gebackenes Brot und Gebäck sollte man am besten aus dem Speiseplan streichen, da sie Blähungen und Störungen des Verdauungssystems erzeugen.

Um der Gefahr von Allergien vorzubeugen, solltest Du eine Reihe verschiedener Getreidearten verwenden. Beim Kochen von Getreide solltest Du etwas mehr Wasser nehmen als das übliche Verhältnis von einer Tasse Vollkorngetreide auf zwei Tassen Wasser und hier ein wenig Salz, geklärte Butter oder Öl, einige Scheiben Ingwer und eine Fingerspitze Ghur (indischer brauner Zucker) hinzufügen.

Hülsenfrüchte: Bohnen sind zwar eine ausgezeichnete Eiweißquelle, können jedoch auch eine Herausforderung für die Verdauung darstellen. Durch Aufspaltung der Bohnen und Entfernung der äußeren Hülle werden sie leichter verdaulich, weswegen die so behandelten Mungbohnen und roten Linsen in der indischen Küche außerordentlich beliebt sind. Wenn Bohnen Blähungen verursachen, bewirken sie damit auch eine Vermehrung des Vata-Doshas. In solchen Fällen schaffen die folgenden Maßnahmen Abhilfe:

- Weiche die Bohnen über Nacht ein und schütte das Wasser vor dem Kochen weg (der Zusatz von einer kleinen Menge Kombu-Algen für das Kochen über Nacht ist ebenfalls hilfreich).
- Koche die Bohnen in einem Topf ohne Deckel über eine längere Zeit, damit die Vata-verursachenden Substanzen „abkochen" können. Das beste Verfahren ist das Kochen über einem offenen Feuer (im Navajo-Stil) einen ganzen Tag lang. In einer modernen Küche sollten Bohnen lieber in einem Steingut-Topf gekocht werden als in einem Dampfkochtopf.
- Verwende Kurkuma, Kreuzkümmel, Koriander, Ingwer, Knoblauch und Asafoetida als Standardgewürze beim Kochen von Bohnen.
- Bohnen sollten in kleinen Mengen (10- bis 20%iger Anteil an der jeweiligen Mahlzeit) gegessen und sehr gut gekaut werden.

Gemüse: Für Vata-Menschen ist Kochen der beste Weg, um die Verdaulichkeit des Gemüses zu verbessern; das Gemüse kann unter Umrühren gebraten, gedämpft, gedünstet oder gebacken und mit Soße serviert werden. Die Verdaulichkeit von ungekochtem Gemüse und Salaten kann verbessert werden durch kurzes Einlegen in Essig und anschließendes Pressen mit ein wenig Salz oder indem sie mit einem öligen oder cremigen Dressing serviert werden.

Fleisch: Da Bohnen für Vata-Menschen schwer verdaulich sind und Milchprodukte oft zu allergischen Reaktionen führen, sind Fleisch und Eier – die richtige Zubereitung vorausgesetzt – eine wichtige Eiweißquelle.

Fleisch wird am besten mit Ingwer, Knoblauch, Kurkuma und schwarzem Pfeffer zubereitet, gründlich gekocht und in Eintöpfen oder mit einer Soße serviert. Weißes Fleisch, frischer Fisch oder Wild eignen sich am besten, während Lamm- oder Rindfleisch dann erforderlich sind, wenn es einer wirklich starken Erdung bedarf.

Milchprodukte: Milch und Milchprodukte wirken kräftigend und aufbauend auf die Personen, die sie auch gut vertragen. Für Vata-Menschen ist heiße Milch mit Gewürzen am bekömmlichsten. Andere empfehlenswerte Zubereitungen mit Milch und Milchprodukten sind ...

- Lassi – es handelt sich um eine Mischung von Joghurt und Wasser im Verhältnis 1 : 3 und ein wenig Zitronensaft, einer Prise Salz, einer Scheibe frischem Ingwer, einer Messerspitze Kreuzkümmel und Korianderpulver. Lassi sollte nach den Mahlzeiten getrunken werden
- Heiße Milch mit Ghee, Ingwer und ein wenig Honig
- Käsefondue
- Gewürzte Käsesoße mit Chili

Obst: Süße, feuchte und gut gereifte Obstarten eignen sich am besten. Trockenobst ist für Vata-Menschen einfach zu trocken und sollte unbedingt eingeweicht und als Bestandteil eines Kompotts, vorzugsweise zusammen mit Ingwer und Zimt, gekocht werden. Gekochtes Obst wird am besten als Nachspeise ungefähr zwanzig Minuten nach der Hauptmahlzeit gegessen. Rohes Obst kann zu Verdauungsstörungen führen und sollte am besten für sich, als Zwischenmahlzeit, oder vor dem Essen zur Anregung des Appetits oder als Chutney verzehrt werden. Dies trifft besonders auf alle Obstarten zu, die zur Melonenfamilie gehören.

Nüsse und Samen: Um der Vata-Verdauung gerecht zu werden, sollten Nüsse am besten eingeweicht und als Bestandteil anderer Speisen gekocht und zu Nußmus verarbeitet werden. Mixgetränke und Nußmilch-Shakes sind eine ausgezeichnete Zwischenmahlzeit für Vata-Menschen mit einer sehr aktiven Lebensweise. Zehn gehäutete und eingeweichte Mandeln decken den Tagesbedarf an wichtigen Nährstoffen – und sind ein beliebter „ayurwedischer Snack".

Süßmittel: Honig, maßvoll verwendet, ist das beste Süßmittel, sollte jedoch nicht mitgekocht, sondern nur als Süßmittel den fertigen Speisen hinzugefügt werden. Vata-Menschen haben am meisten unter Schwankungen des Blutzuckerspiegels zu leiden und sollten deswegen weißen Zucker völlig meiden.

Würzmittel und Pickles: Pickles, besonders wenn diese eher salzig als sauer sind, können bei Vata-Menschen appetitanregend und verdauungsfördernd wirken.

Die einfachen Speisen, die dem Vata-Typus am besten bekommen, stehen im Gegensatz zu ihrem starken Verlangen nach allem, was anregend, aufregend und stimulierend ist. Hier bringen Würzmittel die gewünschte Abwechslung und den Pfiff in den Speiseplan. Meeresgemüse ist besonders wertvoll, denn der hohe Mineralstoffgehalt hilft beim Aufbau der Haut, Haare und Nägel – genau das, was Vata-Menschen häufig benötigen.

Gewürze: Von übermäßigem Gebrauch oder extrem scharfen Geschmacksrichtungen abgesehen, sind die meisten Gewürze bekömmlich für Vata-Menschen. Ein Übermaß an scharfen Gewürzen kann eine zu stark trocknende Wirkung entfalten oder Schweißabsonderung verursachen, was die Körperwärme zerstreut.

Getränke: Getränke sollten am besten warm sein oder etwa Zimmertemperatur haben. Kaffee und Tee sind zu stark anregend, und das gleiche gilt für alkoholische Getränke. Kohlensäurehaltige Getränke können zu viel Gas zuführen. Obst- und Gemüsesäfte sind empfehlenswert, jedoch nicht in zu großen Mengen, denn dies wäre mit zuviel „süß" und zuwenig Ballaststoffen für die Verdauung verbunden. Bei Personen mit starken Toxinansammlungen im Körper ist eine Saftfastenkur eine gute Alternative zum „richtigen" Fasten. Kräutertees aus Heil- und Gewürzpflanzen für den Vata-Typus wirken wärmend, verdauungsfördernd und nervenberuhigend.

Die Ernährung für Pitta

Allgemeine Richtlinien

- Personen mit einem starken Pitta-Dosha haben meist einen lebhaften Appetit, den sie regelmäßig stillen müssen. Ungestillter Appetit führt bei Pitta-Menschen zu intensiven Hungergefühlen und zu erhöhter Reizbarkeit und sogar zu Wutausbrüchen.
- Die wichtigsten Eigenschaften für eine Pitta-Ernährung sind kühl, leicht trocken (keine allzu feuchten oder öligen Speisen) und ein wenig schwer. Salz ist zu meiden.
- Pitta-Menschen sollten ihre Hauptmahlzeit oder zumindest eine ausreichend große Mahlzeit mittags essen.
- Als Mensch vom Pitta-Typus solltest Du es vermeiden, spät in der Nacht zu essen. Wenn Hungergefühle unbedingt gestillt werden

müssen, ist frisches Obst oder Gemüse für eine kleine Zwischenmahlzeit am besten.

- Pitta-Menschen sollten besonders darauf bedacht sein, eine Haltung von Ruhe und Dankbarkeit zu kultivieren.
- Verzichte auf das Essen, wenn Du zornig oder gereizt bist oder Dich in Situationen befindest, in denen Du mit anderen im Wettbewerb stehst. Geschäftsessen wirken möglicherweise eher abträglich.
- Pitta-Menschen verfügen über eine starke Verdauung und sind daher anfällig für die Entwicklung von schlechten Gewohnheiten wie Überessen, Bevorzugung übermäßig fetter Speisen oder übermäßig üppigen und scharf gewürzten Essens.
- Vermeide salzige, fette, zu stark gekochte, übermäßig üppige, stark gewürzte oder saure Speisen sowie Koffein, rotes Fleisch, zu viele Eier, alkoholische Getränke und Zucker.
- Pitta-vermehrend sind der Sommer, die Mittags- und Mitternachtszeit, intensive Hitze und starke Sonneneinstrahlung. Zu diesen Zeiten ist besondere Achtsamkeit geboten.
- Die folgenden Eigenschaften wirken ausgleichend auf Pitta: süß, zusammenziehend, bitter, kühl, schwer und trocken. Der Anteil von Nahrungsmitteln mit diesen Eigenschaften ist entsprechend zu erhöhen.
- Die folgenden Eigenschaften haben eine gleichgewichtsstörende Wirkung auf das Pitta-Dosha: scharf, heiß, sauer, leicht, salzig, ölig. Nahrungsmittel mit diesen Eigenschaften sollten entsprechend reduziert und seltener gegessen werden.

Ein täglicher Ernährungsplan für Pitta-Menschen

- Dreimal täglich zu regelmäßigen Zeiten essen, wobei der Abstand zwischen den Mahlzeiten mindestens vier Stunden betragen sollte.
- Empfohlen werden vier bis fünf Portionen Vollkorngetreide, sowie
  1 1/2 bis 2 Portionen hochwertiges Eiweiß
  3 bis 4 Portionen frisches Gemüse
  1 bis 1 1/2 Portionen frisches Obst oder auch mehr

Achte beim Trinken auf mäßige Mengen (größere Mengen sind nach entsprechender körperlicher Betätigung in Ordnung).

Eine Einkaufsliste für Pitta-Menschen

(Diese Liste kannst Du fotokopieren und verkleinern, damit Du sie beim Einkaufen mitnehmen und eine Kopie in der Küche anbringen kannst.)

Der gelegentliche Genuß der mit einem * gekennzeichneten Nahrungsmittel ist empfehlenswert.

Getreide: Gerste, weißer Basmati-Reis, Weizen, Tortillas aus Vollkornweizen, Weizennudeln, Reiskuchen

Hülsenfrüchte: Alle Bohnen außer roten Linsen, Tempeh

Tierische Nahrungsmittel: Huhn (weißes Fleisch), Truthahn (weißes Fleisch), das Weiße vom Ei, *Süßwasserfische

Gemüse: Acorn-Kürbis, Artischocken, Spargel, Paprika, Brokkoli, Rosenkohl, Kletten (Gobo), Butternut-Kürbis, *schwarze Oliven, Kohl, Koriandergrün, Mais, Blumenkohl, Chinakohl, Sellerie, Gurken, grüne Bohnen, Jicama, Grünkohl, Salat, Pilze, Okra, Erbsen, Petersilie, Pastinaken, Kartoffeln, Schwedische Rübe, Süßkartoffeln, Sommerkürbisse, *Brunnenkresse, Zucchini

Milchprodukte: Ungesalzene Butter, Hüttenkäse, Kuh- und Ziegenmilch, Ghee, *Eis, *Joghurt

Obst: Äpfel, Aprikosen, Avocados, Beeren (süße), Kokosnüsse, Datteln, Feigen, Trauben, Mangos, Melonen, Orangen, Birnen, Ananas, Pflaumen, Granatäpfel, Dörrpflaumen, Rosinen, Wassermelonen

Nüsse und Samen: Kokosnüsse, Kürbiskerne, Sonnenblumenkerne

Getränke: Aloe-vera-Saft, Obst- oder Gemüsesaft, Kokosmilch, Mixgetränke und Shakes mit Milch, Kaffee-Surrogate (Caro, Landes, Yannoh) Gemüsebrühe und Kräutertees wie Gerste, Kamille, Fenchel, Hibiskus, Jasmin, Lavendel, Minze, Himbeerblätter, Rosenblüten

Süßmittel: Gerstenmalzsirup, Sirup aus braunem Reis, Ahornsirup, Saftkonzentrate, Fruktose, Zuckerrohrsaft, *Sucanat

Würzmittel: *Meeresgemüse, Zitronen, Limonen, Limonen-Pickles, Mango-Chutney, Mango-Pickles, Soja-Mayonnaise, Sojasoße, *Joghurt

Öle: Avocado-Öl, Kokosöl, Olivenöl, Sonnenblumenöl, Sojaöl, Walnußöl, *Sesamöl

Gewürze: Koriander, Kreuzkümmel, Dill, Fenchel, Minze, Neem, Pfefferminze, Rosenwasser, Safran, Kurkuma

Hinweise für die Zubereitung der Speisen für eine Pitta-Ernährung

Getreide: Aufgrund ihrer angenehm sättigenden, jedoch nicht belastenden Eigenschaften wirken Getreidearten ausgleichend auf das Pitta-Dosha. Gerste und Basmati-Reis eignen sich am besten.

Hülsenfrüchte: In der Praxis haben Pitta-Menschen wohl den größten Eiweißbedarf, um ihre sehr aktive Lebensweise aufrechtzuerhalten. Alle Arten von Bohnen – mit Ausnahme von Tempeh, roten und schwarzen Linsen – sind empfehlenswert. Bei der Zubereitung sind dieselben Hinweise zu beachten wie bei der Ernährung für Vata.

Tierische Produkte: Obwohl Pitta-Menschen einen sehr hohen Eiweißbedarf haben, ist eine vollkommen vegetarische Ernährungsweise für sie die beste Alternative, denn viele Fleischarten sind entweder zu fett oder erzeugen zuviel Hitze. Kleine Mengen Geflügel und Süßwasserfische sind in Ordnung. Eine zu stark fleischbetonte Ernährung führt dazu, daß die Pitta-Persönlichkeit in ihrer Intensität gesteigert wird, was ein Verlangen nach Alkohol und Drogen als Mittel zur Entspannung zur Folge haben kann.

Milchprodukte: Wenn sie gut vertragen werden, wirken Milchprodukte – mit Ausnahme von harten oder lange gereiften Käsesorten – nährend und kühlend auf Pitta-Menschen. Saure oder sehr salzige Milchprodukte sind zu meiden. Joghurt in Form von Lassi ist nach einer Mahlzeit zu empfehlen (Rezept: 1 Teil Joghurt auf 3 Teile warmes Wasser, Ahornsirup oder Ghur (indischer Zucker), Koriandergrün (auch als chinesische oder italienische Petersilie bezeichnet) und Kardamom.

Gemüse: Pitta-Menschen sollten reichlich Gemüse essen. Ihr aktiver Stoffwechsel bedingt eine sehr rasche Verwertung von Vitaminen und Mineralstoffen, besonders Vitamin A. Salate mit bitterem Blattgemüse wie Endivie, Rucola und Petersilie sind hilfreich gegen die Neigung zum Überessen. Tomaten, Rettiche und Knoblauch sollten am besten gänzlich vom Speiseplan gestrichen werden.

Obst: Süße Obstarten sind gut, besonders frische Feigen und Trauben (Feigen sind jedoch nicht empfehlenswert während der Schwangerschaft). Kleine Beigaben von Zitrone oder Limone sind vorteilhaft. Für Pitta-Menschen ist Obst die beste Zwischenmahlzeit für den Abend.

Nüsse und Samen: Von ihrer Natur her sind Nüsse und Samen im allgemeinen zu heiß und ölig, mit Ausnahme von Kokosnußmilch, die sich hervorragend für die Küche eignet. Sonnenblumenkerne sind ebenfalls geeignet sowie der gelegentliche Genuß von Kürbiskernen.

Süßmittel: Pitta-Menschen vertragen Zuckersüße besser als die beiden anderen Doshas. Sie müssen jedoch aufpassen, daß sie über längere Zeit nicht in dieser Richtung übertreiben. Honig und Melasse sind zu meiden. Letztere Süßmittel können sogar die Ursache für sommerliche Hautausschläge bei Pitta-Menschen sein.

Gewürze: Verwende die Gewürze, die auf der Einkaufsliste aufgeführt sind. Wenn Du mit den ayurwedischen Prinzipien besser vertraut geworden bist, wirst Du Deine Auswahl auch erweitern können. So kann schwarzer Pfeffer zum Beispiel durch die Verwendung in Verbindung mit Koriander ausgeglichen werden.

Getränke: Ein gelegentliches Bier ist besser als Wein. Stärkere alkoholische Getränke sind in jedem Fall zu meiden (wie auch gesalzene Nüsse und Salzgebäck, die oft in Bars gereicht werden, da diese den Durst nur weiter steigern).

Schwarzer Tee in Maßen ist erlaubt, während Kaffee jedoch gänzlich zu meiden ist.

Essen außer Haus

Wie in allen anderen Teilen ihres Lebens legen Pitta-Menschen Wert auf Qualität und guten Gegenwert fürs Geld. Die von ihnen bevorzugten Restaurants sind sauber, gut organisiert, optisch ansprechend und bieten prompte Bedienung und eine ausgezeichnete Küche zu fairen Preisen. Japanische (darauf achten, daß die Speisen nicht zu ölig oder salzig sind) und chinesische Lokale sind eine gute Wahl sowie die Küche des Nahen Ostens. Mexikanische, Italienische und auch die meisten indischen Restaurants sind zu meiden, da das Essen hier meist zu stark gewürzt oder zu salzig für Pitta-Menschen ist.

Die Ernährung für Kapha

Allgemeine Richtlinien

- Der Schlüssel zum Gleichgewicht beim Kapha-Dosha liegt in der Veränderung von alten Verhaltensmustern, um Menge und Häufigkeit des Essens unter Beibehaltung einer qualitativ hochwertigen Auswahl der Nahrungsmittel zu reduzieren.
- Die Speisen sollten salz- und fettarm, ballaststoffreich und leicht gekocht sein.
- Die Kapha-Menschen sind die einzigen, die das Frühstück ohne weiteres auslassen können.
- Nach dem Essen ist ein erholsamer Spaziergang genau das richtige, im Gegensatz zum Schlaf, der die Schwere im Körper vermehrt.
- Faste mindestens an einem Tag in jeder Woche.
- Achte darauf, daß Essen nicht die Funktion einer emotionalen Stütze gewinnt. In diesem Fall ist eine ansehnliche Gewichtszunahme schon vorprogrammiert (erst recht, wenn Schokolade ein Thema ist oder Eis zu nächtlicher Stunde besonders gut schmeckt).
- Kapha ist besonders stark am frühen Morgen, später am Abend und im Frühjahr. In diesen Zeiten solltest Du besonders auf Deine Ernährung achten und ein üppiges Frühstück genauso vermeiden wie nächtliche Streifzüge durch die Küche.
- Scharf, leicht, trocken, zusammenziehend, bitter und heiß sind die Eigenschaften von Nahrungsmitteln, die ausgleichend auf Kapha wirken. Der Anteil hiervon ist entsprechend zu erhöhen beziehungsweise Nahrungsmittel mit diesen Eigenschaften sollten häufiger gegessen werden.
- Süß, schwer, sauer, ölig, salzig und kalt sind die Eigenschaften, die gleichgewichtsstörend auf Kapha wirken. Diese Nahrungsmittel sind zu reduzieren und sollten seltener auf den Tisch kommen.

Ein täglicher Ernährungsplan für Kapha-Menschen

- Kapha-Menschen sollten am besten zweimal täglich, mittags und am frühen Abend essen. Der Abstand zwischen diesen beiden Mahlzeiten sollte mindestens 5 bis 6 Stunden betragen.
- Als Frühstück reicht Saft oder Tee vollkommen.
- Iß täglich 3 bis 4 Portionen Vollkorngetreide, zusammen mit ...
  2 Portionen von hochwertigen fettarmen, eiweißreichen Speisen.
  4 bis 5 Portionen von frischem Gemüse.
  1 Portion Obst.

  Trink nur, wenn Du durstig bist.
  Iß nur, wenn Du Hunger hast.

Eine Einkaufsliste für Kapha-Menschen

(Diese Liste kannst Du fotokopieren und verkleinern, damit Du sie beim Einkaufen mitnehmen und eine Kopie in der Küche anbringen kannst.)

Der gelegentliche Genuß der mit einem * gekennzeichneten Nahrungsmittel ist empfehlenswert.

Getreide: Amaranth, Gerste, Buchweizen, Mais, Hirse, Quinoa, Basmati-Reis, Reiskuchen

Hülsenfrüchte: Aduki-Bohnen, schwarze Bohnen, schwarze Erbsen, Garbanzo-Bohnen, Limabohnen, Navy-Bohnen, gefleckte Feldbohne, Pinto-Bohnen, rote Linsen, halbe Erbsen, weiße Erbsen

Tierische Nahrungsmittel: Huhn, Truthahn (dunkles Fleisch), Eier, Wild

Milchprodukte: Ghee, Ziegenmilch, Lassi

Gemüse: Spargel, Bete, Mangold, Paprika, Brokkoli, Rosenkohl, Klette, Kohl, Karotten, Blumenkohl, Sellerie, Mais, Daikon, grüne Bohnen, Jicama, Kohlrabi, Blattgemüse, Lauch, Salat, Pilze, Okra, Zwiebel, Petersilie, Erbsen, Rettich, Spinat, Sprossen, Sommerkürbisse, weiße Rüben, Brunnenkresse

Nüsse und Samen: *Kürbiskerne, *Sonnenblumenkerne

Obst: Äpfel, Aprikosen, Beerenobst, Kirschen, Preiselbeeren, getrocknete Feigen, Mangos, Pfirsiche, Birnen, Dattelpflaumen, Granatäpfel, Dörrpflaumen, Quitten, Rosinen, *Erdbeeren

Süßmittel: Ungekochter Honig, Fruchtsaftkonzentrate

Öle: Senfsamenöl, *Mandelöl, *Maisöl, *Sonnenblumenöl

Würzmittel und Gewürze: Schwarzer Pfeffer, Chilis, frischer Koriander (Korianderblätter, Cilantro), Knoblauch, Ingwer, Senf, Minzeblätter und im allgemeinen alle Gewürze mit Ausnahme von Tamarinde.

Getränke: Aloe-vera-Saft, Obst- und Gemüsesäfte, Getreidekaffee (Pero, Caffix, Yannoh), *Kaffee, *schwarzer Tee, gewürzte Kräutertees.

Hinweise für die Zubereitung der Speisen für eine Kapha-Ernährung

Getreide: Kleine Portionen sind nützlich, um den Appetit zu stillen und für genügend Energie zu sorgen. Mit Obst gesüßte Granola, Getreideflocken, gepuffte Getreide und trockene, knusprige Brotsorten eignen sich am besten.

Hülsenfrüchte: Als beste fettarme Eiweißquelle spielen Bohnen eine wichtige Rolle. Zum Kochen kannst Du nach denselben Richtlinien verfahren, die im Abschnitt über Vata beschrieben sind.

Fleisch: grundsätzlich sollte es leichtverdaulich sein und mit Kräutern und Gewürzen gekocht werden, um die Fettverdauung zu erleichtern.

Milchprodukte: Die meisten Milchprodukte sind zu schwer und kühlend. Ein wenig Ghee wirkt verdauungsfördernd. Die Lassi-Zubereitung für Kapha kann in Maßen genossen werden (1 Teil fettarmer Joghurt auf 3 bis 4 Teile warmes Wasser, mit Honig, schwarzem Pfeffer und Ingwer vermischt).

Gemüse: Alle oberirdisch wachsenden Gemüsearten sind gut für Kapha-Menschen. Wurzelgemüsearten wirken etwas zu stark erdend für einen regelmäßigen Verzehr. Rohes oder leicht gedünstetes Gemüse ist am besten.

Obst: Obstarten, die nicht zu süß, zu sauer oder saftig sind, bekommen Kapha-Menschen am besten. Trockenobst ist eine ausgezeichnete Zwischenmahlzeit oder Reisekost.

Öle: Öle sind sparsam zu verwenden; Kochverfahren mit Wasser sollten, wann immer möglich, bevorzugt werden.

Süßmittel: Honig ist das beste Süßmittel für Kapha-Menschen, doch sollte die tägliche Menge von einem Eßlöffel nicht überschritten werden. Honig sollte niemals erhitzt oder gekocht werden. Nach ayurwedischer Lehre entfaltet Honig, sobald er erwärmt wird, eine toxische Wirkung auf den Körper.

Gewürze: Salz ist in sehr kleinen Mengen zu verwenden oder durch entsprechende Ersatzprodukte zu ersetzen. Kräuter und Gewürze zur Appetitanregung sind sehr zu empfehlen.

Getränke: Kapha-Menschen können gelegentlich ein wenig schwarzen Tee oder Kaffee trinken. Dem schwarzen Tee sollte man ein bißchen Ingwer zufügen und dem Kaffee Muskat oder Kardamom. Wenn Dir diese Getränke nicht behagen oder nicht bekommen, kannst Du den Tag mit gewürztem Apfelmost oder heißer Zitrone und Honig beginnen. Denke daran, nur zu trinken, wenn Du auch wirklich durstig bist, und nur soviel zu trinken, daß der Durst gelöscht wird.

Essen außer Haus

- Bestelle Dir Salate anstelle von Suppen.
- Trinke heißes Wasser anstelle von eisgekühltem Wasser.
- Laß es Dir an Salatbars, in mexikanischen (ohne Milchprodukte), indischen, chinesischen, thailändischen und vegetarischen Restaurants schmecken.
- Ein leichter Wein zusammen mit der Mahlzeit oder ein Cocktail zu Beginn sind empfehlenswert.

Damit Du die in diesem Abschnitt enthaltenen Angaben besser integrieren kannst, stelle ich Dir einige Menübeispiele vor. Es ist nicht Sinn dieser Vorschläge, alle erdenklichen Möglichkeiten auszuschöpfen, sondern einige einfache, allgemeine Ideen zu beschreiben, die sich hoffentlich als nützlich erweisen werden. Da es vielen Menschen nicht möglich ist, ihre Hauptmahlzeit mittags einzunehmen, sind die Vorschläge für das Abendessen ausführlicher gehalten.

Menübeispiele für das Vata-Dosha

	bei warmem Wetter	*bei kaltem Wetter*
Frühstück:	kühler, cremiger Reispudding mit heißem Gewürztee	heiße Vollkorn-Frühstückskost (Getreideflocken) mit heißer Milch oder Sojamilch, Apfelmus mit Zimt, heißer Ingwertee
Mittagessen:	Dahl aus roten Linsen mit Omelette, frischem Koriander und Limonenscheiben, Chapati und Chutney, gedünstete, junge Senfblätter, kühler Kräutertee	französische Zwiebelsuppe mit Tofu, brauner Reis und Chutney, gedämpfte Karotten und Spargel, heißer Gewürztee
Abendessen:	Vorspeise aus Avocado, Nudelsalat im Stil der orientalischen Küche mit Tofu oder Hühnerfleisch, Vollkornkekse, Ingwertee	Gemüseeintopf, gebackenes Huhn oder gewürzte Aduki-Bohnen, Basmati- und wilder Reis, Grünkohl mit ein wenig Ghee, Fruchttörtchen, Kamillentee
Zwischenmahlzeiten:	Obst der jeweiligen Jahreszeit, Gemüsesäfte	Müsliriegel und ähnliches, Vollkornkekse, Kräcker mit Weichkäse, frisch geröstete Nüsse, heiße Getränke

Menübeispiele für das Pitta-Dosha

	bei warmem Wetter	*bei kaltem Wetter*
Frühstück:	Vollkorngranola oder Müsli mit Milch oder Sojamilch, Kräutertee	Haferbrei mit heißer Milch und Mandelsplittern, Datteln oder Rosinen, heißer Apfelmosst

	bei warmem Wetter	*bei kaltem Wetter*
Mittagessen:	großer Blattsalat, angerichtet mit einem leichten Öl und Zitrone, Vollkorn-Kräcker und Weichkäse oder Gemüsepastete	Suppe mit Gemüse, Bohnen und Gerste, Chapati und gedünstetes Blattgemüse
Abendessen:	Bohnenburger oder gegrilltes Huhn, mariniertes Gemüse, Reis mit Kräutern, Obstkuchen, Kräutertee	gebackene Bohnen, Vollkorn-Gebäck, gemischtes, gedämpftes Gemüse, Dattelriegel, Getreidekaffee
Zwischenmahlzeiten:	frisches Obst	geröstete Kürbiskerne oder Sonnenblumenkerne

Menübeispiele für das Kapha-Dosha

	bei warmem Wetter	*bei kaltem Wetter*
Frühstück:	frisches Obst, kalte Frühstückskost/Getreideflocken mit Ziegen- oder Sojamilch, Minzetee	Heißer Maismehlbrei und trockene Aprikosen mit Ingwer, Süßholztee
Mittagessen:	Bohnensalat, frischer grüner Salat, Roggenkräcker, Lemongrass-Tee	Gemüsesuppe, Reiskuchen
Abendessen:	Quinoa oder Hirsesalat, sautierter Tofu und gedämpftes Gemüse, grüner Salat	Gebackene Bohnen, Maisbrot, gedämpftes Blattgemüse und Zwiebel, Apfelvollkorngebäck, Getreidekaffee
Zwischenmahlzeiten:	frisches Obst oder Gemüse	Popcorn, Sonnenblumen- oder Kürbiskerne, Mais-Chips

In *Die Ayurweda-Küche* von Amadea Morningstar findest Du ausführliche Vorschläge für alle Jahreszeiten und Dosha-Betonungen. Dieses Buch ist eine wahre Schatztruhe an Wissenswertem über Nahrungsmittel und die Zubereitung der Speisen vom ayurwedischen Standpunkt. Die leicht zu befolgenden, abwechslungsreichen Rezepte sind alle vegetarisch. Kochbücher für die Vollwertküche, Makrobiotik sowie Sammlungen traditioneller Rezepte sind nützliche Quellen für die Gestaltung des Speiseplans. Die chinesische, thailändische und französische Küche liefern uns besonders gute Fleischrezepte, da sie Gewürze und Kräuter dabei so hervorragend einsetzen.

AGNI – Das Feuer der Schönheit

Die Auffassung von Agni gibt es ausschließlich im Ayurweda. Vereinfacht ausgedrückt, ist Agni das Verdauungsfeuer: die Kraft, Körperfremdes – das heißt Speisen, Getränke, akustische, visuelle Eindrücke, Gefühle, Informationen – in Körpereigenes (den Körper, Gefühle und Intelligenz) zu verwandeln. Agni ist die Kraft einer guten Verdauung, wodurch alle Nährstoffe den verschiedenen Körpergeweben zur Verfügung stehen. Agni ist die Kraft, die den Geist zu einer intelligenten Disziplin befähigt, um innere Schönheit zu erlangen. Agni sorgt ebenfalls für die Ausscheidung von Toxinen und überschüssigen Schlacken aus dem Körper, wodurch der Verdauungstrakt sauber und unbelastet bleibt und unser Äußeres Frische und Vitalität ausstrahlt. Starkes, gesundes und ausgeglichenes Agni ist daher eine notwendige Voraussetzung für Gleichgewicht und Schönheit von Körper und Geist.

Zu starkes oder zu schwaches Agni äußert sich sehr häufig in psychologischen und körperlichen Störungen. Ist Agni zu schwach, wird die zugeführte Nahrung schlecht verdaut. Wenn Agni zu stark ist, wird sie buchstäblich verbrannt, noch ehe sie assimiliert werden kann.

Zu den Zeichen von schwachem Agni gehören:

Blähungen	schweres Erwachen
Rülpsen	wenig oder keine Schweißabsonderung
langsame Verdauung	Verstopfung
geistige Ermüdung	stumpfer Teint

Zu den Zeichen eines starken Agnis gehören:

heftiges Aufstoßen	Übererregbarkeit
starkes Schwitzen	übermäßiges Reden
Hautausschläge	das Gefühl von Brennen im Verdauungstrakt
Durchfall	Reizbarkeit und Zorn

Anleitung zum Ausgleichen von Agni

Um Agni zu verbessern, solltest Du ...

- kleinere Mahlzeiten essen.
- Limonen- oder Zitronenwasser schluckweise trinken.
- warmen Ingwertee schluckweise trinken (Rezept: eine Messerspitze so lange in einer Tasse Wasser sieden, bis ein Viertel des Wassers verkocht ist, oder einige Scheiben frischen Ingwer in heißem Wasser ziehen lassen. Trinke eine kleine Menge hiervon vor und nach dem Essen.) Eine kleine Menge Ingwertee, mit Ahornsirup gesüßt und vor dem Essen getrunken, wirkt besonders gut auf Pitta-Menschen.
- eine Messerspitze Trikatu vor den Mahlzeiten nehmen (Trikatu besteht zu gleichen Teilen aus Ingwer, schwarzem Pfeffer und Cayennepfeffer). Diese Zubereitung ist für Kapha-Menschen besonders geeignet.
- Frische Ingwerwurzel wird kleingehackt und mit ein wenig Salz vermischt. Eine Messerspitze vor dem Essen ist für Vata-Menschen besonders gut geeignet.
- Gründliches Kauen ist sehr wichtig. Kaue die Speisen so lange, bis sie sich zumindest gut verflüssigt haben, ehe Du sie schluckst.
- Trinke schluckweise warmes Wasser zwischen den Mahlzeiten.
- Eine kleine Umeboshi-Pflaume oder eine kleine Menge zerlassenes Ghee auf Getreide ist hilfreich für Vata-Menschen.
- Für Pitta-Menschen sind die im Enzian enthaltenen Bitterstoffe und frischer Koriander oder Petersilie in Verbindung mit ein wenig schwarzem Pfeffer ein gutes Mittel, um Agni zu stärken.
- Agni kann ebenfalls durch Fasten und verschiedene Heilpflanzenpräparate gestärkt werden. Diese Maßnahmen sollten jedoch von einem erfahrenen ayurwedischen Praktiker durchgeführt werden.
- Bei Kapha-Personen beeinflussen eine leichte Ernährung und scharfe Gewürze Agni positiv.

- Bei Menschen mit erheblichen Toxinansammlungen im Organismus und einer sehr schwachen Verdauungskraft können Salzsäuretabletten (Acidum hydrochloricum) und/oder Verdauungsenzyme für kurze Zeit eingesetzt werden, bis der Allgemeinzustand sich verbessert hat. Auch in diesem Fall solltest Du diese Maßnahmen nur in Absprache mit einem erfahrenen ganzheitlich arbeitenden Arzt oder Ernährungsspezialisten durchführen.
- Durch das vermehrte Schlucken von Speichel vor dem Essen werden dem Körper verstärkt körpereigene Verdauungsenzyme zur Verfügung gestellt. Dies ist besonders wichtig für eine bessere Kohlenhydratverdauung. Um die Speichelbildung anzuregen, laß die Zunge bei geschlossenem Mund zwischen den Zähnen und den Lippen gleiten, und zwar zunächst im Uhrzeigersinn und anschließend gegen den Uhrzeigersinn.
- Die beste Verdauungsleistung setzt eine vollkommen freie Atmung durch das rechte Nasenloch voraus. Sollte die rechte Seite verstopft sein, hilft folgende Übung. Bilde mit der linken Hand eine Faust und lege diese in die rechte Achselhöhle, so daß der rechte Arm über die Faust ruht. Drücke nun das linke Nasenloch mit dem rechten Zeigefinger zu. Verharre einige Minuten lang in dieser Position, bis Du spürst, wie die rechte Seite langsam frei wird. Diese Maßnahme wirkt nicht speziell vermehrend auf Agni, ist jedoch ein ausgezeichnetes Verfahren, um die Verdauung zu fördern. Diese Übung ist vor dem Essen durchzuführen.
- Mudra (Handhaltung) zur Verbesserung von Agni:

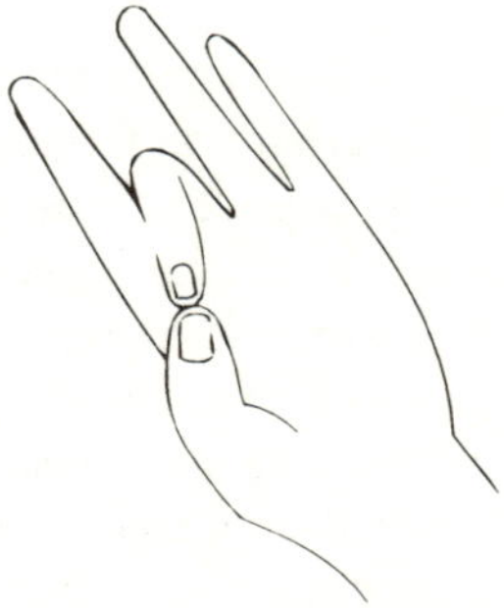

Setze Dich hierzu mit geradem Rücken im Schneidersitz auf den Boden oder auf einen Stuhl. Laß Deine Hände, mit den Handflächen nach oben weisend, auf den Knien ruhen. Führe die Mittelfinger und die Daumen jeder Hand zusammen. Bleibe vor den Mahlzeiten einige Minuten bei ruhiger Atmung in dieser Position und danke für die Nahrung, die Du gleich essen wirst.

Wenn Du Agni vermindern willst, solltest Du ...

- eine Pitta-Ernährung befolgen.
- konstruktive Wege finden, um Deine Wut, Frustration und Deinen Ärger loszulassen.
- einen Tee aus gleichen Teilen Kreuzkümmel, Koriander und Fenchelsamen trinken.

Wie eine ayurwedische Ernährungsweise zur körperlichen Schönheit beiträgt

Eine ayurwedische Ernährungsweise ist gekennzeichnet durch ...

- einen hohen Gehalt an Vollkorngetreide und anderen ballaststoffreichen Nahrungsmitteln, die eine gute Energiezufuhr über den ganzen Tag gewährleisten. Ballaststoffe fördern die Ausscheidung von Toxinen und überschüssigen Substanzen und fördern auf diese Weise den Tonus des Verdauungstrakts. Durch eine regelmäßige Reinigung des Darms wird der Organismus nicht durch unverdaute Substanzen und Toxine belastet, die anderenfalls über die Haut ausgeschieden werden müßten.
- einen niedrigen Fettgehalt, was zu einem reinen Blut beiträgt und die Ablagerungen in Venen, Arterien und Organen verhindert, die normalerweise bei einer Ernährungsweise mit einem hohen Anteil an gesättigten Fetten auftreten. Ein gesunder, gut funktionierender Kreislauf hilft, den ganzen Organismus zu reinigen und zu nähren, und ist natürlich auch bei der Gewichtskontrolle ein wichtiger Faktor.
- einen sehr geringen Anteil an raffinierten Zuckerformen, die als „leere" Kalorien lediglich zur Gewichtszunahme beitragen. Raffinierte Kohlenhydrate geben dem Körper einen schnellen Energieschub, der stets von einem körperlichen (und emotionalen) Tief gefolgt ist. Dies ist ebenfalls mit einer Streßwirkung auf die Bauchspeicheldrüse und

Nebennieren verbunden, was die Vitalität des Körpers schwächt. Raffinierte Kohlenhydrate entziehen dem Körper Mineralstoffe, die eine entscheidende Rolle für alle wichtigen Funktionen des Organismus spielen. Es ist die Verbindung von raffinierten Kohlenhydraten und einem Übermaß an Eiweiß, das Toxine an die Hautoberfläche in Form von Pickeln zwingt.

- einen hohen Mineralstoffanteil, was dem Körper Vitalität und ein vitales, energiegeladenes Aussehen verleiht. Mineralstoffe tragen sehr stark zu jener frischen, magnetischen Ausstrahlung bei, die man bei Menschen mit einer guten Gesundheit gewissermaßen als „Schwingung“ wahrnehmen kann.
- einen niedrigen Anteil an tierischem Eiweiß in Verbindung mit einem hohen Anteil an pflanzlichem Eiweiß. Eiweißarme Ernährungsweisen schwächen den Körper und führen schließlich zu einem eingefallenen, hohlwangigen Gesichtsausdruck. Eine Ernährung mit einem hohen Anteil an tierischem Eiweiß steigert die Toxizität von Abfallprodukten im Körper durch ihre langsame Passage durch den Organismus (bei Fleisch dauert die vollständige Verdauung und Ausscheidung aus dem Organismus etwa drei Tage). Dies führt zu einer Verlangsamung der Verdauungsleistung und entzieht dem Körper Mineralstoffe. Im Gegensatz hierzu wird pflanzliches Eiweiß rasch und effizient verarbeitet und nährt den ganzen Körper. Nicht alle Menschen jedoch werden sich vegetarisch ernähren wollen oder fühlen sich bei einer solchen Ernährung richtig wohl. Der Ayurweda verfügt über Mittel und Wege, um die Verdaulichkeit von Fleisch zu verbessern. Hierzu werden Gewürze wie Knoblauch, Ingwer, Kreuzkümmel, Cayennepfeffer und schwarzer Pfeffer eingesetzt.
- einen niedrigen Salzgehalt; Ernährungsweisen mit einem hohen Salzgehalt führen tendenziell zu einer Enge und Steifheit von Körper und Geist. Durch seine verengende Wirkung auf den Körper kommt es zu einer Verlangsamung des Kreislaufs und zur Flüssigkeitsretention. Dies führt zu Ringen unter den Augen wie auch zu einem gedunsenen Aussehen. Sind Hautprobleme gegeben, empfiehlt der Ayurweda einen sehr sparsamen Gebrauch von Salz.
- die Abwesenheit von Genußmitteln mit stark anregender oder dämpfender Wirkung wie Kaffee, Limonaden oder alkoholische Getränke. Diese belasten die Organe des Körpers, führen zu einer schlaffen Haut, einer faltigen Stirn und langfristig zu Säcken unter den Augen.
- einen hohen Anteil an frischen Produkten aus biologischem Anbau.

Produkte, die einem gesunden Boden entstammen, bieten den höchsten Gehalt an Nährstoffen und übertragen ein Höchstmaß an Lebensenergie. Dies wiederum verhilft zu einem strahlenden Teint und einer gesunden Haut am ganzen Körper.

Nahrungsergänzungsmittel

Die ayurwedische Ernährungsweise fußt auf uralten Ernährungsrichtlinien, die sich als Grundlage für die Entwicklung von gesunden, glücklichen Menschen und stabilen Kulturen bewährt haben. Bislang haben wir eine Fülle von Nahrungsmitteln wie Vollkorngetreide, Hülsenfrüchten, Gemüsearten und Gewürzen aufgelistet, gegliedert und ihre Verwendung nach ayurwedischen Gesichtspunkten erklärt.

Gleichzeitig bietet unsere moderne Zivilisation ein völlig anderes Bild als jene Kulturen aus der Zeit, in der die großen ayurwedischen Schriften entstanden sind. Heute stammt ein Großteil unserer Nahrungsmittel aus einer landwirtschaftlichen Massenproduktion, die sich Methoden bedient, die zu einer Verarmung der Böden, Belastung der Gewässer und der Erzeugung von nähr- und vitalstoffarmen Nahrungsmitteln geführt hat. Durch Hybridisierung, unnatürliche Anbaumethoden und starke Düngung erzielen die heutigen Großbetriebe und Agrarmultis ansehnliche Gewinnspannen, liefern uns jedoch keine „Lebens-Mittel“, die diesen Namen verdient hätten. Aus diesem Grund sind die Menschen in den westlichen Industrienationen wahrscheinlich die am besten versorgten, jedoch gleichzeitig unterernährtesten Generationen in der Geschichte der Menschheit. Die Nahrungsmittel, die wir nach ayurwedischen Gesichtspunkten zu uns nehmen und aus konventionellem Anbau stammen, können daher zu einer Unterversorgung mit wichtigen Nährstoffen führen. So könnte es durchaus sein, daß wir uns vom Standpunkt unserer Dosha-Betonung und jeweiligen Lebensumstände zwar richtig ernähren, aber immer noch nicht in der notwendigen Weise mit Nähr- und Vitalstoffen versorgt werden. Dieses Problem wird noch zusätzlich verschärft, wenn schwaches oder schwankendes Agni hinzukommt. Die Bevorzugung von Lebensmitteln aus biologischem Anbau ist hier die richtige Antwort, doch sind diese nicht immer und überall erhältlich. Wir sind aber auch mit der schlechten Wasser-, Luft- und Bodenqualität konfrontiert. Wie moderne wissenschaftliche Untersuchungen festgestellt haben, erhöht eine mineralstoff- und spurenelementarme Ernährungsweise das Risiko der heute grassierenden Degenerationskrankheiten. Es ist auch unbestritten, daß eine ausreichende Versorgung mit Spurenelementen und Mineralstoffen eine unerläßliche Voraussetzung für gesunde Haut, Nägel und Haare ist. Wie können wir diese Probleme lösen? Oder, um die Frage auf eine individuelle Ebene zu stellen, was können wir tun, um eine Versorgung mit allen notwendigen Nähr- und Vitalstoffen zu gewährleisten?

Die Vorstellung von Nahrungsergänzungsmitteln ist dem Ayurweda nicht fremd. Allerdings erkennt die ayurwedische Theorie einige Probleme, die dann auftreten können, wenn wir ein Präparat mit verschiedenen Heilpflanzen oder ein konzentriertes oder gar hochdosiertes Nahrungsergänzungsmittel einnehmen. In Anbetracht der weitverbreiteten und meist unreflektierten Anwendung von Nahrungsergänzungsmitteln verschiedenster Art sollten die folgenden Überlegungen aus ayurwedischer Sicht beachtet werden.

1. Wenn der Organismus nicht gründlich von Ama gereinigt worden ist, besteht die Gefahr, daß Nahrungsergänzungsmittel nicht richtig verdaut werden. In solchen Fällen ist nicht nur der Nutzen gering, sondern es besteht vielmehr auch die Gefahr, daß die Toxine im Körper zunehmen. Anstelle von Nahrungsergänzungsmitteln setzt der Ayurweda Verjüngungsmittel oder sogenannte „*Rasayanas*“ ein.

   Nach traditioneller Anwendung werden Rasayanas erst nach einer gründlichen innerlichen Reinigung des Organismus eingesetzt, wodurch sichergestellt wird, daß die konzentrierten Gaben von Nährstoffen direkt die Gewebe erreichen, die sie am meisten benötigen. Diese ayurwedische „Supernahrung“ und Heilpflanzenpräparate werden aufgrund ihres außerordentlich hohen Nährstoffgehalts eingesetzt. *Chywanprash* ist eines der beliebtesten und verbreitetsten dieser Mittel. Es enthält Amla-Frucht und zeichnet sich durch einen außerordentlich hohen Vitamin-C-Gehalt aus. Noch einmal: Nahrungsergänzungsmittel können nicht günstig wirken, solange der Organismus durch Blockaden oder Toxine belastet ist. In diesen Fällen werden die zugeführten Nährstoffe meist nicht ordentlich verdaut und können infolgedessen die bestehenden Probleme noch weiter verschlimmern.

2. Bei Nahrungsergänzungsmitteln handelt es sich häufig um isolierte Bestandteile natürlicher Substanzen oder gar um vollständig synthetische Verbindungen. Der Körper ist jedoch nicht immer in der Lage,

diese Substanzen gründlich zu verwerten. Substanzen, die keine natürlichen Bestandteile der Nahrung sind, werden entweder vom Körper nicht als Nährstoffe erkannt oder benötigen große Mengen anderer Nährstoffe, um vom Stoffwechsel verarbeitet zu werden. Dadurch kann es in anderen ernährungsrelevanten Bereichen zu Mangelzuständen kommen – ein wenig erstrebenswerter Zustand. Wenn man Nahrungsergänzungsmittel nehmen möchte, sollte man sich für möglichst natürliche Rezepturen entscheiden. Je stärker der Anteil von synthetischen Verbindungen ist, desto negativer ist die Wirkung auf das Pitta-Dosha. Neben einer möglichst natürlichen Zusammensetzung ist es wichtig, die Nahrungsergänzungsmittel an die eigene Dosha-Ausrichtung anzupassen. So wären zum Beispiel Vitamin-E-Kapseln für Vata-Menschen besser geeignet als Vitamin E in einer trockenen Tablettenform. Blaugrüne Algen scheinen bei Vata- und Kapha-Menschen gut zu wirken, jedoch weniger günstig bei Pitta-Menschen. Auf jeden Fall solltest Du sehr darauf achten, daß die Einnahme von Nahrungsergänzungsmitteln nicht zu einer Störung der Doshas führt. Am besten holt man sich den Rat eines erfahrenen ayurwedischen Praktikers oder eines Ernährungsberaters mit guten Ayurweda-Kenntnissen ein.

3. Viele der im Westen üblichen Nahrungsergänzungsmittel sind im Osten unbekannt und umgekehrt. Zahlreiche ayurwedische Präparate zur Stärkung und Verjüngung des Körpers sind ebenfalls nicht im Westen erhältlich. Daher müssen wir das hier verfügbare Angebot aus ayurwedischer Sicht untersuchen und verstehen. Einige der vorzüglichsten im Westen verfügbaren Nahrungsergänzungsmittel sind „Super-Nahrung“-Substanzen wie Spirulina, Blaugrüne Algen, Getreidepulver-Präparate und Meeresalgen-Tabletten. Da alle diese Produkte eine spezifische Wirkung auf den Organismus entfalten, verfügen sie auch über eine spezifische Wirkung auf bestimmte Doshas.

4. Obwohl sich nicht leugnen läßt, daß Nahrungsergänzungsmittel die Versorgung des Organismus mit wichtigen Nährstoffen verbessern können, verfügt der Ayurweda über Heilpflanzen, die zwar keine spezifischen Nährstoffe zuführen, aber die Assimilationsleistung des Organismus verbessern, so daß über die Ernährung zugeführte Nährstoffe verstärkt aufgenommen und verwertet werden. Diese Fragen erfordern medizinischen Sachverstand, und die Verordnung solcher Heilpflanzen gehört in die Hand eines erfahrenen ayurwedischen Praktikers.

5. Ein Hauptproblem mit der Einnahme von Nahrungsergänzungsmitteln besteht darin, daß der Nutzen in den meisten Fällen mit dem Absetzen des Mittels beendet ist. Richtig angewandt zielt Ayurweda darauf ab, die Assimilationsfähigkeit des Organismus zu verbessern und auch die Ernährungsweise so zu gestalten, daß der Körper optimal mit allen notwendigen Nähr- und Vitalstoffen versorgt wird.

Die Einnahme von Nahrungsergänzungsmitteln wirft eine Reihe von Fragen auf, die am besten in Zusammenarbeit mit einem qualifizierten Praktiker beantwortet werden. Nahrungsergänzungsmittel dürfen jedoch niemals als Ersatz für eine vernünftige Ernährungsweise, ein waches Umweltbewußtsein und angemessene Streßbewältigung betrachtet werden.

Die Frage der Vitamine und Mineralstoffe

Obwohl der klassische Ayurweda keine Angaben über die Bedeutung von Vitaminen und Mineralstoffen enthält, habe ich eine Liste von schönheitsrelevanten Problemen aufgeführt, die auf einen Mangel an bestimmten Vitaminen und Mineralstoffen zurückzuführen sind. Daneben werden geeignete Nahrungsmittel aufgelistet, die die jeweiligen Mangelzustände ausgleichen können.

Vitamine/ Mineralstoffe	*Mangelsymptome*	*Nahrungsmittel zum Mangelausgleich*
Vitamin A (hoher Bedarf bei Pitta)	trockene, rauhe, schuppige Haut, Faltenbildung, Juckreiz, Pickel, Verlust der Spannkraft, vorzeitiges Altern, vergrößerte Poren, unregelmäßige Tätigkeit der Talgdrüsen, Schuppen, gespaltene Nägel, abschälende Nägel, schlechte Nachtsicht, Brennen und Juckreiz der	dunkelgrüne und orange Gemüsearten, Mais, Soja, Linsen, Garbanzo-Bohnen, Miso, Butter, Leber, Krabben, Eier, Fischöl, Vollmilch

Vitamine/ Mineralstoffe	*Mangelsymptome*	*Nahrungsmittel zum Mangelausgleich*
	Augen, Verdickung der Hornhaut des Auges, verlangsamtes Wachstum und Heilung der Haut	
Vitamin B_1 Thiamin	schlechte Verdauung, Müdigkeit, Streß, Alkoholismus, vorzeitiges Altern	Vollkorngetreide, Melasse, grüne Gemüsearten, Hefe, Bohnen
Vitamin B_2 Riboflavin	Faltenbildung um die Lippen, fettige T-Zone des Gesichts, kleine Mitesser auf der Nase, feiner Hautgrieß, schuppige Nase und Stirn, Risse um die Lippen und Augen, blutunterlaufene Augen mit Juckreiz und Brennen verbunden, Lichtempfindlichkeit, Haarausfall, vorzeitiges Altern	Hirse, Mais, Soja, Vollkornweizen, Roggen, Weizenkeime, Mandeln, Bohnen, Milch, Avocados, Nüsse, schwarze Melasse, dunkelgrünes Blattgemüse, Innereien, Eigelb, Nori, Wakame, Hefe
Vitamin B_3 Niacin (hoher Bedarf bei Vata)	schlechte Durchblutung, schwacher Fett- und Kohlenhydratstoffwechsel, Trockenheit, Entzündungen, Müdigkeit, Mundgeruch, unnormale Hautpigmente	Weizen, Buchweizen, Gerste, wilder Reis, schwarze Bohnen, Mandeln, Erdnüsse und andere Nüsse, Sesamsamen, Meeresgemüse, dunkelgrünes Blattgemüse, Shitake-Pilze, mageres Fleisch, Milch, Reiskleie
Vitamin B_5 Pantothensäure	streßbedingte Hautausschläge, Haarausfall, Faltenbildung, vorzeitiges Altern, Allergien	Vollkorngetreide, Geflügel, Mais, Bohnen, Brokkoli, Kohl, Blumenkohl, Sonnenblumenkerne, pflanzliche Öle, Innereinen, Eigelb, Lachs

Vitamine/ Mineralstoffe	*Mangelsymptome*	*Nahrungsmittel zum Mangelausgleich*
Vitamin B_6 Pyridoxin (hoher Bedarf bei Kapha)	schlechte Verdauung, gestörtes hormonelles Gleichgewicht, langsame Heilungstendenz der Haut, Ekzeme, Flüssigkeitsretention, PMS, trockene oder ölige Haut mit Hautausschlägen, Schuppen, Streifenbildung der Haut, Falten um den Mund, ausdünnendes Haar, vorzeitiges Altern	brauner Reis, Buchweizen, Bohnen, Karotten, Kohl, Sonnenblumenkerne, Erdnüsse, Fisch, Innereien, mageres Fleisch, Hefe, schwarze Melasse, Bananen, Weizenkeime
Vitamin B_9 Folsäure	Blutarmut, fahle Haut, gräuliche oder braune Hautverfärbungen, Niednägel, Haarausfall, stumpfes Haar	Vollkorngetreide, Salat und Blattgemüse, Weizenkeime, Hefe, Pilze, Austern, Milch, Lachs, Kleie, Getreidesprossen, Innereien, Sojaerzeugnisse, natürlich fermentierte Pickles, Joghurt, Nori, Spirulina
Vitamin B_{12}	vorzeitiges Altern, Müdigkeit, Schlaflosigkeit, Konzentrations- und Gedächtnisschwäche, Aggressionen	Vollkorngetreide, Leber, Milch, Austern, Lachs, natürlich fermentierte Pickles, Tamari, nicht-pasteurisiertes Miso
Biotin	gräuliche Haut, Blutarmut, Depressionen, schlechter Fettstoffwechsel, Dermatitis, Glatzenbildung	Leber, brauner Reis und andere Vollkorngetreidearten, Eier, Fisch, Nüsse, Hülsenfrüchte, Leber, Blumenkohl
Cholin	Fettansammlung, schlechte Immunleistung, Nervenschwäche, vorzeitiges Ergrauen	Lezithin, Hefe, Leber

Vitamine/ Mineralstoffe	*Mangelsymptome*	*Nahrungsmittel zum Mangelausgleich*
Inosit	Ekzeme, Haarausfall, erhöhter Cholesterinspiegel, Verstopfung, Fettansammlung	Lezithin, schwarze Melasse, brauner Reis, Gerste, Hafer, Hülsenfrüchte, Rinderherz, Samen
Pab	Nervosität, Müdigkeit, Verdauungsstörungen, vorzeitiges Ergrauen und Faltenbildung, scheckige Haut	Leber, Eier, brauner Reis, Weizenkeime, schwarze Melasse
Vitamin C (**Achtung:** große Mengen Vitamin C können bei Pitta-Menschen Probleme auslösen)	schlechter Hauttonus, bekommt leicht blaue Flecken, Äderung, Faltenbildung, vorzeitiges Altern, Zellulitis, schwache Haarwurzeln	Spargel, Alfalfa-Sprossen, Gemüsearten aus der Kohlfamilie, Senfblätter, Erbsen, Okra, rote und grüne Paprika, Mungbohnen, Tomaten, Beerenobst, Zitrusfrüchte, Melonen, Mangos, Papayas, Ananas, Innereien, Fisch, Eier, Milchprodukte
Bioflavonoide	schwache Gefäßwände, Äderung, Krampfadern, Zahnfleischbluten, bekommt leicht blaue Flecken, Ekzeme	die gleichen Nahrungsmittel wie unter *Vitamin C*
Vitamin D (hoher Bedarf bei Kapha)	schlechte Zähne, schwache Knochen, dünnes Haar und schwache Nägel	Sonnenlicht, Fischöle, Leinsamenöl, getrockneter Fisch, Vollkorngetreide, dunkelgrünes Blattgemüse, Eier, Lachs, Sardinen, Hering, Butter, Eier
Vitamin E	vorzeitiges Altern, schwacher sexueller Antrieb, rauhe und trockene und gealterte Haut, schlechter Muskeltonus, Trockenheit,	Weizenkeime, Vollkorngetreide, dunkelgrünes Blattgemüse, Nüsse und Samen, kaltgepreßte pflanzliche Öle, Leber,

Vitamine/ Mineralstoffe	*Mangelsymptome*	*Nahrungsmittel zum Mangelausgleich*
	Krampfadern, Narbenbildung	Butter, Milch, Eier, Innereien, Melasse
Essentielle Fettsäuren	sprödes und stumpfes Haar, Ekzeme, trockene Haut, Probleme mit den Nägeln, Schuppen, Allergien	Weizenkeime, Omega-3-Öl, Leinsamen, Lezithin, Lebertran
Vitamin K	mangelnde Zellenergie, vorzeitiges Altern	Joghurt, Eier, schwarze Melasse, Milch, Fischöl
Kalzium	dünnes Haar, schlechte Zähne und Nägel, PMS, Schlaflosigkeit	Meeresgemüse, dunkelgrünes Blattgemüse, Sesamsamen, Sonnenblumenkerne, Eier, Milch, Käse, Nüsse, Trockenobst, Sardinen, Schalentiere
Kupfer	Verlust der Haarfarbe, schlechter Tonus der Haut	Innereien, Eier, Geflügel, Kelp, Vollkorngetreide, Leber, Meeresfrüchte
Jod	Funktionsstörungen der Schilddrüse, trockene und faltige Haut	Kelp, Zwiebeln, Bohnen, Meeresfrüchte
Eisen	blasse, matte Haut und Nägel, mangelnde Vitalität, brüchiges Haar, schwache Nägel, ausdünnendes Haar, Juckreiz der Haut	Eigelb, Blattgemüse, Petersilie, Speiserotalge, Brennesseltee, Vollkorngetreide, Miso, Tekka, Melasse, Rosinen, Kürbiskerne, Nüsse, Beerenobst, mehr Bewegung
Magnesium	streßbezogene Hautprobleme, wenig Vitalität, schlechter Muskeltonus, schlechter Kalzium- und Vitamin-C-Haushalt,	Meeresfrüchte, Vollkorngetreide, Mais, Speiserotalge, Sojaprodukte, Linsen, Trockenobst, Nüsse, Blattgemüse, Äpfel,

Vitamine/ Mineralstoffe	*Mangelsymptome*	*Nahrungsmittel zum Mangelausgleich*
	Anspannung der Muskulatur, Reizbarkeit, Psoriasis	Sellerie, Zitronen, Feigen, Pampelmusen
Phosphor	Verlust der Knochensubstanz, Muskelschwäche, Müdigkeit	Vollkorngetreide, Bohnen, Nüsse, Gemüse, mageres Fleisch, Sonnenblumenkerne
Kalium	Muskelschwäche, Verdauungsschwäche, trockene Haut, Akne, Dermatitis	Bananen, Brunnenkresse, Meeresgemüse, grüne Paprika, Trockenobst
Selen	vorzeitiges Altern, Verlust der Hauttonuelastizität, Schuppen	Eier, Vollkorngetreide, Bohnen, Zwiebeln, Tomaten, Thunfisch, Knoblauch, Leber
Kieselsäure	mangelnde Spannkraft, schwache Nägel, stumpfes Haar	Zinnkraut
Schwefel	schuppige Haut, Ekzeme, sprödes, mattes Haar, schwache Nägel	Fisch, Eier, Nüsse, Gemüse der Kohlfamilie, Äpfel, Preiselbeeren, Bohnen, Zwiebeln, Brunnenkresse, Grünkohl, Rosinen
Zink	Verlust der Hautelastizität, Faltenbildung, Streifenbildung der Haut, weiße Flecken auf den Nägeln, Haarausfall	Kürbis- und Sonnenblumenkerne, Meeresfrüchte, Innereien, Pilze, Eier, Weizenkeime

Im allgemeinen kann man davon ausgehen, daß Personen mit einem starken Agni, die eine qualitativ hochwertige ayurwedische Ernährung mit Erzeugnissen aus biologischem Anbau in Übereinstimmung mit ihrer Dosha-Zusammensetzung befolgen, durch ihre tägliche Ernährung ausreichend mit Vitaminen und Mineralstoffen versorgt werden. Wenn Deine Ernährung einen hohen Anteil an rotem Fleisch, raffinierten Kohlenhydraten und Zucker enthält, ist eine zusätzliche Versorgung mit Vitaminen und Mineralstoffen von größerer Bedeutung. Eine solche Ernährungsweise ist kaum als empfehlenswert zu bezeichnen.

Aufgrund der bereits erwähnten Umweltfaktoren in der heutigen Zeit kann es jedoch zu Mangelzuständen kommen, die die Einnahme von Nahrungsergänzungsmitteln erforderlich machen. Für die Schönheitspflege bietet bereits eine Reihe von Herstellern Präparate an, die speziell für Haare, Nägel und Haut konzipiert wurden. Für weiterführende Informationen verweisen wir auf die Bezugsquellen im Anhang (Seite 318).

Das Fasten *(Kshud)*

Längeres Fasten wird von der ayurwedischen Tradition entschieden abgelehnt. Der Ayurweda vertritt die Ansicht, daß diese Enthaltsamkeit schließlich in das Gegenteil umschlagen wird. Den fortgesetzten Entzug der Nahrung empfindet der Körper als eine Bedrohung der Lebensenergie und versucht, sich wieder reichlich zu versorgen. So hat das Fasten in vielen Fällen nicht die gewünschte reinigende Wirkung, sondern erzeugt eine Angst, die wiederum zu einer anschließenden, kompensatorischen Überfrachtung des Organismus führt. Aus ayurwedischer Sicht gibt es jedoch zwei Ausnahmen. Zum einen, wenn ein Mensch krankheitsbedingt keinen Appetit hat. In diesen Fällen werden weiche Getreidespeisen als Aufbaunahrung empfohlen, sobald der Appetit sich wieder eingestellt hat. Der zweite Ausnahmefall ist die Reinigungstherapie unter der Anleitung eines erfahrenen ayurwedischen Arztes oder Praktikers, wenn andere reinigende Verfahren wie Pancha Karma nicht zur Verfügung stehen.

Im Gegensatz zu längerem Fasten wird kürzeres Fasten (zwischen einem und drei Tagen) im regelmäßigen wöchentlichen oder zweimonatigen Turnus als sehr wohltuend erachtet. Das Verdauungssystem erhält so die Möglichkeit der Regeneration, ohne daß Mangelzustände in Körpergeweben oder unerwünschte emotionale Reaktionen auftreten.

Personen mit starkem Vata können einen Tag lang fasten und dabei warmes Wasser trinken. Dies sollte jedoch keinesfalls häufiger als zweimal im Monat durchgeführt werden. Kleine Beigaben von Honig und Zitronensaft sind hilfreich, um eine ausreichende Energieversorgung zu gewährleisten. Fasten mit Wasser über längere Zeiträume kann zu einer erheblichen Schwächung des Körpers führen, von dem sich der Orgar sehr langsam vollständig erholt. Bei Vata-Zuständen kann es Fasten mit Hilfe einer reinigenden, jedoch nährenden „Mono-m Beispiel mit Kichadi, erreicht werden. Eine „Mono-Diät“ dieser Art kann etwa einen Monat lang beibehalten werden.

In ihrem Buch *Die Ayurveda-Küche* führt Amadea Morningstar über zehn empfehlenswerte Kichadi-Rezepte an. Das nachfolgende Rezept wird speziell wegen seiner verdauungsfördernden Wirkung empfohlen. Die Zubereitung dauert neunzig Minuten und ergibt drei bis vier Portionen. Wenn Du dieses Kichadi-Rezept für eine Fastenkur verwendest, ist eine tägliche frische Zubereitung ratsam, damit die energetischen Eigenschaften und Nährstoffe in vollem Ausmaß übertragen werden.

Amadeas verdauungsförderndes Kichadi

½	Teelöffel	Kuminsamen
2	Eßlöffel	Ghee oder Sonnenblumenöl
3	Stück	Lorbeerblätter
1	Teelöffel	Koriandersamen
½	Teelöffel	Kurkumapulver
1	Teelöffel	getrockneter Oregano
½	Teelöffel	Meersalz
1	Stück	Kombu, etwa 7 cm lang
1	Teelöffel	frische, geriebene Ingwerwurzel
½	Tasse	Basmati-Reis (gewaschen und abgetropft)
½	Tasse	Dahl aus halben Mungbohnen (gewaschen und abgetropft)
4 bis 6	Tassen	Wasser
3	Tassen	frisches Gemüse der Jahreszeit (keine Nachtschattengewächse, das heißt Tomaten, Kartoffeln, Paprika, Auberginen), in etwa 1 cm große Würfel geschnitten

Erwärme das Ghee in einem Kochtopf. Nun werden Kumin, Lorbeerblätter, Koriandersamen und der Oregano leicht gebräunt. Unter Rühren Kurkuma, Reis und Dahl hinzufügen. Gib anschließend Wasser, Kombu und Ingwer hinein. Diese Mischung wird nun eine Stunde lang bei niedriger Hitze gekocht. Danach kommt das Gemüse hinzu und wird solange gekocht, bis Gemüse und Reis weich sind.

Dr. Robert Svoboda stellt ein ausgesprochen traditionelles Kichadi-Rezept in seinem Buch *Prakruti, Your Ayurvedic Constitution* vor. Die hier angegebenen Mengen sind etwas größer und ergeben die Tagesmenge für zwei Personen, die eine entsprechende Fastenkur durchführen.

Dr. Svobodas Kichadi-Rezept

2	Tassen	Basmati-Reis
1	Tasse	halbe Mungbohnen
8 bis 12	Tassen	Wasser
2	Eßlöffel	Ghee
1	Teelöffel	Kreuzkümmelpulver
1	Teelöffel	Koriandersamen
$^1/_4$ bis $^1/_2$	Teelöffel	Kurkumapulver
3 bis 5		ganze Kardamomschoten
1 bis 2	Teelöffel	Ingwerpulver
	eine Prise	Salz oder Kelp-Pulver
	eine Prise	Asafoetida-Pulver

Personen mit Verdauungsstörungen empfiehlt Dr. Svoboda eine kleinere Menge Mungbohnen, und zwar 1 Teil Bohnen auf 3 Teile Reis. Wenn Du eine gute Verdauung und einen höheren Eiweißbedarf hast, kannst Du gleiche Teile Bohnen und Reis verwenden.

Reis und Mungbohnen nach dem Waschen abtropfen lassen und anschließend getrennt jeweils eine halbe Stunde einweichen. Nach dem Einweichen werden sie erneut kurz abgewaschen und abgetropft. Die Gewürzpulver und Samen werden in ein wenig Ghee kurz gebraten. Diese kurzgebratene Mischung wird nun dem Wasser hinzugefügt, gefolgt vom Reis und den Bohnen; anschließend wird der Ingwer, Salz oder Kelp und die Kardamomschoten hinzugegeben. Laß nun das Gericht im geschlossenen Topf bei niedriger Hitze solange kochen, bis der Reis und die Bohnen weich geworden sind (etwa eine Stunde lang).

Fasten mit Wasser ist nur für sehr kurze Zeiträume und bei hohem Pitta zu empfehlen. In solchen Fällen hat sich ein Fasten mit Obst- und Gemüsesäften bewährt. Diese sind in ausreichenden Mengen zu trinken, damit das Hungergefühl gestillt wird. Empfehlenswert sind Apfel-, Birnen-, weißer Trauben-, Pflaumen-, Granatapfel-, Sellerie-, Gurkensaft und Säfte aus grünem Blattgemüse.

Bei starkem Kapha ist Fasten mit Wasser ideal, wenn dies einmal wöchentlich durchgeführt wird. Diese Maßnahme wirkt der Tendenz zu Verdauungsträgheit entgegen. Apfel-, Preiselbeeren-, Kirsch- und Granatapfelsaft eignen sich für ein Saftfasten bei übermäßigem Kapha.

Da Obst- und Gemüsesäfte ballaststoffarm sind, ist Verstopfung bisweilen eine lästige Begleiterscheinung beim Fasten. In diesem Fall hilft ein natürliches, ballaststoffreiches Abführmittel wie Psylliumsamenhülsen oder Leinsamen, die dem Saft beigefügt oder beim Fasten mit einem der Kichadi-Rezepte dem Wasser hinzugefügt werden. Ein sanft wirksames Abführmittel erhält man auch, indem man einen halben Teelöffel Triphala (eine beliebte ayurwedische arzneiliche Kombination) einige Stunden in warmem Wasser einweicht und vor dem Schlafengehen einnimmt. Dieses beliebte und bewährte Mittel hat den Vorteil, daß es eine ausgleichende Wirkung auf die Doshas entfaltet und den Verdauungstrakt reinigt.

Die Gestaltung der Lebensweise

„Für den Weisen ist die ganze Welt ein Lehrer, während der Narr auf ein ganzes Universum voller Feinde blickt."

Charaka

Der Ayurweda lehrt, daß wir Schönheit, Gesundheit und ein erfülltes, glückliches Leben nur dann erreichen und verwirklichen können, wenn wir verstehen, wie alle Aspekte des Lebens zum Einklang von Geist und Körper beitragen können. Die alten ayurwedischen Schriften enthalten sehr viele Empfehlungen und Richtlinien hierzu, die uns aber nur dann nützen, wenn sie zu einem Teil unseres täglichen Lebens geworden sind. Wir sollten die in den Schriften enthaltenen Ratschläge und Methoden jedoch nicht übernehmen, weil sie eine letzte, übergeordnete Wahrheit darstellen oder weil wir sie als besonders angenehm empfinden – sondern ganz einfach, weil sie funktionieren. Gute Ergebnisse sind der beste Anreiz, um die für die Gestaltung der Lebensweise, gute Gesundheit und strahlende Schönheit benötigte Selbstdisziplin zu entwickeln. Wie es Charaka so schön formuliert hat, solltest Du Deine Lebenserfahrung in Verbindung mit Deinem ayurwedischen Wissen als Lehrer verwenden, um eine Welt zu schaffen, die Dich nährt und unterstützt, anstatt Dich als Feind zu konfrontieren. Dieses Kapitel behandelt viele Aspekte des täglichen Lebens. Lies es durch, probiere die Empfehlungen aus und übernimm das, was für Dich gut funktioniert. Denke daran, die bewährten Dinge allmählich zu übernehmen. Letztendlich werden alle Faktoren, die zur Gesundheit von Körper und Geist beitragen, uns auch zu einem ästhetischen Körper und einer positiven persönlichen Ausstrahlung verhelfen.

Die Gestaltung eines harmonischen Arbeitslebens

Die meisten Menschen verbringen mindestens ein Drittel ihres Lebens und einen Großteil ihrer wachen Zeit in einer Arbeitssituation. Die Arbeit, die wir uns ausgesucht haben, die entsprechende Arbeitsumwelt, die körperlichen, emotionalen und spirituellen Anforderungen, die das Arbeitsleben an uns stellt, haben eine eindeutige Auswirkung auf das innere Gleichgewicht der Doshas – was sich direkt auf unser Befinden und Aussehen auswirkt.

Jeder fühlt sich aufgrund seiner persönlichen Interessen, individuellen Neigungen, natürlichen Fähigkeiten oder einer Kombination von einem oder mehreren dieser Aspekte zu bestimmten Arbeiten hingezogen. Diese Anziehung wird sehr stark von seinem Konstitutionstypus bestimmt. Wie mit vielen Entscheidungen, die wir treffen, wirken die Konsequenzen nicht unbedingt ausgleichend auf die Doshas, können jedoch entsprechend modifiziert werden. Die Verwirklichung eines harmonischen Arbeitslebens hängt davon ab, wie wir natürliche Bedürfnisse und Ziele verfolgen, ohne unsere Leistungsfähigkeit durch Störungen des körperlichen Gleichgewichts zu beeinträchtigen. Indem Du lernst, für Dich so zu sorgen, daß Du stets Dein Bestes geben kannst, bist Du schon auf dem besten Weg, Deine Ziele so zu verwirklichen, wie Du es möchtest.

Für jeden individuellen Konstitutionstypus gibt es Arbeitsweisen, die dem jeweiligen Naturell entsprechen und als befriedigend empfunden werden. Ohne einen behutsamen Umgang mit natürlichen Arbeitsweisen und Tendenzen können diese jedoch aus der Kontrolle geraten und sich langfristig negativ auf Geist und Körper auswirken. Wenn unsere Energie allmählich abnimmt und wir immer stärker abgelenkt werden, haben Körper und Geist vermehrt darunter zu leiden. In diesem Fall wird es immer weniger möglich, sich selbst als schön zu empfinden und Schönheit auszustrahlen. Nachfolgend beleuchten wir die besonderen Neigungen und Eigenheiten der einzelnen Konstitutionstypen und legen dar, wie sie in ihrem Arbeitsleben ihre Energie bestmöglich erhalten können.

Vata-Menschen fühlen sich zu aufregenden Arbeiten hingezogen, die Kreativität erfordern und ihnen ein gehöriges Maß an Unvorhergesehenem, Intensität und Abwechslung bieten. Sie fühlen sich bei einer Arbeit wohl, die Reisen mit sich bringt, Sensitivität erfordert, und sie blühen in einer erlebnisreichen Arbeitsumgebung auf, in der sie mit vielen verschiedenen Menschen, Ideen und Stimmungen konfrontiert werden. Ein Übermaß an diesen Faktoren wirkt Vata-vermehrend, was schließlich zu einem gestörten Vata-Gleichgewicht führt. Vata-Menschen werden direkt negativ beeinflußt von kalten, zugigen, staubigen, lauten und chaotischen Umgebungen und Arbeitsumständen und außerdem von elektronischen Reizen und Verkabelungen und so weiter, wie man sie in Büros mit Computern und Netzwerken, Fotokopierern, verzweigten Telefonanlagen und Neonbeleuchtung vorfindet (Stichwort Elektrosmog).

Eine vatagene Arbeit ist an sich kein Problem, solange Du bereit bist, Dir die Zeit zu nehmen, um ein Gegengewicht zu den Gleichgewichtsstörungen zu schaffen, die von einer solchen Arbeit ausgehen. Wenn Du der Ansicht bist, daß Dir die Zeit dazu fehlt, wird Dein Körper Dich früher oder später durch entsprechende Krankheiten zum Nachdenken anregen.

Folgende Faktoren helfen das Gleichgewicht von Vata soweit wie möglich zu erhalten:

- Schaffe Dir einen flexiblen Tagesablauf.
- Sorge für entsprechende Ruhe- und Erholungszeiten nach intensiven Arbeitseinsätzen.
- Gönne Dir eine Aromatherapie-Ölmassage in regelmäßigen Abständen.
- Gehe so oft wie möglich in einem ruhigen Park oder auf dem Land spazieren.
- Achte auf warme und bequeme Kleidung.
- In einer übermäßig lauten Umgebung ist Gehörschutz ratsam.
- Sorge für regelmäßige Essenszeiten.
- Gehe so oft wie möglich früh ins Bett.
- Versuche möglichst keine Entscheidungen während der Vata-Phasen des Tages, also am frühen Morgen und am späten Nachmittag zu treffen. Du solltest wichtige Termine nicht in diese Zeiten legen, da Du dann nicht über Deine größte Klarheit verfügst.
- Vermeide unnötiges Reisen. Wenn Du es trotzdem mußt, versuche einige aufbauende und angenehme Aktivitäten mit einzubeziehen oder für die Zeit nach Deiner Rückkehr einzuplanen.
- Delegiere soviel Arbeit wie möglich und nimm möglichst keine Arbeit mit nach Hause.

- Vermeide ständigen Arbeitswechsel nur aus dem Bedürfnis nach Abwechslung heraus.

Pitta-Menschen sind eher praktisch veranlagt und arbeiten lieber mit konkreten Angelegenheiten wie Zahlen, Terminplänen, der Herstellung von bestimmten Gegenständen oder dem Kauf und Verkauf. Für diese Menschen ist eine starke Identifikation mit ihrer Arbeit wichtig. Sie sind unternehmerisch, wettbewerbsorientiert, risiko- und innovationsfreudig. Ganz gleich, auf welchem Gebiet sie sich betätigen, nehmen sie gerne führende Positionen ein. Diese Menschen müssen jedoch lernen, ihren Übereifer und ihre Druck ausübende Natur zu zügeln. Folgende Faktoren helfen Pitta-Menschen, das Gleichgewicht zu wahren:

- Nimm Dich vor übergroßem Engagement oder Einseitigkeit in Deinem Arbeitsleben in acht.
- Baue ein starkes Mitarbeiterteam auf, damit Du Dich nicht ständig übernimmst.
- Mit einer selbständigen Tätigkeit bist Du am besten beraten.
- Verzögerungen in der Arbeit oder die Inkompetenz anderer rufen bei Pitta-Menschen häufig spontane Gefühle von Wut und Frustration hervor. Lerne, diese Reaktionen abzubauen oder positiver damit umzugehen.
- Vermeide jeglichen Kontakt mit Industriechemikalien.
- Vermeide längeres Arbeiten bei intensiver Hitze oder starker Licht- oder Sonneneinwirkung.
- Geschäftliche Zusammenkünfte und Arbeitsessen zur Mittagszeit sind nicht empfehlenswert, da Pitta-Menschen mit ihrem starken Appetit hierbei nicht immer das vorteilhafteste Bild abgeben und ihre größte Produktivität entfalten.
- Sorge für ein harmonisches, ruhiges Familienleben mit Deiner Familie und/oder einem Kreis von Freunden.
- Zum Streßabbau sind regelmäßige Besuche in einem Fitneßcenter zu empfehlen.
- Durch eine geeignete Meditation schaffst Du mehr Raum in Deinem Leben.
- Für die geistig regen, begeisterungsfähigen, ehrgeizigen Pitta-Menschen sind gezielte Methoden zur Entspannung von Körper und Geist sehr förderlich.
- Kaltes Duschen wirkt günstig.

Dank ihrer beständigen, stabilen, gewissenhaften und liebenden Natur eignen sich Kapha-Menschen für jegliche Art von Verwaltungsarbeit, Buchhaltung, Empfangs- und Vorzimmerpositionen und bewähren sich ebenfalls in Berufen, die mit Beratung oder der Sorge für andere Menschen zu tun haben. Diese Menschen haben keine Probleme mit Routine und sich wiederholenden Aufgaben. Aufgrund ihrer natürlichen Vitalität und Ausdauer sind sie als zuverlässige Teamarbeiter geschätzt. Um das bestmögliche Gleichgewicht in ihrem Arbeitsleben zu wahren, sollten Kapha-Menschen auf die folgenden Faktoren achten.

- Herausforderungen im Arbeitsleben suchen und annehmen, um aufkommender Monotonie vorzubeugen.
- Integriere körperliche Betätigung/Bewegung in das Arbeitsleben, wie zum Beispiel einen Spaziergang nach dem Mittagessen. Bewegung und frische Luft verhelfen zu erhöhter Wachsamkeit am Nachmittag.
- Ein leichtes Mittagessen ist am besten. Meide Süßes in Kaffeepausen.
- Nutze Dein großes Gedächtnispotential. Bleibe engagiert, indem Du neue Dinge lernst – ganz gleich, ob diese arbeitsbezogen sind oder andere Bereiche betreffen. Durch Anregungen dieser Art wirst Du auch in Deiner Arbeit/Karriere Fortschritte machen.
- Stecke Dir bestimmte Ziele. Wenn Kapha-Menschen sich auf etwas konzentrieren, werden sie meist mühelos stetige Fortschritte machen und in vielen Fällen auch gutes Geld dabei verdienen.
- Bleibe Deiner spirituellen Natur treu, aber achte darauf, daß Du nicht zu sehr in die Probleme anderer verstrickt wirst.

Überlegungen zum Einfluß des Klimas

Das Klima ist einer der bedeutendsten Faktoren für das Gleichgewicht des Körpers. Aus zahlreichen Gründen können viele Menschen ihren Wohnort nicht frei bestimmen. Wenn es jedoch um unseren Urlaub oder um Erholung und Regeneration geht, können wir auf eine kluge Wahl achten.

Vata-Menschen fühlen sich in einem warmen und feuchten Klima am wohlsten und ziehen dabei die Nähe des Meeres, eines Schwimmbads, Sees oder Flusses vor, damit sie die Wärme genießen können, ohne allzu stark darunter leiden zu müssen. Die meisten Vata-Menschen lieben die Sonne. Für sie ist es bekömmlicher, sich mit einem kühlen Getränk in die Sonne zu legen, als den ganzen Tag in der prallen Sonne zu wandern. Diese Menschen lieben ein gehöriges Maß an Intensität in ihrem Leben und sollten bei einem Urlaub oder Erholungstagen auf eine ausgewogene Mischung von Aktivität und Erlebnis einerseits und echter Erholung andererseits achten. Das in Florida, auf Hawaii, den Südsee-Inseln und an der Mittelmeerküste vorherrschende Klima kommt den Vata-Bedürfnissen weitgehend entgegen.

Pitta-Menschen hassen nichts so sehr wie übermäßige Hitze, weswegen sie sich in kühlen, windigen und trockeneren Klimazonen am wohlsten fühlen. Die Nähe von Wasser – also von Flüssen, Seen und dem Meer – und von satten, grünen Landschaften wirkt wohltuend und nährend auf diese Menschen. Man denkt hierbei an Länder wie Irland, Schweden, Norwegen, die nordwestliche Pazifikküste der Vereinigten Staaten (interessanterweise findet man in diesen Ländern auch verstärkt Menschen, die dem Pitta-Typus entsprechen; Rothaarige mit Sommersprossen, hochgewachsene, blonde Menschen und Personen mit einem aktiven Lebensstil mit viel Bewegung in der freien Natur). Pitta-Menschen brauchen ausreichende Möglichkeiten, sich aktiv zu betätigen; Ausflugsziele tagsüber, gediegene Restaurants, ein schickes Nachtleben und wohldosierte körperliche Herausforderungen.

Kapha-Menschen fühlen sich in trockenen, warmen, auch sogar in relativ heißen Klimazonen wohl – vorausgesetzt, sie können Siestas einlegen. Sie lieben das gemächlichere Leben, wie es für viele südliche Länder oder die Mittelmeerländer typisch ist. Ideale Bedingungen finden sie in der Türkei, auf den griechischen Inseln oder im Südwesten der Vereinigten Staaten. Die Küche dieser Länder bietet gerade einen ausreichenden Anteil an Knoblauch und Chili und keine übermäßigen Mengen von Käse und Tahini. Da sich Kapha-Menschen nur allzu gern dem süßen Nichtstun hingeben, ist es sinnvoll, für ein bestimmtes Ausmaß an organisierter Tätigkeit zu sorgen. Der Kapha-Typus hat am meisten unter drückend schwülem Wetter zu leiden.

Bei Personen, die in einem Klima leben, das ihrem Konstitutionstypus schadet, können chronische geistige und körperliche Störungen als Folge hiervon auftreten. In solchen Fällen ist ein Umzug ernsthaft zu erwägen. Wenn das nicht möglich sein sollte, dann können Veränderungen des Mikroklimas im Heim helfen, die Lebensqualität zu verbessern. Ein großer, offener Herd, Luftbefeuchter, Zentralheizung und doppelverglaste Fenster entfalten eine positive Wirkung auf Vata-Menschen und tragen zu einem zugfreien, warmen, beständigen Innenraumklima bei. Pitta-Menschen brauchen Ventilatoren an der Zimmerdecke, Fenster, die sich ohne weiteres weit öffnen lassen, und können auch von einer Klimaanlage profitieren, solange diese so eingestellt wird, daß kein allzu großes Temperaturgefälle zum Außenklima entsteht. Kapha-Menschen brauchen trockene Wärme. Bei kaltem Wetter ist eine Umluftheizung ausgezeichnet sowie eine Klimaanlage bei großer Hitze.

Schärfe Dein Bewußtsein für die klimatischen Verhältnisse, die Dir am besten bekommen. Je größer Dein körperliches Wohlbefinden ist, desto größer wird die Ausstrahlung Deiner inneren und äußeren Schönheit sein.

Massage

Eigentlich sollte jeder Mensch in den Genuß einer regelmäßigen Massage kommen – ganz gleich, ob man sich selbst massiert, die Partnermassage genießt oder sich den Händen eines ausgebildeten Masseurs anvertraut. So wie eine Maschine geölt oder geschmiert werden muß, so ist die Ölmassage ein Genuß für den Körper und stellt zugleich einen wirksamen Alterungsschutz dar.

Für Vata-Menschen ist eine tägliche Ölmassage von besonderer Bedeutung. Die beste Zeit hierfür ist am frühen Morgen oder vor einem warmen Bad am Abend. Eine regelmäßige Massage einmal im Monat durch einen ausgebildeten Masseur ist Vata-Menschen zu empfehlen und kommt ihrem ausgeprägtem Sicherheitsbedürfnis entgegen. Von ihrer Natur her sind Vata-Personen trocken und kühl, weswegen die nährenden Eigenschaften einer warmen Ölmassage ihnen ganz besonders gut tun. Diese Art von Ölmassage befeuchtet die trockene Haut, schützt die Gelenke, erdet den ganzen Menschen und schützt das Vata-Dosha vor subtilen, schädlichen Energien (einschließlich Strahlung und negativen Emotionen), indem die Aura gestärkt wird.

Vata-Menschen sind außerordentlich berührungsempfindlich. Wenn Sie lernen können, einem anderen Menschen zu vertrauen, können sie auf diesem Weg viel Liebe, nährende Zuwendung und Unterstützung erfahren. Die ayurwedischen und schwedischen Massagestile sind für sie am besten geeignet. Rolfing und andere Massageformen, die tief in das Gewebe eingreifen, sollten selten oder nur bei wirklichem Bedarf und dann mit großer Behutsamkeit angewandt werden, da die Vata-Energie sehr leicht zu stören ist. Aufgrund der großen Sensibilität von Vata-Menschen können die subtileren energetischen Massagearten dramatische Wirkungen bei Vata-Menschen auslösen.

Bei Vata-Menschen ist stets warmes Öl anzuwenden, damit dieses tiefer eindringen und das Nervensystem beruhigen kann. Übermäßige Ölanwendungen führen möglicherweise zu Störungen des empfindlichen Verdauungssystems des Vata-Typus. Sesam-, Mandel- oder Olivenöl sind zu bevorzugen. Zum Tonisieren können den Ölen Heilpflanzen wie Ashwagandha, Shatavari oder Bala hinzugefügt werden. Mahanarayan- oder Narayan-Öle wirken ebenfalls sehr gut, besonders bei Steifheit oder Entzündung der Gelenke. Ätherische Öle von Wintergrün, Zimt, Moschus, Galangal oder Zypresse steigern die wärmende Wirkung der Öle. Sandelholz, Rose oder Jasmin fördern eine ruhige und geerdete Geistesverfassung. Verwende 20 Tropfen auf 60 ml Öl.

Pitta-Menschen genießen die Vorzüge einer regelmäßigen Massage durch einen erfahrenen, hochqualifizierten, fürsorglichen, professionellen Masseur. Diese Menschen denken weniger daran, sich selbst zu massieren, da sie die Bedeutung der Selbstpflege gern unterschätzen. Sie sollten Zeit für eine regelmäßige Massage einplanen, denn diese ist ein hervorragendes Mittel, um jene tiefe Ruhe und Entspannung zu fördern, die Pitta-Menschen als Ausgleich für die intensive Lebensweise benötigen, die sie so sehr lieben. Durch die Massage mit den richtigen Ölen wird der natürliche Glanz der Pitta-Haut verbessert, die gut ausgebildete Muskulatur genährt und ihr reaktionsschnelles Nervensystem beruhigt. Ein Übermaß an Öl oder Öle mit erhitzenden Eigenschaften können Juckreiz, Durst, Reizbarkeit oder gar Übelkeit hervorrufen. Pitta-Menschen haben oft eine empfindliche Haut, wodurch es leicht zu Hautausschlägen oder Entzündungen kommt (dies ist ganz besonders bei heißer Witterung der Fall). Shiatsu, Polarity und andere Massageformen, die auf Öl verzichten und vornehmlich mit dem elektromagnetischen Feld des Körpers arbeiten, sind beim Pitta-Typus ebenfalls nützlich (und besonders dann, wenn eine große Empfindlichkeit der Haut vorliegt).

Die für Pitta geeigneten Öle sind kühlend und neutral. Kokosöl beruhigt und kühlt den Körper und reduziert Durst und Empfindungen von Brennen. Sonnenblumenöl ist bei entzündeter Haut zu empfehlen. Olivenöl, Sesamöl und Ghee sind neutraler (in Kupfer- oder Silberbehältern gereiftes Ghee hat eine stärker kühlende Wirkung). Bisweilen können diese Öle sich dennoch als zu stark erhitzend erweisen und erfordern deswegen den Zusatz von kühlenden Heilpflanzen oder ätherischen Ölen. Zu den Heilpflanzenölen, die beim Pitta-Typus nützlich sind, gehören Shatavari, Gotu Kola, Bhringaraj und Brahmi. Ätherische Öle, die eine kühlende Wirkung auf Körper und Temperament entfalten, sind Sandelholz (rotes Sandelholz wenn möglich), Gardenia, Jasmin, Rose, Geißblatt, Veilchen, Iris und Lotus. Die folgenden Öle sind besonders kühlend für den Kopf: Sandelholz (wird häufig auf den Bereich des Dritten Auges aufgetragen), Lemongrass, Lavendel, Minze, Henna und Vetiver. Pitta-Menschen haben starke Vorlieben und Abneigungen – die sie auch bereitwillig mitteilen. Manche Pitta-Personen mögen leichte, blumige Düfte, andere lieben frischere Noten wie die der Minze oder Zitrone, während wiederum andere den exotischeren Düften wie Sandelholz, Jasmin und Lotusblüte den Vorzug geben. Höre auf Deine Intuition und wähle entsprechend.

Kapha-Menschen brauchen die Massage zur Förderung des Kreislaufs und der Lymphdrainage. Aufgrund ihrer kräftigen Haut und Muskulatur vertragen sie Massagearten, die in die Tiefe wirken, wie auch Körpertherapien, die den Körper stärker fordern. Viele Kapha-Menschen lieben eine üppige Anwendung von Ölen, Lotionen und Einreibungen, sollten diese jedoch eher spärlich verwenden, da sie das Gefühl von Schwere im Körper vermehren. Am besten ist die Anwendung von kleinen Mengen heißer, scharfer, anregender Öle, wobei Senföl am häufigsten verwendet wird. Gut wirkt auch Jojoba-Öl in Verbindung mit ätherischen Ölen wie Salbei, Zeder, Pinie, Myrrhe, Moschus, Patchouli oder Zimt. Shiatsu, *Tragering*, Lymphmassage und eine kräftige ayurwedische Reibungsmassage sind bei Kapha-Personen nützlich.

Die Auswahl der Öle erfolgt nicht nur nach ihrer jeweiligen Wirkung auf die Doshas, sondern auch nach dem Klima, der Jahreszeit und der Gegend, in der sie angewandt werden. Rizinus- und Sesamöl sind schwere Öle und eignen sich für trockene Klimazonen, da sie die Haut durchdringen und auf tiefere Gewebsschichten wirken. Safloröl ist für feuchte Klimazonen zu empfehlen, in denen eine solche „schmierende" Tiefenwirkung nicht erforderlich ist. Senföl und Sesamöl sind bei kalter Witterung vorzuziehen, während Kokosöl und Olivenöl für heißes Wetter gut geeignet sind. Öle aus einheimischen Pflanzen sind stets vorzuziehen, genauso wie Nahrungsmittel aus der Gegend, in der man lebt, besonders hilfreich sind, um das Gleichgewicht zu wahren.

Im Zuge des zunehmenden Interesses an natürlicher Gesundheits- und

Schönheitspflege sind eine Reihe von natürlichen, kosmetischen Ölen auf den Markt gebracht worden, die in den klassischen ayurwedischen Texten keine Erwähnung finden. Die wichtigsten sind Jojoba-, Traubenkern-, Avocado- und Canola-Öl. Jojoba ist ein ausgezeichnetes Öl, da es von seinen Eigenschaften her sowohl leicht als auch durchdringend ist. Avocado-Öl ist ein sattes, nährendes Öl. Canola-Öl ist ein guter Träger für ätherische Öle.

Mineralöle stehen in einem starken Gegensatz zu diesen natürlichen Produkten. Da Öl als ein Trägermedium agiert, das dem Körper Nährstoffe zuführt, dürfen Öle von schlechter Qualität, die möglicherweise künstliche Farb- und Aromastoffe enthalten, niemals auf die Haut aufgetragen werden.

Ein einfaches Verfahren, um die erhitzende oder kühlende Wirkung eines Öls zu verändern, besteht darin, das Öl in eine rote oder blaue Flasche abzufüllen und diese etwa vierzig Tage lang der Sonne auszusetzen. Das Öl aus roten Flaschen wirkt mehr erhitzend, das Öl aus blauen Flaschen jedoch kühler.

Da viele Menschen eine gemischte Dosha-Konstitution haben, müssen die allgemeinen Empfehlungen für ein bestimmtes, einzelnes Dosha entsprechend individuell angepaßt werden.

Vata-Pitta-Menschen sollten weniger Öl verwenden als reine Vata-Menschen.

Pitta-Kapha-Menschen sind mit Sonnenblumen- oder Maisölen gut beraten.

Vata-Kapha-Menschen sollten Senf-, Mandel- oder Olivenöl bevorzugen.

Heilpflanzenöle

Die Verordnung und Herstellung von Heilpflanzenölen ist eine heilige Kunst für ayurwedische Praktiker, die sich auf Pancha Karma, eine besondere Verjüngungstherapie, spezialisiert haben. Dabei werden eine Vielzahl von Heilpflanzen und Heilpflanzenkombinationen eingesetzt sowie besonderes Ghee, das längere Zeit zwischen Kupfer- oder Silbertellern „gewaschen“ oder gerieben wurde. Bei diesem Verfahren findet ein geradezu magischer Transformationsprozeß statt, bei dem die Ausgangssubstanzen in heilkräftige Arzneimittel mit ausgesprochen tiefgreifender Wirkung umgewandelt werden. Diese arzneilichen Heilpflanzenöle werden im Sanskrit als Siddha Taila bezeichnet. Sie wirken hauptsächlich auf die Haut, das Blut, die Muskulatur, das Bindegewebe, die Lungen und den Darm, indem sie die Stoffwechselprozesse in diesen Geweben verbessern. Heilpflanzenöle haben ein breitgefächertes Wirkungsspektrum; „Schmierung" und Nährung der tieferen Hautschichten; Reinigung und Nährung des Blutes; Aufbau einer kräftigen Muskulatur und eines starken Bindegewebes; Schmierung der Gelenke, was deren Beweglichkeit und Schmerzfreiheit fördert; Steigerung der Energie von Lungen und Dickdarm, was wiederum Frische und Glanz der Haut erhält.

Einige dieser Öle wie Amla, Bhringaraj, Mahanarayan, Dashmula, Guduchi, Tulsi und Neem sowie Kombinationen für bestimmte Beschwerden und besondere Dosha-Verbindungen werden inzwischen importiert. Im folgenden werden traditionelle Verfahren der Ölbereitung für alle Personen vorgestellt, die ihre eigenen Heilpflanzenölkombinationen herstellen wollen.

Die Herstellung von Heilpflanzenölen

Um eine starke Heilwirkung zu erzielen, werden Sesamöl und Ghee am häufigsten herangezogen, da diese sich nur sehr langsam zersetzen. Für die Bereitung von Ölen mit weniger erhitzenden Eigenschaften sind Kokos- und Sonnenblumenöle zu bevorzugen.

- Mische 1 Teil Arzneipflanze mit 4 Teilen Öl und 16 Teilen Wasser, das heißt 60 g Heilpflanze auf 4 Tassen Öl und 16 Tassen Wasser. Die Mischung wird zum Kochen gebracht und so lange bei niedriger Hitze weitergekocht bis das Wasser verkocht ist (etwa 4 bis 8 Stunden lang). Das Heilpflanzenöl wird nun abgeseiht.
- Bereite einen starken Tee aus den gewünschten Heilpflanzen; auf 60 g Pflanzenmaterial werden 16 Tassen Wasser verwendet. Die Abkochung wird abgeseiht und 4 Tassen Öl dieser Flüssigkeit hinzugefügt. Nun wird so lange bei niedriger Hitze gekocht, bis das Wasser verdampft ist.

Bei den beiden obigen Zubereitungen kann man ein Anbrennen des Öls verhindern, indem man während des Einkochens der Öl- und Teemischung einige dünne Ingwerscheiben hinzufügt.

- Frische Heilpflanzen werden leicht zerstoßen, in einen Glasbehälter gelegt und mit Öl bedeckt. Diese Mischung wird 30 Tage lang starker Sonneneinstrahlung ausgesetzt, abgeseiht und sehr kühl aufbewahrt. (Auf diese Weise wird Ringelblumenöl aus den Blütenblättern hergestellt.)

- Cayenne-, Nelken- oder Senfpulver wird einige Stunden lang auf sehr niedriger Hitze/Flamme direkt in Öl gesiedet.
- Der frische Saft von erhitzenden Heilpflanzen wie Knoblauch oder Ingwer oder kühlenden Heilpflanzen wie Beinwell, Koriander oder Fenchel können mit gleichen Teilen Öl vermischt werden. Öl und Saft haben die Neigung, sich zu entmischen, und sind auch verderblich. Daher müssen diese Zubereitungen gut gekühlt aufbewahrt und vor dem Anwenden geschüttelt werden. Sie sind für eine längere Aufbewahrung ungeeignet.
- Ätherische Öle können Basisölen wie Jojoba-, Ringelblumen-, Mandel-, Traubenkern- oder Canola-Öl beigemischt werden; auf 60 ml Basisöl gibt man 20 Tropfen ätherisches Öl. Bei diesen Zubereitungen ist es stets ratsam, auf allergische Reaktionen zu testen, indem man das Öl auf ein kleines Hautareal aufträgt. Sollten allergische Reaktionen bei einem Öl auftreten, zu dem Du dennoch ein gutes Gefühl hast, kannst Du so lange verdünnen, bis keine allergischen Reaktionen mehr vorkommen.
- Zu Pulver verarbeitete Arzneipflanzen können direkt mit Öl oder Ghee vermischt werden. Damit erhält man eine Paste, die mehr als Hautreinigungsmittel oder Salbe für bestimmte verspannte oder verletzte Stellen zu verwenden ist.

Nach der Massage

Im Anschluß an eine Massage solltest Du etwa zehn bis zwanzig Minuten lang ruhen und das Öl einziehen lassen. Wenn Du Dich selbst massiert hast, kannst Du leichte Bewegungen in dieser Zeit durchführen. Anschließend wird das überschüssige Öl entfernt, damit dieses häufig mit Toxinen belastete Öl nicht vom Körper aufgenommen wird. Wenn das überschüssige Öl nicht entfernt wird, können unerwünschte Folgen wie Schweregefühl, Schläfrigkeit, ein Gefühl von Lethargie und möglicherweise sogar Schmerzen auftreten. Jede Massage sollte jedoch Körper und Geist erfrischen und stärken. Überschüssiges Öl wird mit Hilfe von erwärmtem Mehl entfernt; Kichererbsenmehl eignet sich für Vata-Menschen, Gerstenmehl für Pitta-Personen, während Mais- oder Reismehl für den Kapha-Typus zu bevorzugen ist. Das Mehl wird auf den ganzen Körper aufgestaubt, eingerieben und abgewaschen. Als Alternative zum Einstauben mit Mehl kannst Du auch eine Mehlpaste herstellen, die flüssig am ganzen Körper aufgetragen wird. In den meisten Fällen reichen zwei Handvoll Mehl und eine entsprechende Menge Wasser aus. Nach Entfernung dieser Paste oder des aufgetragenen Mehls fühlt sich die Haut befeuchtet, weich und vital an.

Bewegung *(Vyayama)*

„Tanze mit den Rhythmen des Lebens
zur Harmonie des Universums."

Regelmäßige Bewegung ist ein unerläßlicher Faktor für Gesundheit und Schönheit. Sie trägt zur Öffnung aller Kanäle des Körpers bei, so daß alle Gewebe durch Schwitzen und andere Ausscheidungswege gründlich gereinigt werden und eine gute Versorgung mit Nährstoffen erfolgt. Bewegung ist besonders wichtig für die Haut, denn die Reinigung, das Ausscheiden von Toxinen ist absolut erforderlich, damit die Haut sich erneuern und ein frisches, vitales Aussehen gewinnen kann. Durch Bewegung wird auch die Muskulatur gestärkt, die dadurch ihre Festigkeit und Form behält. Wie wir bereits bei der Besprechung der Dhatus erklärt haben, verhilft eine starke Muskulatur zu einer schönen Haut. Hierdurch wird die Ausdauer und das Stehvermögen des Körpers verbessert sowie die Hitze im Körper und die Immunleistung gesteigert. Auf der geistig-emotionalen Ebene hilft die richtige Form von Bewegung, Spannungen und Ängste abzubauen, und fördert das allgemeine Wohlbefinden. Das richtige Maß an Bewegung ist ein wichtiger Faktor für einen erholsamen, tiefen Schlaf. Bewegung baut unsere geistige Leistungsfähigkeit auf und liefert jenen Energieschub, den wir für die Entwicklung und Aufrechterhaltung einer ausgewogenen Gesundheitspflege benötigen.

Es gibt viele verschiedene Formen von Bewegung:

1. Passive Bewegung, etwa durch Selbstmassage oder durch die Massage von einem anderen Menschen.
2. Aktive Bewegung, an die wir meistens in diesem Zusammenhang

denken (wie Jogging, Mannschaftssportarten, Gymnastik und so weiter).

3. Bewegungsübungen, die auf ein energetisches Gleichgewicht hinzielen wie Yoga, Tai Chi und verschiedene Kampfsportarten.

Natürlich sind jeweils bestimmte Bewegungsformen für die verschiedenen Konstitutionstypen zu empfehlen.

Übungsregeln für den Vata-Typus

Vata-Menschen lieben das anregende, aufregende Gefühl, das mit kräftiger körperlicher Bewegung verbunden ist. Sie können leicht süchtig werden nach diesem „Hochgefühl", insbesondere weil kräftiges Ausarbeiten ihren tendenziell überaktiven Geist vorübergehend ein wenig verlangsamt, wodurch Vata-Menschen sich geerdeter fühlen. Diese Wirkungen sind jedoch nur von kurzer Dauer und schließlich nimmt die körperliche Erschöpfung zu, während der Geist noch schneller arbeitet als zuvor.

Vata-Menschen müssen lernen, ihre Begeisterung zu zügeln und langsam am Aufbau echter Kraft und Ausdauer arbeiten. Da ihr Körper zu Trockenheit neigt, ist Wassertrinken vor, während und nach körperlicher, sportlicher Betätigung ein Muß. Eine kleine Stärkung danach mit einem hohen Energiegehalt in Form eines Müsliriegels oder süßem Obst ist ebenfalls zu empfehlen. Anschließende Entspannung nach körperlicher Betätigung wirkt beruhigend auf die Vata-Energie, da diese die Wiederaufladung und das Gleichgewicht des Körpers fördert.

Vata-Menschen sind anfällig für Gelenkbeschwerden und Arthritis. Daher sind gelenkschonende Bewegungsformen für sie am besten. Die Anwendung von warmem Sesamöl oder Senföl (bei arthritischen Gelenkbeschwerden) vor aktiver Bewegung hilft, die Gelenke zu schützen. Auf elastische Stützverbände und qualitativ hochwertige Sportschuhe, die den Fuß ausreichend polstern und stützen, ist ebenfalls zu achten. Im allgemeinen sind Vata-Menschen besser mit Bewegungsformen beraten, die durch ein rhythmisches Fließen gekennzeichnet sind, als mit rauhen oder chaotischen Bewegungs- oder Sportarten, die eher zu einer Störung des Energieflusses und zu Verletzungen führen können.

Vata-Menschen lieben Veränderungen und werden daher vielleicht das Bedürfnis haben, öfter für Abwechslung zu sorgen. Sie sollten jedoch auf Regelmäßigkeit achten; das heißt zu regelmäßigen Tageszeiten ein gleichbleibendes Maß an Bewegung/Sport betreiben, und sie sollten mindestens drei Wochen lang bei einer Bewegungsform bleiben. Programme, die schnelle Ergebnisse sichern, sind attraktiver und erfolgversprechender. Gute, rasche Ergebnisse fördern jene Beständigkeit und Disziplin – Eigenschaften, die wichtig sind, um Vata-Menschen stärker zu erden.

Spezifische Bewegungsformen für den Vata-Typus

1. Passive Bewegung: Regelmäßige warme Ölmassagen, von einem mitfühlenden, ruhigen und empfindsamen Menschen durchgeführt. Im allgemeinen brauchen Vata-Menschen viel Liebe und körperliche Zuwendung. Es ist eine ganz ausgezeichnete Lösung, wenn Freunde oder Lebenspartner die Massage erlernen, damit sie sich regelmäßig gegenseitig massieren können.

2. Aktive Bewegung: Die folgenden Sport- und Bewegungsarten sind Vata-Menschen zu empfehlen: Trampolinspringen, Schwimmen, Spazierengehen, Ballett-Tanz, Ski-Langlauf, schonende Aerobic-Übungen, Callanetics, Volkstänze, Balltänze, Rollschuhlaufen, Schlittschuhlaufen, rhythmische Gymnastik mit Gewichten.

3. Kombinationen von passiver und aktiver Bewegung: Yoga-Stellungen, Yoga- Atemübungen, Tai Chi Chih oder verschiedene Formen von Tai Chi, energetische, taoistische Bewegungsübungen.

Abschließend noch kurz einige Anmerkungen über Dampfbäder und heiße Wannenbäder. Da diese Formen von Hydrotherapie den Kreislauf anregen und eine entspannende und nährende Wirkung auf den Körper entfalten, sind sie Vata-Menschen durchaus zu empfehlen. Ein Übermaß kann jedoch schädlich sein und die Trockenheit von Vata steigern.

Übungsregeln für den Pitta-Typus

Pitta-Menschen haben einen athletischen Körperbau und sind stark wettbewerbsorientiert. Sie gehen gern bis an ihre Grenzen, lieben Herausforderungen und haben – zum Glück oder auch nicht – einen Körper, der ein gehöriges Maß an Belastung und Überbeanspruchung verkraften kann. Ihre Neigung zu übermäßiger Intensität und Aggressivität sollten sie dadurch ausgleichen, indem sie dafür sorgen, daß bei all ihrem großen

Engagement der Spaß nicht zu kurz kommt. Nach intensiven, wettbewerbsorientierten Aktivitäten müssen sich diese Menschen die notwendigen Pausen für Entspannung und Ruhe gönnen. Durch Teamsportarten können Pitta-Menschen lernen, ihre übermäßige Intensität etwas zurückzunehmen und statt dessen ihre im allgemeinen beachtlichen Organisations- und Führungsfähigkeiten zu entwickeln. Abenteuersportarten, die mit bestimmten Gefahren verbunden sind, oder Sportarten, bei denen man sich gegen die Elemente oder bestimmten Risiken behaupten muß, liegen dem Pitta-Typus.

Pitta-Menschen werden am ehesten erschöpft oder reizbar, wenn sie sich durch übermäßige körperliche Betätigung oder zu starke Sonneneinstrahlung überhitzen. Wasser- und Wintersportarten sind für diese „hitzigen" Menschen eine gute Wahl. Ein kurzer Saunagang und eine kalte Wasseranwendung nach dem Sport ist für Pitta-Menschen genau das richtige.

Spezifische Bewegungsformen für den Pitta-Typus

1. Passive Bewegungsformen: Die Selbstmassage hilft Pitta-Menschen, mehr auf sich selbst und auf ihre Körperfunktionen zu achten. Eine professionelle Massage sollte qualitativ hoch sein und präzise ausgeführt werden, um einerseits die Aufmerksamkeit des Behandelten zu gewinnen und andererseits eine beruhigende Wirkung zu entfalten. Shiatsu, Rolfing, Feldenkrais- und Sportmassage sind die besten Massagearten für Pitta-Menschen.

2. Aktive Bewegungsformen: Die folgenden Sportarten sind Pitta-Menschen zu empfehlen: Schwimmen, Skifahren, Wasserski, Windsurfen, Drachenfliegen, Aerobic, Callanetics, Bogenschießen, Jagdsport, Wandern, Vogelbeobachtung, Kanufahren, Jazztanz, Wildwasser-Floßfahrten, Ballett, Reiten, Kampfsportarten ohne Körperkontakt und Waffenübungen im Rahmen oder als Bestandteil eines Kampfsports (wie zum Beispiel die Schwert- und Stockübungen beim Aikido), Tennis-Doppelspiel oder Squash sowie Teamsportarten wie Wasser-Polo, Volleyball, Basketball, Fußball, Cricket, Hockey und so weiter.

3. Kombinationen von passiver und aktiver Bewegung: Hatha Yoga, die klassischen, langen Tai-Chi-Formen, taoistische Bewegungsübungen.

Übungsregeln für den Kapha-Typus

Von allen Körpertypen haben Menschen mit überwiegenden Kapha-Eigenschaften das geringste natürliche Bedürfnis nach aktiver Bewegung. Diese Menschen verfügen naturgemäß über Kraft, Ausdauer und Kondition, sehen aber nicht ein, daß sie sich anstrengen sollten, wenn es nicht absolut erforderlich ist. Bewegung ist jedoch für Kapha-Menschen wichtig für die Gewichtskontrolle, zur Anregung ihres von Natur aus langsamen Verdauungssystems, zur Verbesserung des Lymphkreislaufs, zur Bekämpfung von Zellulitis sowie zur geistigen Anregung.

Kapha-Menschen können ausdauernden und anstrengenden körperlichen Einsatz vertragen, entschließen sich jedoch nur selten dazu. Für diesen Typus ist es am wichtigsten, etwas zu finden, was sie wirklich gern und regelmäßig durchführen. Fordernde, körperbetonte Sportarten, die ein Element der Überraschung beinhalten, sind am besten, wobei jedes, wenn auch geringe, Maß an Aktivität natürlich besser ist als gar nichts.

Spezifische Bewegungsformen für den Kapha-Typus

1. Passive Bewegungsformen: Hier sind tiefenwirksame Massageformen, die sehr wenig oder kein Öl einsetzen, zu empfehlen. Dazu gehören tiefe Gewebsmassagen, Shiatsu oder Formen der östlichen, selbstinduktiven Do-In-Massage, die ein kräftiges Klopfen des Körpers beinhalten.

2. Aktive Bewegungsformen: Kurze Spaziergänge nach den Mahlzeiten, Bowling, verschiedene Ballsportarten wie Fußball oder Basketball, Reiten, Schlittenfahren, Balltänze, Bauchtanz, Frisbeespielen; ein Tier, das Bewegung und Pflege fordert, ist ebenfalls zu empfehlen – zum einen, da dies die fürsorglichen Stärken des Kapha-Typus anspricht, zum anderen, weil er zu mehr Bewegung und Aktivität angeregt wird.

3. Kombinationen von aktiver und passiver Bewegung: Yoga-Stellungen, Atemübungen, Tai Chi Chih, taoistische Übungen.

Bei all diesen Überlegungen ist es am wichtigsten, daß Du Dein Bewegungs- oder Sportprogramm wirklich genießt und dabei die gewünschten Resultate erzielst. Die Atmosphäre am Platz Deiner Aktivitäten oder Übungen ist so wichtig wie die Bewegungs- und oder Sportart selbst. Gib Dich nicht mit Kompromissen zufrieden und suche so lange, bis Du eine Umgebung findest, in der Du Dich wirklich wohl fühlst und die Dich inspiriert. In vielen Fällen spielt ein geeigneter und qualifizierter Lehrer eine große Rolle. In einer anregenden Gruppenatmosphäre erfährt man eine Unterstützung und Inspiration, die zu schnellerem Lernen befähigt, als dies normalerweise mit Hilfe von Büchern oder Videoaufzeichnungen möglich wäre. Solltest Du keinen Lehrer oder keine Gruppe finden, der Du dich anschließen kannst, verweisen wir auf die sehr empfehlenswerten Bücher und Videos, die im Quellen-Anhang dieses Buches aufgelistet sind.

In der Regel solltest Du stets nur Deine halbe Kapazität beanspruchen. Wenn Du nach einer Stunde auf dem Tennisplatz erschöpft bist, dann spiele eine halbe Stunde lang oder so lange, bist Du zu schwitzen anfängst. Bei großer Hitze oder Kälte solltest Du Dich weniger betätigen, um Deine Energie zu bewahren. Bei allen Bewegungsformen und Sportarten ist eine gleichmäßige Atmung vorteilhaft, denn diese stärkt die Lungen und Verdauungsorgane und verbessert so ganz erheblich den Teint und die Beschaffenheit Deiner Haut. Bei Beschwerden der Atemwege, Entzündungen ganz gleich welchen Körperteils oder bei Verdauungsstörungen solltest Du keine Bewegungsübungen durchführen oder Sport treiben. Wenn chronische Schmerzen, Arthritis, Gelenk- oder Lungenbeschwerden bestehen, muß Du Dir qualifizierten Rat einholen und Deine Übungen oder sportlichen Aktivitäten unter Anleitung eines geschulten Lehrers durchführen. Achte auf bequeme Kleidung aus natürlichen Fasern, damit Deine Haut atmen kann und subtilere Energieformen nicht am Fließen gehindert werden. Auf qualitativ hochwertiges Schuhwerk ist ebenfalls zu achten, damit die Gelenke bei aktiveren Sportarten geschont werden.

Höre auf Deinen Körper. Es ist gut, wenn Du immer wieder ein Stück über Dich hinauswachsen kannst, aber blinder Eifer, jede Mißachtung Deines Körpers kann nur schaden. Gehe achtsam und schonend mit Deinem Körper um. Was immer Du tust, genieße es, und mache es zu einem natürlichen Bestandteil Deiner täglichen oder wöchentlichen Routine.

Kommentare über bestimmte Bewegungs- und Übungsformen

Hatha Yoga Asanas

Yoga-Stellungen sind ein ideales Mittel, um Schönheit auf allen Ebenen zu fördern. Als Körperübungen fördern sie die Geschmeidigkeit und Jugendlichkeit des Körpers und steigern unsere Vitalität und Kraft. Die richtigen Übungen entspannen die Haut, während sie den Tonus der Muskulatur verbessern, was dem Körper ein sanftes, jedoch vitales Aussehen verleiht. Viele Yoga-Stellungen wirken verjüngend auf das System der innersekretorischen Drüsen, besonders auf die Schilddrüse, die Nebennieren und die Hypophyse. Dies ruft eine geradezu dramatische Streßreduzierung für den gesamten Organismus hervor und fördert die Langlebigkeit. Die Präzision der Bewegungen erfordert Disziplin und Konzentration. Auf der tiefsten Ebene vermögen sie emotionale Zustände zu transformieren und unser spirituelles Wachstum zu fördern. Es gibt spezifische Haltungen, die hilfreich sind, das Gleichgewicht der Doshas aufrechtzuerhalten, wie auch spezifische Haltungen zur Anregung, Reinigung oder Stärkung bestimmter Drüsen oder Organsysteme.

Haltungen mit Wirkung auf den Beckenbereich wie Knie zur Brust, Heuschrecke, Pflug, Kobrahaltung und Kopf- und Schulterstand sind für Vata-Zustände am besten geeignet. Die für Pitta empfohlenen Haltungen wie Bogen, Schulterstand, Halbes Boot, Halbes Rad und Fischhaltung wirken vornehmlich auf die Nabelgegend und den Dünndarm. Die für Kapha empfohlenen Haltungen wie Beckenstreckungen, das Rad, der Drehsitz, die Palme und der Löwe wirken hauptsächlich auf die Brust, Lungen und auf den Bauch. Viele dieser Haltungen verbessern die Verdauung, die Absorption und die Ausscheidung, wodurch die Gewebe (einschließlich der Haut) gereinigt und genährt und der Körper tonisiert, die Haltung verbessert und die Bewegungen harmonisiert werden.

Sotai

Sotai ist eine japanische Form von Bewegung und Tiefenatmung, die eine sehr rasche ausgleichende Wirkung auf die Haltung entfaltet, den Bewegungen Anmut verleiht und auch Geschmeidigkeit und Kraft steigert. Sotai kann von jedem leicht erlernt und angewandt werden. Diese

Bewegungsübungen sind besonders wertvoll für Personen, die über wenig Kraft verfügen oder an Schmerzen leiden. Sotai wird in makrobiotischen Zentren unterrichtet. Bücher sind beim Vega Institute in Kalifornien erhältlich (Adresse siehe Bezugsquellen S. 318).

Do-In

Diese induktive Form der Akupressur entstammt einer sehr alten fernöstlichen Tradition. Im Do-In werden verschiedene Haltungen, klopfende Selbstmassage in unterschiedlichen Stärken und Reiben eingesetzt, um die subtilen elektromagnetischen Strömungen im Körper anzuregen und wieder in einen Zustand des Gleichgewichts zu bringen. Do-In ist sehr vitalisierend und für Menschen jeglichen Alters perfekt geeignet. Ein kurzes, am Morgen und/oder am Abend durchgeführtes Programm bringt eine neue Dimension von Frische in Dein Leben.

Taoistische Bewegungsübungen

Diese Übungen beinhalten eine Schulung des Körpers wie auch des Geistes und bewirken eine Revitalisierung der Organe und stärken die subtilen Energien. Sie sind zwar nicht schwer zu erlernen, doch ist es ratsam, zunächst unter Anleitung eines qualifizierten, erfahrenen Lehrers zu üben. Die meisten Übungen erfordern weder besondere Kraft noch Geschmeidigkeit, verbessern jedoch die letztgenannten Eigenschaften in relativ kurzer Zeit. Körperkraft und Selbstvertrauen werden behutsam aufgebaut, während der Geist gezähmt und beruhigt wird.

Tai Chi Chih

Es handelt sich um eine einfache Form von Tai Chi, die von Justin Stone in ein formales Gerüst gebracht wurde. Tai Chi Chih wirkt sanft und läßt sich wesentlich schneller und einfacher erlernen als andere Tai-Chi-Formen. Die Übungen sind am ehesten mit aktiven Entspannungsübungen zu vergleichen und erfrischen und kräftigen den gesamten Organismus. Es ist eine wunderbare Erfahrung, dieses System draußen, in freier Natur anzuwenden.

Callanetics

Dieses Konzept wurde im Verlauf der letzten zwanzig Jahre von Callan Pickney entdeckt und weiterentwickelt. Callanetics ist eine sichere und rasch wirksame Methode, um den Körper zu stärken, tonisieren und ihm wieder zu jener schönen Figur zu verhelfen, die die Natur für jeden vorgesehen hat. Callanetics schenkt Kraft, ohne starke Beanspruchung zu erfordern und wurde speziell konzipiert, um den Rücken und die Gelenke zu schonen. Diese Übungen sind einfach zu lernen und liefern rasche, sichtbare Ergebnisse. In den USA stehen landesweit diplomierte Lehrer zur Verfügung. Daneben gibt es auch einige ausgezeichnete Videos für das Üben zu Hause.

Bäder

In vielen Teilen Indiens wird die Reinigung des Körpers als heiliges Ritual betrachtet. Der Körper wird zunächst durch eine Ölmassage auf das Bad vorbereitet. Während des Bades werden Gebete gesprochen. Ein Bad ohne vorangegangene Ölmassage gilt als ungünstig oder gar unheilbringend.

Obwohl wir wahrscheinlich nicht aus spirituellen Gründen baden, beinhalten die oben erwähnten indischen Richtlinien für das Bad viel Sinnvolles. Die Hygiene ist ein wichtiger Bestandteil der täglichen Gesundheitspflege. Je mehr wir im Sinne einer Vorbeugung für uns tun, um so besser.

Mindestens einmal täglich solltest Du ein Bad oder eine Dusche nehmen. Die Haut ist ein Ausscheidungsorgan und bedarf regelmäßiger Reinigung, um frisch und gesund zu bleiben. Dies ist bei heißer Witterung ganz besonders der Fall, wo häufigeres Baden, Waschen oder Duschen sinnvoll ist. Ein kühles Bad oder eine kalte Dusche bringen neuen Schwung, einen wachen Geist und verbessern den Appetit – der bei sehr heißem Wetter oft ganz erheblich nachläßt. Bei kaltem und feuchtem Wetter solltest Du Dich gründlich waschen, jedoch vermeiden, zu lange in einem heißen, dampfenden Bad zu liegen, da dies dem Körper Mineralstoffe entzieht und den Körper zu einer Zeit schwächt, in der dieser gut bei Kräften sein sollte. (Unter den richtigen Umständen kann längeres, heißes Baden von Vorteil sein, um den Körper bei Personen zu reinigen, die sich sehr salz-, fleisch- und milchproduktreich ernährt haben.) Als allgemeine Regel solltest Du beim Haarewaschen nur kühles Wasser verwenden. Durch die Erhitzung des Kopfes wird das Nervensystem übermäßig stark stimuliert und die Haarwurzeln geschwächt.

Die leicht verfrorenen Vata-Menschen liegen meist gern längere Zeit im heißen Wannenbad. Wärme übt einen beruhigenden, entspannenden Einfluß auf sie aus. Um dieses angenehme Gefühl der Wärme am ganzen Körper zu erhalten, sollten sie nach dem Bad entweder direkt ins Bett gehen oder eine kurze kühle Dusche nehmen. Letztere erweitert die Poren und regt den peripheren Kreislauf an, wodurch Hände und Füße warm bleiben und die Haut sich weich und angenehm durchblutet anfühlt.

Zuviel Hitze, etwa durch heißes Baden oder den Aufenthalt in Räumen mit heißem Dampf, wirkt schwächend auf den Pitta-Typus und kann sogar Schwindelgefühle auslösen. Durch kühles Baden und kaltes Duschen können sie ihre von Natur aus starke Körperwärme in angenehmeren Grenzen halten. Dies ist besonders wichtig im Sommer oder bei übermäßiger sexueller Erregung.

Kapha-Menschen lieben ein luxuriöses, entspanntes Verweilen im Bad. Zum Waschen und zur Anregung des Kreislaufs sollten sie warmes Wasser in Verbindung mit einer weichen Bürste oder einem Stück Luffa-Gurke verwenden.

Auf den Gebrauch von Seife auf der Haut sollte am besten gänzlich verzichtet werden. Wenn Du das Gefühl hast, daß Du überhaupt nicht ohne Seife auskommst, versuche es einmal mit folgendem Rezept:

$^1/_2$	Tasse	Wasser oder Kräutertee
1 - 2	Eßlöffel	Mandelöl
5	Tropfen	ätherisches Zitronen-, Orangen-, Minzen-, Basilikum-, Wachholder- und Lavendelöl (nimm hiervon ein oder mehrere Öle nach Deinem Geschmack, wobei insgesamt nur 5 Tropfen verwendet werden)
1	Tasse	reine, natürliche, nicht parfümierte Seife

Mische die Zutaten in der Reihenfolge ihrer Auflistung. Diese Seife ist äußerst sparsam zu verwenden. Nach der Anwendung gründlich spülen.

Seife sollte niemals an Körperstellen mit Übergängen zu Schleimhäuten angewandt werden (Genitalbereich und After) und auch nicht an den Brustwarzen. Diese Bereiche bedürfen ihrer natürlichen Feuchtigkeit (ihres natürlichen Hautmilieus), um gesund und im Gleichgewicht zu bleiben. Wenn Du Seife verwendest, solltest Du unbedingt eine natürliche, rein pflanzliche oder eine ayurwedische Seife benutzen. Es gibt auch Menschen, die selbst auf diese Seifen allergische Reaktionen bekommen. Bei allen Arten von Hautbeschwerden ist auf Seife ganz zu verzichten. Seife zerstört die natürliche Schutzschicht der Haut und dezimiert die physiologische Bakterienflora, was der Vermehrung schädlicher Bakterien, die eine schlechte Hautausdünstung und die Ausdehnung von Infektionen fördern, Tür und Tor öffnet.

Du kannst Deine Haut anstelle von Seife mit einer Paste aus Mehl leicht schrubben und reinigen. Diese Anwendung hat keinen schädlichen Einfluß auf den pH-Wert oder die Schutzschicht der Haut. Wenn Deine Haut besonders trocken ist, kannst Du den ganzen Körper vor dem Baden mit warmem Sesamöl einreiben oder der zum Schrubben verwendeten Mehlpaste Öl hinzufügen. Die Verwendung von Milch anstelle von Wasser bei der Herstellung der Mehlpaste nährt die Haut und verhilft zu einer weichen Haut mit mehr natürlicher Feuchtigkeit. Mit Rohmilch erzielt man die besten Resultate. Rohmilch ist hochwertiger, und die Fettmoleküle sind größer als die der homogenisierten Milch. Da diese Fettmoleküle die Haut nicht durchdringen, bewirken sie auch keine Verstopfung der Haut und der Poren.

Bei Vata-Konstitutionen werden Kichererbsen-, Linsen- oder Hafermehl in Verbindung mit Öl oder Milch, je nach Trockenheit der Haut, verwendet.

Bei Menschen mit einer Pitta-Konstitution sind Gersten- oder Reismehl in Verbindung mit Milch vorzuziehen.

Personen mit einer Kapha-Konstitution sollten Mais- oder Hirsemehl, mit ein wenig Tonpulver und Wasser vermischt, bevorzugen.

Bei entzündeter Haut oder Akne kannst Du Deiner konstitutionellen Mischung eine Prise Kurkuma hinzufügen. Kurkuma hat eine ausgesprochen reinigende und heilende Wirkung.

Während des Badens oder Duschens entfalten Gesänge oder Rezitationen eine reinigende Wirkung auf Geist und Körper.

Besondere therapeutische Bäder

Die Verwendung von ätherischen Ölen ist die einfachste und bequemste Methode, sich ein luxuriöses Bad zu bereiten. In vielen Fällen muß man ein wenig tiefer in die Tasche greifen, um sich mit wirklich hochwertigen, heilkräftigen Ölen auszustatten. Wer sich zu diesem Schritt entschlossen hat, findet im Abschnitt über ätherische Öle eine Reihe von nützlichen Kombinationen ätherischer Öle für verschiedene Beschwerden.

Als Alternative hierzu oder auch als willkommene Abwechslung kannst Du frische, im Garten angebaute Kräuter oder frische Heilpflanzen, die Du in einer möglichst gesunden, unbelasteten Landschaft gesammelt hast, verwenden. Einen schönen Tag in der freien Natur kann man kaum angenehmer ausklingen lassen als mit einem langen Bad mit frischen Kräutern, die manche erfreuliche Erinnerung noch einmal aufleben lassen.

Hierzu gibst Du die Heilpflanzen entweder direkt in die Badewanne oder verwendest ein kleines Baumwollsäckchen, das Du unter den heißen Wasserstrahl hängst. Für eine gut genährte und weiche Haut kannst Du den Kräutern auch Hafermehl und Milchpulver hinzufügen. Wenn das Bad eingelassen ist, kannst Du das Kräutersäckchen wie einen Waschlappen verwenden und zur Reinigung und Anregung der Haut den ganzen Körper damit abreiben. Wenn keine frischen Heilpflanzen zur Verfügung stehen, kannst Du einen starken Tee aus getrockneten Heilpflanzen bereiten, abseihen und direkt in das Badewasser geben.

Nachfolgend sind einige Beispiele von heilkräftigen Kräutermischungen sowie die Heilwirkungen der einzelnen Kräuter als Badezusatz aufgeführt.

- Kreislaufanregende Mischung: Pinie, Lärche, Wachholder, Tanne
- Entspannende Mischung: Gleiche Teile Kamille, Mädesüß, Limonenblüten und eine kleine Menge Baldrianwurzel

Einzelne Heilpflanzen für das Bad ...

Angelika (Engelwurz):	anregend
Borretsch:	erweichend und reinigend
Kamille:	beruhigend, entspannend, leicht adstringierend
Beinwell:	heilend und befeuchtend

Holunder:	erweichend, beruhigend und reinigend
Fenchel:	adstringierend, reinigend, kühlend, lindert Juckreiz und Entzündungen
Lavendel:	antiseptisch, entzündungshemmend
Liebstöckel:	deodorierend
Ringelblume:	adstringierend
Minze:	erfrischend
Rosmarin:	kräftigend, desinfizierend
Salbei:	Deodorant
Stabwurz:	Deodorant
Gemeiner Kalmus:	hilfreich bei Schlaflosigkeit

Einige Rezepte für heilkräftige Kräuterbädersäckchen

Reinigungsmischung: Gleiche Teile Löwenzahnblätter, Blätter der schwarzen Johannisbeere, Duft-Geranium und Brennessel. Tauche die Brennesseln in kochendes Wasser oder benutze Handschuhe beim Füllen des Säckchens.

Kräftigende Mischung: Gleiche Teile Ringelblume, Poleiminze oder Minze, Liebstöckelwurzel und einige Piniennadeln.

Kühlende und erfrischende Mischung: Gleiche Teile Verbene, Rosmarin, Fenchel und eine kleine Menge Zitronenschale.

Der Ayurweda kennt viele hervorragende Bäder-Rezepte. Leider gibt es eine Reihe von Inhaltsstoffen, die nur schwer erhältlich sind. Andererseits vertreiben inzwischen eine Reihe von Firmen ayurwedische Bädermischungen im Westen. Nähere Einzelheiten sind dem Quellenanhang zu entnehmen.

Bäder mit Epsomer Bittersalz

Bäder mit Epsomer Bittersalz sind ein probates Mittel, um subtile Entzündungszustände im Körper zu lindern, die durch Pitta-verschlimmernde Einflüsse wie Strahlung, verstärkte UV-Röntgenstrahlen und chemische Umweltgifte verursacht werden. Je mehr Du solchen Einwirkungen ausgesetzt bist, desto häufiger sind diese Bäder zu empfehlen. Du solltest jedoch Epsomer Bittersalzbäder nicht häufiger als jeden dritten Tag anwenden. Diese Bäder sind besonders für Personen geeignet, die in Krankenhäusern, mit Computern arbeiten oder deren Arbeit den Umgang mit gefährlichen chemischen Stoffen erfordert.

Das Badewasser sollte relativ heiß sein und den ganzen Körper gut bedecken. Auf diese Wassermenge kommen vier Tassen Epsomer Bittersalz. Die Badedauer beträgt 20 Minuten. Du kannst Dich entweder mit warmem Wasser abduschen oder die Haut durch vorsichtiges Tupfen trocknen und die auf der Haut verbleibenden Rückstände über Nacht belassen, vorausgesetzt, daß dies keine Hautreizungen verursacht.

Bäder mit Epsomer Salz wirken auch gut bei allgemeinen Entzündungen, Juckreiz, Insektenstichen und Muskelzerrungen.

Sonnen- und Mondlichtbäder *(Atapa)*

Ein Sonnenbad verbessert den Kreislauf, und durch einsetzendes Schwitzen werden Toxine über die Haut ausgeschieden. Sonnenbäder sind also nicht nur angenehm, sondern wirken auch reinigend. In Maßen ist Sonnenbaden unbedenklich und gesund. Eine halbe Stunde täglich in voller Sonne ist jedoch völlig ausreichend. Zu langes Sonnenbaden kann zu schweren Hautschäden führen. Auf ausreichenden Sonnenschutz ist stets zu achten, besonders im Gesichtsbereich.

Die meisten Menschen mit einem stark ausgeprägten Vata-Dosha lieben die Wärme und die Energie der Sonne. Stark Pitta-betonte Menschen sollten am besten nur kurze Sonnenbäder am Vormittag nehmen. Menschen mit viel Kapha vertragen meist längere Sonnenbäder als Vata- oder Pitta-Menschen (etwa eine Stunde ist jedoch ausreichend).

In ähnlicher Weise, wie ein Sonnenbad den Körper erwärmt und anregt, entfalten Mondlichtbäder eine beruhigende, kühlende Wirkung auf Körper und Geist. In traditionellen indischen Texten werden romantische Szenen von Menschen beschrieben, die sich in einer tropischen Vollmondnacht auf einer Terrasse entspannen, kühle gesüßte Milch aus einem Silberbecher trinken und von sanften Händen mit Sandelholzwasser massiert werden. Alle, die in kühleren Klimazonen leben, können durch ein geöffnetes Fenster kurze Zeit im Mondlicht baden. Mondlichtbaden soll helfen, erhöhtes Pitta in Körper und Geist zu reduzieren. Die Zeit des Vollmondes ist am besten geeignet. Achte auf die eventuell erforderliche Diskretion.

Frische Luft *(Marut)*

Als ich ein Kind war, hatten wir einen Hausarzt der alten Schule. Wenn er zu einem Krankenbesuch kam, öffnete er als erstes die Fenster weit und bat meine Mutter, mir dunkles Brot und Honig zu bringen.

Frische Luft ist mit Prana (Lebensenergie) aufgeladen. Ganz gleich, ob wir krank oder gesund sind, der Körper weiß diese kostbare Gabe immer zu schätzen. Wenn es Dir nicht möglich ist, auf das Land zu fahren, um frische Luft zu tanken, hilft ein Gerät, das die Luft filtert und negative Ionen erzeugt, Deinen Körper entsprechend aufzuladen. Zimmerpflanzen vermögen ebenfalls die Luft zu reinigen und aufzuladen. In Indien wird das als heilig verehrte Basilikum (Tulsi) verwendet, um die Luft nachhaltig zu reinigen, mit negativen Ionen aufzuladen und das Ozon aus der Sonneneinstrahlung zu binden.

Ob wir technische Geräte oder Pflanzen verwenden, es ist faszinierend zu erleben, wieviele Lösungen die Natur uns bietet, wenn wir nur wissen, wo wir suchen müssen.

Die Meditation

Meditation kann in jedes Programm zur Schulung des Geistes integriert werden, das den Körper entspannt und unser Bewußtsein erweitert oder eine verstärkte Hinwendung zu einer Handlungsweise fördert, die von Reinheit geprägt und vom Herzen getragen wird. Die richtige Meditation führt zu vertiefter Entspannung von Körper und Geist, einer größeren Flexibilität im Denken, einer Fähigkeit, Situationen mit Frische und Einsicht zu begegnen, und einer größeren Empfindung von Kreativität und Freude. Von einem rein körperlichen Standpunkt aus betrachtet ist Meditation hilfreich, um jene Verspannungen im Körper zu lösen, die durch beunruhigende Gefühlserlebnisse verursacht werden. Durch eine geeignete Meditationspraxis verändern sich sowohl die Körperhaltung als auch der Gesichtsausdruck und wirken weicher, drücken jedoch auch größere Stärke aus. Dies sind einige positive Wirkungen der Meditation, sollten jedoch nicht als Ziele betrachtet werden. Die Ergebnisse sind die Früchte der Konzentration auf die Disziplin der Meditation und können nicht durch reine Willensanstrengung erreicht werden. So, wie eine hochwertige Ernährung den Körper nährt, ist Meditation Nektar für den Geist. Meditation stärkt positive Eigenschaften wie Mitgefühl, Geduld und

Weisheit und vermag uns vom Widerstreit der Gefühle und irrigen Ansichten zu befreien. Meditation erfordert die stärkste Art von Selbstdisziplin und ist ein unerläßlicher Bestandteil bei der Entwicklung wahrer innerer Schönheit, jenes tiefe, innere Licht, dessen Glanz mit dem Verstreichen der Jahre immer strahlender leuchtet.

Es gibt viele verschiedene Meditationsformen: bei manchen Formen verharrt der Meditierende im stillen Sitzen, bei anderen Formen wird rezitiert, gebetet, im Gehen meditiert, visualisiert, über einen Gegenstand meditiert, während bestimmte Kampfsportarten auch eine Meditation des Kämpfens kennen. Obwohl von Meditation häufig im Zusammenhang mit östlichen Religionen die Rede ist, gibt es in den mehr kontemplativen Praktiken fast aller Traditionen der Welt so etwas wie Meditation.

Wer eine bestimmte Form der Meditation praktizieren möchte, ist gut beraten, einen vertrauenswürdigen Lehrer zu finden. Nimm Dir Zeit, Deinen möglichen Lehrer kennenzulernen und stelle Dir die Frage, ob das, was Du in dem betreffenden Lehrer und seinen Schülern wahrnehmen kannst, auch das ist, was Du selber in Dir entwickeln möchtest. Wenn die Form der Meditation auf eine lange Tradition zurückblicken kann, betrachte die Ergebnisse dieser Meditationspraxis über einen längeren Zeitraum. Eine Beziehung zu einem erfahrenen Lehrer oder zumindest die Möglichkeit, Deine Erfahrungen mit Menschen ähnlicher Lebensorientierung auszutauschen, ist immer von großem Nutzen. Wer die Möglichkeiten einer Meditationspraxis erkunden möchte, findet nähere Informationen im Quellen-Anhang.

Bei der Frage, welche Form von Meditation für den jeweiligen Konstitutions-Typus die beste ist, vertrete ich die Ansicht, daß jeder Mensch seinen natürlichen Anlagen und Neigungen folgen sollte, um diese dann weiter zu vertiefen.

Vata-Menschen fühlen sich naturgemäß zu Bewegungen und Klängen hingezogen. Sie reagieren meist sehr sensibel, besonders auf die subtilsten Energieformen. Für sie ist Tai Chi, verschiedene Formen der Meditation im Gehen sowie Tanz besonders gut geeignet. Viele Vata-Menschen werden sich ebenfalls von Meditationsformen mit Gebeten, Rezitationen, Mantras und Musikinstrumenten angesprochen fühlen. Eine strenge Disziplin, lange Stunden einer formalen, in der Stille oder ohne Bewegung vollzogenen Meditation können bei Vata-Menschen zu erheblichen geistigen Störungen führen.

Die stark visuell orientierten Pitta-Menschen genießen Meditationsformen, die mit Farben, Bildern oder schönen Gegenständen arbeiten. Wie bei allen Aktivitäten müssen sie sich auch hier vor ihrem Hang zu übermäßig starkem Engagement oder wettbewerbsorientiertem Verhalten in acht nehmen.

Kapha-Menschen fällt die Kontemplation in der Stille nicht schwer. Von ihrer Natur her sind sie mitfühlend und zur Hingabe fähig. Um aufkommender Schläfrigkeit vorzubeugen und die Sinne zu schärfen, können Räucherwerk oder Düfte verwendet werden. Zwischen langen Meditationssitzungen ist Gehen im Freien zu empfehlen.

Für alle Leser, die sich zum ersten Mal mit dem Thema Meditation auseinandersetzen, habe ich die folgenden, kurzen Anleitungen für eine einfache Meditation im Sitzen eingefügt. Im wesentlichen stammen sie aus der buddhistischen Tradition Tibets, aber ich habe sie um einige Ideen ergänzt, die sich bei mir im Laufe der Jahre bewährt haben.

Grundanleitung für eine Meditation im Sitzen

- Wasche Deine Hände, Gesicht und Füße.
- Begib Dich an einen ruhigen, sauberen, wohlgeordneten, gut belüfteten Ort; dieser kann sowohl drinnen als auch im Freien sein.
- Nimm eine bequeme Sitzhaltung ein. Wenn Du auf einem Stuhl sitzt, achte auf einen möglichst geraden Rücken, so daß Du einen kleinen Abstand zur Rückenlehne hältst. Die Füße sollten nahe zusammen stehen und einen festen Kontakt zum Boden haben (barfuß ist am besten). Wenn es Dir lieber ist, kannst Du im Schneidersitz auf einigen festen Kissen auf dem Boden sitzen, und zwar so, daß Deine Knie tiefer liegen als Dein Nabel.
- Ziehe Dein Kinn ein wenig ein, damit sich der Nacken entspannen kann.
- Deine Zunge sollte hinter der vorderen unteren Zahnreihe ruhen, damit der Mund leicht geöffnet bleiben kann.
- Ziehe die untere Beckenmuskulatur an.
- Lege die Hände bequem auf die Knie.
- Wenn Du auf einem Stuhl sitzt, richte Deinen Blick zwischen Deine Knie; wenn Du im Schneidersitz meditieren willst, richte den Blick auf eine Stelle, die etwa 45 cm von dem Punkt entfernt ist, an dem sich Deine Beine kreuzen.
- Atme durch die Nase ein, halte den Atem einen Moment an, dann

entspanne den Körper und atme aus. Richte Deine Aufmerksamkeit auf den Atem und spüre die Empfindungen in Deinem Körper während des Ein- und Ausatmens. Zähle auf diese Weise 21 Atemzüge. Wenn Du die Anzahl der Atemzüge vergißt, fange einfach noch einmal bei eins an, so lange, bis Du ohne Ablenkungen auf 21 Atemzüge kommst. Danach solltest Du einfach Deinen Atem beobachten, der durch Deine Nasen ein- und ausfließt. Wenn Deine Aufmerksamkeit von Deiner Atmung abgelenkt wird, brauchst Du nur innerlich das Wort „Denken" zu sagen, um dann erneut Deine Aufmerksamkeit auf Deine Atmung zu richten.

- Zu Beginn solltest Du mindestens 20 Minuten lang üben. Mit zunehmender Übung, Zeit und Lust kannst Du die Übungszeit allmählich ausdehnen.

Versuche, diese Meditation regelmäßig zur selben Tageszeit durchzuführen. Der frühe Morgen ist die beste Zeit hierfür, da der Körper ausgeruht und die Außenwelt noch relativ ruhig ist. Durch diese Meditation wird die Vata-Energie im Körper, die zu dieser Tageszeit aktiv ist, harmonisiert.

Wenn Du das Gefühl hast, zu wenig Zeit in Deinem Tagesablauf für die Meditation zu haben, denke an folgendes tibetische Sprichwort: „Wenn Du Zeit hast zu atmen, dann hast Du auch Zeit für die Meditation." Meditation ist eine Geisteshaltung. Wenn Du einmal ein wenig Übung darin hast, wirst Du überall und zu jeder Zeit meditieren können.

Eine Heilungs-Meditation

Die folgende Meditation kann sowohl zur Heilung körperlicher Beschwerden als auch bei emotionalen und spirituellen Schwierigkeiten empfohlen werden. Die Bedeutung der Meditation und der positiven Visualisierung wird von einer zunehmenden Zahl von Praktikern anerkannt, und so werden ähnliche Meditationspraktiken bereits in zahlreichen Krankenhäusern und Kliniken angewandt. Die nachfolgend beschriebene Form findet sich in vielen tibetischen Übungen wieder und wurde hier von Dr. Lobsang Rapgay, einem tibetischen ayurwedischen Arzt und Freund unserer Familie, in einer etwas allgemeineren Art und Weise vorgestellt. Ich bin sicher, er würde sagen: „Möge es vielen Wesen zugute kommen."

- Entspanne den Körper, indem Du jede Muskelgruppe anspannst und anschließend löst. Beginne mit den Füßen und fahre fort über die Wadenmuskulatur, den Bauch, die Hände, Arme, den Kiefer und die Gesichtsmuskeln.
- Verharre nun einige Minuten in der Stille und meditiere in der zuvor beschriebenen Weise.
- Denke einige Minuten darüber nach, warum Du diese Meditation durchführen möchtest. Richte Deine Aufmerksamkeit auf das besondere Problem, weswegen Du Hilfe benötigst, und beobachte alle Gefühle, Sorgen, Verlangen oder Wünsche, die damit zusammenhängen.
- Denke daran, daß Du nicht nur um Deine eigene Heilung bittest, sondern auch um Heilung für alle leidenden Wesen.
- Rufe das Bild Deines idealen Heilers vor Dein geistiges Auge. Dies könnte ein bestimmter Therapeut oder spiritueller Lehrer, Gott, ein erleuchtetes Wesen oder eine Gottheit sein. Es könnte aber auch sogar eine geometrische Form, eine Farbe und/oder Schwingung sein, die für Dich die Assoziation von heilender Energie trägt. Nimm Dir nun einige Minuten Zeit, damit dieses Bild vor dem Auge des Geistes klare Gestalt annimmt.
- Mit einem Bewußtsein von Respekt und Bereitschaft lasse den Heiler wissen, daß Du und andere leidende Wesen seiner Aufmerksamkeit bedürfen.
- Stelle Dir jetzt vor, daß der Heiler sich über Deine Bitte freut und bereit ist zu helfen. Du freust Dich darüber und läßt Dir einige Momente Zeit, diese Freude und ein Gefühl der Dankbarkeit zu erleben.
- Jetzt siehst Du weißes Licht, das vom Heiler nach allen Richtungen, an alle möglichen Quellen der Hilfe für Deinen Zustand ausgestrahlt wird. Das Licht kehrt in Regenbogenfarben (ganz besonders als dunkles Blau) zum Herzen oder zum Zentrum des Heilers zurück, wodurch dieser noch mehr an Kraft, Weisheit und heilender Energie gewinnt.
- Das Licht strahlt nun vom Herzen oder vom Zentrum des Heilers auf Dich zu. Stelle Dir während der Einatmung vor, daß Du das farbige Licht in Dir aufnimmst und es Deinen Körper durchströmt, ganz besonders jene Bereiche, in denen Deine Beschwerden oder Probleme liegen. (Bei Vata- oder Kapha-Zuständen sollte dieses Licht überwiegend dunkelblau sein, bei Pitta-Zuständen überwiegend rötlich-weiß.)
- Dieses Licht löst alle Probleme in kleine dunkle Partikel auf, die eine

rauchige Wolke bilden und bei der Ausatmung Deinen Körper verlassen und vom Boden aufgenommen werden.

- Wiederhole diese letzten zwei Schritte 3-, 7- oder 21mal.
- Nachdem Du die heilende Energie empfangen hast, stelle Dir nun vor, wie sie auch anderen bedürftigen Wesen zukommt. Auch hierbei ist auf einen Atemzyklus von 3, 7 oder 21 zu achten.
- Vertraue dieser Übung. Spüre, wie Kraft, Klarheit, Gleichgewicht und Selbstvertrauen zunehmen. Während Du Deine zunehmende Kraft spürst, rückt das Bild des Heilers in weite Ferne und erkennt dadurch Deine Kraft und Unabhängigkeit an.
- Verharre einige Augenblicke in Dankbarkeit für die Hilfe, die der Heiler Dir und anderen Wesen hat zukommen lassen. Danach lasse das Bild des Heilers sich vollkommen auflösen und im Raum verschwinden.

Wenn Du Dich nicht zu einer formalen Meditation hingezogen fühlst und Dir die Zeit für wirkungsvolle Entspannung unter fachlicher Anleitung und Betreuung fehlt, lege ich Dir folgende einfache Yoga-Übung ans Herz. Wie so viele einfache Dinge vermag diese Übung nach einiger Zeit der regelmäßigen Anwendung eine sehr starke und transformative Wirkung zu entfalten. Du benötigst hierzu nur wenige Minuten und kannst diese Übung jederzeit und überall anwenden. Die beruhigende und ausgleichende Wirkung ist so hervorragend, daß man von einem „natürlichen Tranquilizer" sprechen kann.

- Nimm eine bequeme, ruhige, sitzende Haltung mit einem geraden, jedoch entspannten Rücken ein und ziehe Dein Kinn ein wenig zum Körper hin an.
- Lasse Deine Zungenspitze während dieser Übung hinter der unteren vorderen Zahnreihe ruhen.
- Atme vollständig und mit lauten Atemgeräuschen durch den Mund aus.
- Schließe den Mund und atme ohne Geräusch durch die Nase ein, während Du bis vier zählst.
- Halte den Atem an und zähle bis sieben.
- Atme wie zuvor beschrieben aus und zähle dabei bis acht.

Die genaue Geschwindigkeit der Atmung ist nicht wichtig, doch muß das Verhältnis von 4 : 7 : 8 unbedingt eingehalten werden. Wiederhole die Abfolge noch dreimal, so daß Du auf insgesamt 4 Zyklen kommst.

Schlaf

Aufgrund seiner aufbauenden, nährenden und regenerierenden Wirkung bezeichnen die Inder den Schlaf als „die Amme der Welt“. Es gibt zwei Arten von Schlaf: zum einen jenen tiefen, traumlosen Schlaf, der den Körper regeneriert, und zum anderen den aktiven Schlaf, den sogenannten REM-Schlaf (Rapid Eye Movement), der dem Geist bei der Bewältigung emotionaler Konflikte hilft.

Schlaf ist ein großer Heiler und schenkt neue Kräfte. Zusammen mit anderen aufbauenden Faktoren einer gesunden Lebensweise verhilft ein guter Schlaf zu einem vitalen, reinen und schönen Geist und Körper. Schlaf beinhaltet viele der Elemente und Wirkungen, die durch Entspannungsübungen und Meditation vermittelt werden. Deswegen wird auch Personen, die zuwenig schlafen, zur Meditation und zu Entspannungsübungen geraten, damit sie sich wieder aufladen können.

Die Stunden der Dunkelheit sind die gesündesten Stunden für den Schlaf. Schlafen am Tag ist nicht ratsam, da hierdurch Toxine oder Ama in Körper und Geist entstehen. Es gibt jedoch auch einige Ausnahmen, so zum Beispiel bei sehr jungen oder alten Menschen oder Personen, die durch Krankheiten geschwächt oder durch zuviel sexuelle Betätigung, Alkohol- und Drogen- und Medikamentenkonsum, Überarbeitung oder emotionale Sorgen ermüdet sind. Am frühen Nachmittag ist ein kurzer, 10- bis 20minütiger Schlaf nützlich, um einen vielbeschäftigten Vata-Menschen wieder aufzuladen. Ein längerer Schlaf tagsüber ist manchmal bei sehr heißem Wetter zwischen Mittag und drei oder vier Uhr nachmittags, in der sogenannten Siesta-Zeit, zu empfehlen.

Wie bei so vielen anderen Dingen, geht Ayurweda von individuellen Schlafbedürfnissen aus. Vata-Menschen haben häufig einen leichten, unruhigen Schlaf von durchschnittlich 4 bis 6 Stunden. Die Qualität des Schlafs wechselt häufig in kurzen Zeitabschnitten. Da Vata-Personen Aufregendes lieben und sich leicht übernehmen können, müssen sie oft ihren nächtlichen Schlaf durch Pausen für Entspannung, Meditation und einen kurzen Schlaf am Tag ergänzen. Menschen mit sehr stark ausgeprägtem Vata sind am anfälligsten für die störenden Einflüsse des modernen städtischen Lebens sowie für die negativen Auswirkungen von Lärm, Umweltverschmutzung, großen Menschenmengen und emotionalem Streß. Deswegen müssen sie lernen, für wirkungsvolle Entspannung und Ruhe zu sorgen. Frühes Zubettgehen nach einer warmen Ölmassage und einem warmen Bad mit ausgesuchten ätherischen Ölen verhilft auch bei einer vielbeschäftigen und hektischen Lebensweise zu Entspannung, Regeneration und einem guten Aussehen.

Pitta-Menschen haben meist einen guten, wenn auch leichten Schlaf und wachen erfrischt auf. In der Regel bekommen ihnen 6 bis 8 Stunden Schlaf am besten. Von allen Konstitutionstypen ist es ihnen jedoch auch am ehesten möglich, einige Tage mit sehr wenig Schlaf auszukommen. Aufgrund ihrer leistungs- und wettbewerbsorientierten Natur können die Qualität und die Dauer des Schlafs beeinträchtigt werden. Ihre Schlaflosigkeit wird meist durch Ängste und geschäftliche oder weltliche Sorgen verursacht. Pitta-Menschen müssen lernen, ein vernünftiges Arbeitstempo zu finden und sich genug Zeit für das Erreichen ihrer Ziele zu lassen. Kühles Duschen, ein gesüßtes Getränk und Meditation im Mondlicht helfen Personen mit viel Pitta-Energie, sich zu entspannen.

Kapha-Menschen ruhen sich gern aus und nehmen das Leben, wie es kommt. Schlafprobleme sind eher die Ausnahme, und sie genießen meist einen langen, festen Schlaf, der häufig länger als acht Stunden dauert und von dem sie meist gut erholt und frisch aufwachen. Kapha-Menschen müssen sich jedoch vor zu ausgiebigem Schlaf in acht nehmen, denn Schlaf ist von seiner eigenen Natur her Kapha-vermehrend und kann deswegen zu Gewichtszunahme und geistiger Schwere führen. Früh ins Bett und früh aus den Federn, also Morgenstund hat Gold im Mund, ist für Kapha-Menschen in jeder Beziehung ein gutes Rezept. Ein sinngemäßes englisches Sprichwort (early to bed, early to rise, makes a man healthy, wealthy and wise) sagen Eltern ihren Kindern auf, die aufgrund ihres Lebensalters mehr Kapha-betont sind.

Denke daran, daß Vata-Eigenschaften mit zunehmendem Alter ganz natürlich zunehmen, weswegen ältere Menschen nachts weniger Schlaf benötigen und mit kurzen Schläfchen oft über die Runden kommen. Dies ist für ein fortgeschrittenes Alter ganz normal und bedarf nur dann einer besonderen Behandlung, wenn ein chronischer Erschöpfungszustand vorliegt. Ayurweda lehrt, daß wir auf das Bedürfnis unseres Körpers nach Ruhe, wenn wir müde sind, horchen sollten. Wer sich nach dem Schlaf jedoch nicht erfrischt fühlt, sollte die folgenden Richtlinien beachten ...

Allgemeine Richtlinien für einen erholsamen Schlaf

- Wasche Deine Hände, Füße, das Gesicht und reinige die Mundhöhle und Zähne vor dem Schlafengehen.
- Zwei Stunden vor dem Schlafengehen solltest Du nichts mehr essen oder trinken, besonders keine stark gewürzten oder fettigen Speisen, koffeinhaltige Limonaden, schwarzen Tee oder Kaffee. Von alkoholischen Getränken ist vor dem Schlafengehen ebenfalls abzuraten. Obwohl sie häufig das Einschlafen fördern, muß man meist als Folge davon in den frühen Morgenstunden aufstehen, während die Schlafqualität insgesamt darunter leidet.
- Eine kurze Meditation hilft Dir, Abstand von den Sorgen des Tages zu gewinnen, bevor Du Deine Augen schließt.
- Der Ort, an dem Du schläfst, sollte ruhig, etwas kühl sowie gut belüftet und weder Rauch- noch Essensgerüchen ausgesetzt sein. Gerüche dieser Art beschäftigen Dein Nervensystem zu einer Zeit, in der vollkommene Entspannung herrschen sollte.
- Der Schlaf ist am erholsamsten, wenn Du auf der rechten Seite liegst. Überwiegende Einatmung durch das linke Nasenloch entfaltet eine natürliche, beruhigende und kühlende Wirkung auf den Körper. Um diese Wirkung zu steigern, könntest Du Dir auch das rechte Nasenloch verschließen.
- Um in den Genuß eines meditativen Schlafs und angenehmer Träume zu kommen, solltest Du mit dem Kopf nach Osten schlafen. Mit dem Kopf nach Westen zu schlafen hat beunruhigende Träume und unruhigen Schlaf zur Folge. Mit dem Kopf nach Süden zu schlafen steht im Einklang mit der Polarität der Erde, lädt den Körper auf und fördert die Heilung des Körpers. Wenn der Kopf beim Schlafen nach Norden gerichtet ist, kann dies Deine Energie erheblich vermindern. Im Krankheitsfall solltest Du niemals in dieser Position schlafen, da dies die Wiedergenesung wesentlich erschwert und verlangsamt.
- Um ein natürliches Gefühl der Entspannung und Sicherheit zu fördern, versuche den Schlafplatz neben eine Wand zu legen, mit dem Gesicht zur Haupteingangstür des Schlafzimmers weisend. Nervöse Vata-Menschen schlafen oft besser mit einem Gefährten oder Haustier.

Empfehlungen bei Schlaflosigkeit und zur Verbesserung der Schlafqualität

Um Deinen Schlaf zu verbessern, kannst Du eine dieser Empfehlungen oder eine Verbindung von mehreren ausprobieren ...

- Ausreichende Bewegung am Tag baut streßbedingtes Adrenalin ab, das anderenfalls körperliche Anspannung und geistige Überaktivität verursacht.
- Entspannungsübungen sollten tagsüber zu Hause nach der Arbeit durchgeführt werden. Du kannst Deine Übungen auch unmittelbar vor dem Schlafengehen einplanen. Durch die richtigen Entspannungstechniken nimmt die Anregung durch Alpha-Gehirnwellen zu. Diese Übungen werden am besten an einem Ort durchgeführt, der Dich mit einer entspannenden Atmosphäre umgibt, jedoch nicht am Schlafplatz, also nicht im Bett. Suche Dir hierfür einen bequemen Sessel, ein Sofa, einen gemütlichen Platz am Boden aus. Die richtigen Entspannungsübungen vor dem Schlafengehen versetzen Dich in einen Zustand, in dem Du weder übermäßig ermüdet, noch geistig überaktiv ins Bett gehst.
- Vor dem Schlafengehen kannst Du die Wirbelsäule sowie die Nacken- und Schulterbereiche sanft dehnen, also jene Bereiche, die sich tagsüber am stärksten verspannen. Eine bewährte Übung besteht darin, sich mit dem Rücken auf den Boden zu legen, die Knie anzuziehen und festzuhalten. Durch sanftes Vor- und Zurückschaukeln wird die Wirbelsäule gelockert und die Durchblutung im ganzen Bereich der Wirbelsäule verbessert. Diese Übung wirkt entspannend auf den ganzen Körper.
- Nimm ein lauwarmes Bad. Trockne die Haut durch Abtupfen und lege Dich ins Bett. Heißes Duschen und heiße Bäder regen den Kreislauf an, steigern die Herzleistung und erschweren dadurch die Schlafbereitschaft.
- Die geeigneten Heilpflanzen-Abkochungen als Badezusatz helfen, Körper und Geist ein wenig zu entspannen, so daß Du eher zur Ruhe kommst.

Kräuterbad für einen festen Schlaf

3,8 Liter Wasser werden zum Kochen gebracht und die folgenden Heilpflanzen hinzugefügt:

1	Tassen	Kamille
1	Tasse	Mädesüß
1	Tasse	Lindenblüten
$^1/_2$	Tasse	Baldrianwurzel

Laß diese Kräutermischung 30 Minuten lang ziehen, seihe ab und gib sie in ein tiefes Bad. Füge nun dem Bad ebenfalls einige Eßlöffel Sesamöl hinzu (dies hat auch ohne die Heilpflanzenmischung eine gute Wirkung). Das Sesamöl stellt einen wunderbaren Hautschutz dar und vermindert die Vata-Eigenschaften Spannung, Verspannung und Unruhe.

- Nachtwäsche, Bettücher und Matratze sollten ausschließlich aus natürlichen Fasern sein: ein Baumwoll-Futon, Bettücher aus Baumwolle oder Seide, Decken aus Baumwolle, Wolle oder Daunenfedern sind sehr zu empfehlen. Natürliche Fasern bewirken keine Störung des natürlichen Flusses elektromagnetischer Energie im Körper wie dies bei synthetischen Fasern der Fall ist. (Solltest Du eine elektrische Heizdecke verwenden, um Dein Bett aufzuwärmen, achte aus den selben Gründen darauf, daß die Decke immer ausgeschaltet und aus der Steckdose gezogen wird.) Alles, was auf das Bett kommt und im Bett getragen wird, sollte stets mit einem natürlichen Waschmittel ohne Duftstoffe gewaschen werden, um allergische Reaktionen auszuschließen, die verschiedene Hautbeschwerden und auch Kopfschmerzen verursachen können.
- Massiere die Kopfhaut und die Fußsohlen mit warmem Sesamöl oder Brahmiöl. Lege ein Handtuch auf das Kissen und ziehe Strümpfe an, damit es keine Ölflecken gibt.
- Es gibt eine Reihe von schlaffördernden ätherischen Ölen zur Verwendung in einem warmen Bad, einer Duftlampe, einem Ringaufsatz für eine Glühbirne oder zum Besprenkeln auf ein Taschentuch, das an das Kissen geheftet wird. Probiere Kombinationen wie
  1. Kamille, Lavendel, Zypresse, Majoran, bewährt, wenn zusätzlich Verdauungsstörungen vorliegen, oder
  2. Sandelholz oder Muskatellersalbei zusammen mit Melisse, Orangenblüten, Rose, Ylang-Ylang oder Wachholder, wenn der Körper überhitzt ist.

- Verwende einen negativen Ionen-Generator. Negative Ionen entspannen Körper und Geist und erfreuen die Sinne. In der Natur findet man hohe Konzentrationen von negativen Ionen am Meer, in der Nähe von Wasserfällen und im Wald, also an Orten, die wir mit Entspannung und Erholung in Verbindung bringen. Schlafen neben einer Basilikum-Pflanze (Tulsi) hat ebenfalls eine gute Wirkung. Diese Maßnahmen sind ein hervorragendes Gegengewicht zu dem hohen Anteil von positiven Ionen, die häufig in einer städtischen Umgebung überwiegen.
- Leise, besinnliche Musik fördert den Schlaf.
- Trinke eine Tasse warme, gewürzte Milch spät am Abend. Solange keine Laktoseunverträglichkeit besteht, ist Rohmilch von der Kuh für Vata-Menschen am besten. Pitta- und Kapha-Menschen sollten Soja- oder Ziegenmilch bevorzugen. In *Die Ayurweda-Küche* von Amadea Morningstar finden sich eine Reihe von interessanten Rezepten für solche Getränke zusammen mit Hinweisen auf die Eignung für die unterschiedlichen Konstitutionen. Es folgen zwei Beispielrezepte:

1	Tasse	Rohmilch
1/2	Teelöffel	frisch gemahlene Muskatnuß

  Bringe die Milch zum Kochen, schalte auf kleine Flamme/Hitze und rühre die geriebene Muskatnuß hinein. Die Milch wird nun einige Minuten leicht gekocht, abgeseiht und getrunken. Wenn eine zusätzliche wärmende Wirkung erwünscht ist, kannst Du einen Teelöffel eines alten Weinbrands hinzufügen. Bei regelmäßiger Anwendung sollten Kapha-Menschen etwas Ingwerpulver hinzunehmen und Ziegenmilch bevorzugen. Pitta-Menschen sollten dieses Getränk lauwarm zusammen mit etwas braunem Zucker und Ahornsirup genießen.

1	Tasse	Sojamilch
1	Messerspitze	Zimt
1/2	Teelöffel	Süßmittel (Honig für Vata- und Kapha-Menschen, während Ahornsirup, Reis- oder Gerstenmalzsirup für Pitta-Menschen vorzuziehen ist).

  Dieses Getränk ist ausgezeichnet, wenn Du zur Schlafenszeit Hunger hast, aber nichts mehr essen möchtest.
- Kräutertees mit natürlich beruhigender Wirkung sind ebenfalls sehr zu empfehlen. Neben zahlreichen handelsüblichen Mischungen kannst Du auch Deine eigenen herstellen. Auf eine Tasse kochendes Wasser

nimmst Du einen Teelöffel Kräuter und läßt diese mindestens zehn Minuten vor dem Abseihen ziehen. Wenn die Kräutermischung Samen enthält, sollten diese vorher zerstoßen werden, damit die Wirkstoffe besser abgegeben werden.

Zu den Heilpflanzen mit beruhigender Wirkung zählen: Bergamotte, Kamille, Holunderblüten, Verbene, Passionsblume, Vervain, Veilchenblätter und -blüten, Mohnsamen, Helmkraut, Baldrian (Jatamamsi), Bhringaraj, Anis-, Fenchel- und Dillsamen.

Wenn Schlaflosigkeit mit Verdauungsstörungen einhergeht, verwende Pfefferminze, Königskerze und Muskatnuß. In diesem Fall wird das Wasser durch Milch ersetzt.

Das folgende Rezept hat sich bei Schlaflosigkeit gut bewährt:

1 Teelöffel	Verbene
1 Teelöffel	Majoran
1 Teelöffel	Hopfen
1 Teelöffel	zerstoßener Anis

Diese Mischung wird mit einem halben Liter kochendem Wasser aufgegossen. Hiervon trinkt man eine Tasse vor dem Schlafengehen.

- Das Bett ist kein Platz für das Lesen, Fernsehen, Musikhören, Schreiben oder Denken. Dein Bett sollte ausschließlich ein Ort für erholsamen, entspannenden Schlaf sein.
- Wer Angst hat, nicht einschlafen zu können, sollte einen regelmäßigen, bewährten Ablauf finden und dann dabei bleiben. Der Körper liebt Routine und nimmt nützliche Verhaltensweisen rascher an, wenn sie regelmäßig, wie ein positives Ritual, durchgeführt werden.

Düfte, Farben, Klänge und Edelsteine

„Materie ist Energie,
und das, was wir als feste Materie wahrnehmen,
ist nur eine statische Erscheinung von
unzähligen subtilen, beweglichen Kräften."
David Frawley

Ayurweda lehrt, daß die Welt und alles, was wir darin erleben, nichts anderes ist, als das Spiel von Energie, die sich aus dem uranfänglichen Raum verdichtet; diese Energie manifestiert sich in verschiedenen Formen, entfaltet sich mit kosmischer Intelligenz im Einklang mit den Gesetzen der Natur. Wir haben bereits über die ayurwedische Vorstellung des Körpers gesprochen, der durch den Zusammenhalt von den fünf Elementen Äther, Luft, Feuer, Wasser und Erde gebildet wird. Diese Elemente verbinden sich wiederum und bilden die drei Doshas Vata (Äther und Luft), Pitta (Feuer und Wasser) und Kapha (Wasser und Erde). Diese Doshas sind es, die dem Körper verschiedene ausgeprägte Eigenschaften verleihen. Diese Elemente und die Intelligenz oder Regeln, durch die sie zusammenkommen, sind verschiedene Arten von Energie. Wenn wir die westliche Tradition betrachten, dann erkennen wir, daß die Quantenphysik Energie als grundlegenden Baustein des Universums betrachtet, sowohl in uns Menschen selbst als auch in allen anderen Dingen, die uns umgeben.

Ayurweda lehrt, daß wir Menschen auf der grundlegendsten Ebene unseres Seins Energiekörper sind, die im Energiegewebe des gesamten Universums tanzen – nicht als von diesem getrennte Wesen, sondern als zutiefst und grundlegend damit verbundene Wesen. Wenn wir dies begreifen, können wir leicht verstehen, warum die Welt um uns herum unser ganzes Sein bis jenseits der atomaren Ebene beeinflußt. Es ist nicht nur so, daß die ganze Welt auf uns einwirkt, sondern daß dies nach kosmischen Gesetzen geschieht. Das Gesetz, nach dem „Ähnliches Ähnliches verstärkt", wird uns eindrucksvoll vor Augen geführt, wenn wir wahrnehmen, wie Energien außerhalb des Körpers jeweils ähnliche Energien im Körper verstärken. Wie ich bereits ausführlicher dargelegt habe, helfen Eigenschaften, die den Energien im Körper entgegengesetzt sind, einen Zustand des Gleichgewichts herzustellen.

Diese Energien von außerhalb des Körpers beeinflussen diesen über die verschiedenen Felder der Sinneswahrnehmung, über die wir verfügen, wobei jedes dieser Felder jeweils mit einem bestimmten Dosha zusammenhängt. Die einzelnen Sinne selbst sind durch verschiedene Eigenschaften gekennzeichnet und weisen eine Affinität zu bestimmten Doshas auf.

Vata ist eine Verbindung der Elemente Äther und Luft und hat eine Affinität zu allem, was eine Resonanz erzeugt (Klang) und zur Wahrnehmung des Gegenwärtigen, des Existierenden (Tastsinn).

Pitta ist eine Verbindung der Elemente Feuer und Wasser und hat eine Affinität zu allem, was durch das Licht des Feuers erkennbar wird (Sehvermögen), sowie zu unserem Bewußtsein dessen, was im Raum existiert, und unserer Fähigkeit, dieses wahrzunehmen. So verhilft uns Pitta zu unserer Wahrnehmung und unserem Bewußtsein visueller Eindrükke, Farben und Formen.

Kapha ist eine Verbindung der Elemente Erde und Wasser und hat eine Affinität zu tieferen Sinneswahrnehmungen von Unterschieden durch den Geruchs- und Geschmackssinn; hier ist nicht nur der mit der Zunge in Verbindung stehende Geschmackssinn gemeint, sondern jener, der das Kosten, Auskosten, Genießen und die Empfindung von Befriedigung mit einschließt.

Menschen mit einer überwiegend Vata-betonten Konstitution werden daher stärker durch Klänge und Tastempfindungen beeinflußt, Pitta-Konstitutionen durch visuelle Eindrücke und Personen mit einer Kapha-Konstitution durch Geschmacks- und Geruchsempfindungen.

Da jeder Mensch eine einzigartige Mischung von Vata, Pitta und Kapha darstellt, verfügt er auch über unterschiedliche Fähigkeiten zur sinnlichen Wahrnehmung der Welt. Diese jedem innewohnende, auf dem jeweiligen Konstitutionstypus beruhende Empfindlichkeit und Empfänglichkeit für spezifische Formen der sinnlichen Wahrnehmung bildet die Grundlage für die Anwendung feinstofflicher Therapieformen, die die Heilwirkung von Duftstoffen, Farben, Edelsteinen, Stoffen, Klängen und Gebeten nutzen.

Die *Veden* wurden vor Tausenden von Jahren in einer Zeit geschrieben, die nicht unbedingt harmonischer, jedoch gewiß natürlicher als unsere heutige Zeit war. Die Menschen lebten in einem engeren Kontakt mit der Erde und dem Wechsel der Jahreszeiten. Sie schöpften aus einer umfassenderen Erfahrung der natürlichen Welt. Heute haben wir diese Art von direkter und reicher Erfahrung mit Annehmlichkeiten und Komfort eingetauscht. Ein Großteil der Bevölkerung lebt in Städten und verbringt den überwiegenden Anteil seiner aktiven Zeit in einer vom Menschen geschaffenen Umgebung. Einfache Dinge wie Licht und Wärme, die einst das Arbeits- und Alltagsleben bestimmt haben, können wir heute auf Knopfdruck regeln. Uns steht das ganze Jahr über eine reiche Auswahl an Nahrungsmitteln aus der ganzen Welt zur Verfügung, so daß wir uns nicht den Angeboten der natürlichen Jahreszeiten beugen müssen. Es hat den Anschein, als ob wir alles mehr und mehr unter unsere Kontrolle gebracht haben, doch je weiter wir uns von den natürlichen Rhythmen entfernen, desto mehr Streß müssen wir im Alltagsleben bewältigen. Warum ist dies der Fall? Ganz einfach, weil viele unserer modernen Annehmlichkeiten den natürlichen Fluß der Körperenergie auf einer grundlegenden Ebene stören. Natürlich können wir nicht alle „aussteigen" und wie die Naturkinder leben, aber wir sollten wissen, was wir tun können, um unser eigenes natürliches Gleichgewicht in diesen bewegten Zeiten wiederherzustellen.

Wir haben bereits die Bereiche der Lebensweise und der Ernährung behandelt. Ich möchte nun näher auf die mehr feinstofflichen Therapieformen eingehen, die ich zuvor bereits angesprochen hatte. Dies geschieht nicht nur der Vollständigkeit halber oder aufgrund des verstärkten Interesses, das diesen Therapieformen gegenwärtig entgegengebracht wird, sondern weil sie einen direkten und starken Einfluß auf die Doshas ausüben, die wiederum unser Wohlbefinden in einem hohen Maß beeinflussen.

Ayurweda ist kein Dogma, sondern eine im stetigen Wachstum begriffene Schatzkammer von Wissen und Informationen, die alle darauf ausgerichtet sind, Menschen ein erfülltes Leben zu ermöglichen. In diesem Kapitel wird einerseits sehr viel traditionelles Wissen dargelegt, andererseits habe ich versucht, einige Ergebnisse moderner wissenschaftlicher Forschung und moderne Anwendungen zu integrieren, die mit dem Geist und der Philosophie des Ayurweda übereinstimmen.

Ein kurzer Abriß der Aromatherapie im Orient und Okzident

Die Aromatherapie, wie wir sie heute kennen, ist ein Zweig der Pflanzenheilkunde, der sich im Verlauf von Jahrhunderten einer hohen Wertschätzung in den verschiedensten Kulturkreisen weltweit erfreut hat. Zusammen mit Edelmetallen, Edel- und Halbedelsteinen, Stoffen und Gewürzen wurden natürliche Duftöle in der Antike hochgeschätzt. Diese Öle waren im alten Ägypten bereits sehr beliebt und gelangten durch die Phönizier in die arabischen Länder sowie in den griechischen und römischen Kulturraum. Hippokrates, der als „Vater der Heilkunde" bezeichnet wird, verordnete heilkräftige ätherische Öle in Form von Räucherungen und Bähungen[2]. Die Römer liebten diese Öle als Parfüm sowie zur Körper- und Haarpflege und behandelten Kleidung und sogar die Bettwäsche damit.

Mit dem Untergang des Römischen Reiches gelangte das Wissen um die heilenden Duftöle nach Persien und in die übrigen arabischen Länder, wo es zu einer erneuten Blüte gelangte. Avicenna (980 – 1037 nach Christus), einer der großen arabischen Ärzte, Gelehrten und Verfasser unzähliger Schriften, widmete ein ganzes Buch der Rose, jener Blume, die in der islamischen Tradition die höchste Verehrung genießt.

Durch die Kreuzfahrer gelangten die natürlichen ätherischen Öle wieder nach Europa. Gegen Ende des 15. Jahrhunderts wurden einheimische europäische Heilpflanzen wie Lavendel, Salbei und Rosmarin destilliert. Diverse aromatische Zubereitungen erfreuten sich während der Renaissance einer großen Beliebtheit und wurden als bester Schutz gegen die damals grassierenden Epidemien betrachtet. Ende des 17. Jahrhunderts teilte sich die Anwendung ätherischer Öle in die Zweige der Parfümherstellung und der Alchemie auf. Ätherische Öle wurden aufgrund ihrer medizinischen Eigenschaften bis zum Jahr 1818 verwendet: In diesem Jahr erschien ein Arzneimittelkodex in Frankreich, in dem die Heilkräfte von Duft- und ätherischen Ölen entschieden in Abrede gestellt wurden. Dennoch wurden diese Öle weiterhin in Parfümen, Kosmetika und Nahrungsmitteln verwendet.

Im Jahr 1928 war es der französische Chemiker Gattefosse, der die Wiedergeburt dieser Heilkunst anführte. Mit der Veröffentlichung von

---

[2] Heilbehandlung mit warmen Umschlägen oder Dämpfen. Anmerkung des Lektors.

„Aromatherapie" im Jahr 1964 hat abermals ein Franzose, Dr. Jean Valnet, die Aromatherapie erneut als vollwertigen Zweig der Pflanzenheilkunde etabliert. Madame Marguerite Maury, eine Schülerin Valnets, war die erste, die die Verwendung von ätherischen Ölen aufgrund ihrer Duft- und arzneilichen Eigenschaften in der Kosmetik wieder einführte. Ihr langfristiges Ziel bestand darin, streng individuelle, persönliche Aromakomplexe zu schaffen, die dem jeweiligen Temperament und den gesundheitlichen Problemen des Anwenders angepaßt wurden. Dieser Ansatz ist durch und durch im Sinne des Ayurweda und faßt Körper, Geist und Seele als eine Ganzheit auf, an der sich die Pflege und Behandlung zu orientieren hat. In der heutigen Zeit werden ätherische Öle im größeren Umfang in der kosmetischen Industrie angewandt und gewinnen auch in der Medizin immer mehr an Boden.

In Indien gibt es Belege dafür, daß destillierte Blütenwässer bereits vor 5 000 Jahren verwendet wurden. In jüngster Zeit wurden rudimentäre Destillationsapparate in Pakistan gefunden, die in einem Zusammenhang mit den frühen Zivilisationen des Indus-Tals stehen. Archäologen haben Parfümbehälter entdeckt, die auf die Zeit 3 000 vor Christus zurückreichen, was die damalige Anwendung von ätherischen Ölen bestätigt. Vedische Schriften aus der Zeit von etwa 2 000 Jahren vor Christus listen über 700 Substanzen auf, einschließlich Zimt, Ingwer, Myrrhe und Sandelholz und beschreiben ihre Wirkungen auf Körper und Geist, was den Schluß nahelegt, daß Aromatherapie als vollentwickelter Zweig der Heilkunde gelten konnte. Diese aromatischen Zubereitungen wurden als „Attars" bezeichnet, was nicht nur Parfüm, sondern auch Rauch, Wind, Duft oder Essenz bedeutet. Sie wurden weithin bei religiösen Handlungen zur Beruhigung des Geistes und zur Vertiefung der Meditation verwendet. Diese Präparate sind nach wie vor ein Bestandteil der ayurwedischen Medizin, die die Kunst der Räucherwerk- und Körperölherstellung zur Vollkommenheit entwickelt hat. Letztere werden insbesondere bei Zuständen von Streß und Depression geschätzt. Dank ihrer Wirkungen auf Störungen der Haut und ihrer natürlichen Wirkung auf die Gefühlssphäre sind Ölpräparate mit ätherischen Ölen die besten Träger für ayurwedische Kosmetika.

Was sind ätherische Öle?

„Oshadi" ist das indische Wort für Heilpflanzen. Die wörtliche Bedeutung ist „Spender des Lebens" oder „Träger des Lichts". Diese Worte liefern eine perfekte Beschreibung der Wirkung ätherischer Öle.

Ätherische Öle werden in den Zellen der Pflanze durch die Einwirkung der Sonne gebildet und sind Speicher der Heilkraft der Sonne. Sie sind die Quelle von allen Düften in Blüten, Blättern, Gewürzen, Früchten, Heilpflanzen und aromatischen Hölzern. Ätherische Öle wurden als „Lebensblut" der Pflanze beschrieben. Marcel Lavabre, ein französischer Aromatherapeut, ging einen Schritt weiter und sagte, „ätherische Öle sind der höchste Ausdruck des *joie de vivre*, der Lebensfreude der Pflanze". Diese Duftstoffe stärken Körper und Geist gleichermaßen, erfreuen die Sinne und verbinden uns wieder mit der Natur, wo immer wir sie gerade verwenden.

Viele ätherische Öle entfalten antiseptische und antibakterielle Wirkungen. Manche von ihnen sind auch bei viralen Infektionen hilfreich, indem sie die Immunleistung ankurbeln. Andere ätherische Öle fördern die Zellneubildung und das Zellwachstum. Ätherische Öle sind nicht nur gesundheitsfördernd und werden aufgrund ihrer herrlichen Duftnoten geschätzt, sondern entfalten nachweislich eine regulierende und ausgleichende Wirkungen auf geistige Funktionen. Hochwertige ätherische Öle besitzen weitreichende und tiefgreifende Heilwirkungen. Heute können wir mit Genugtuung verzeichnen, daß sie wieder ihren berechtigten Platz im therapeutischen Instrumentarium der modernen Pflanzenheilkunde einnehmen. In Europa gewinnen sie auch zunehmende Anerkennung innerhalb der Schulmedizin. Lavendelöl wird zum Beispiel bei schweren Verbrennungen eingesetzt, während ätherisches Rosenöl bei der Behandlung von Suchtkrankheiten, Depressionen und anderen geistigen Störungen, die einen sanft wirkenden Tranquilizer erfordern, verwendet wird.

Jedes Öl und jede Kombination von Ölen weist ein typisches Profil und eine typische Persönlichkeit auf, wodurch die einzelnen ätherischen Öle nicht nur bei bestimmten Störungen und Beschwerden angezeigt sind, sondern bei einem bestimmten Persönlichkeitstypus. Dies ist aus ayurwedischer Sicht besonders interessant, denn ein bestimmtes ätherisches Öl kann sich dafür eignen, sowohl eine bestimmte Störung zu beseitigen als auch eine positive Wirkung auf jenen zugrunde liegenden geistigen Zustand zu entfalten, der zur Entstehung des betreffenden Symptoms beigetragen hat. Ein gutes Beispiel ist der Muskatellersalbei; dieses ätherische Öl entfaltet eine beruhigende Wirkung auf entzündete Haut und lindert geistige Reizbarkeit, Ängste, Anspannung und Müdigkeit. Hier haben wir also ein ausgezeichnetes Mittel für einen Fall, in dem ein durch Arbeitsdruck vermehrtes Pitta zum Ausbruch eines Hautausschlags geführt hat. In einem solchen Fall hilft Muskatellersalbei, das Pitta-Dosha auf zwei verschiedenen Ebenen auszugleichen.

Ätherische Öle – Wirkungswege und Wirkungsweise

Die Wirkung der ätherischen Öle auf Geist und Körper erfolgt auf zwei Hauptwegen, nämlich über die Haut und über den Geruchssinn.

Wenn ätherische Öle in Form von Körperölen, Parfümölen, Lotionen, als Sprühnebel oder über das Badewasser mit der Haut in Verbindung kommen, können sie aufgrund ihrer kleinen Molekularstruktur die Haut leicht durchdringen. Ätherische Öle gelangen also rasch in den Körper über Haarfollikel, Poren und die interstitielle Flüssigkeit, die alle Zellen umgibt, und erreichen die feinen Kapillaren des Blut- und Lymphsystems. Auf diesem Weg gelangen sie durch den ganzen Körper und zu allen Zellen, wobei sie sogar die Blut-Gehirn-Schranke überwinden und auf außen liegende Gehirnabschnitte wirken.

Wenn wir einen Duft wahrnehmen, dann sind es jene winzigen, in der Luft schwebenden Tröpfchen von ätherischen Ölen, die eine Reaktion am Riechepithel oder am Geruchsrezeptor am Nasendach auslösen. Zwischen diesen beiden Stellen und dem limbischen System liegt nur eine einzige Nervensynapse. Das limbische System des Gehirns regelt motorische Tätigkeiten, Grundtriebe, Emotionen und Erinnerungen. Impulse werden an den Hypothalamus weitergegeben, der Körperfunktionen wie Temperatur, Durst, Hunger, Blutzuckerspiegel, Wachstum, Schlaf- und Wachverhaltensmuster und sexuelle Erregung regelt und auch unsere emotionale Befindlichkeit beeinflußt. Als nächstes wird die Hypophyse angeregt, die das endokrine System aktiviert, das wiederum die Verdauung, emotionales und sexuelles Verhalten, Reaktionen auf Streß sowie alle Stoffwechselprozesse regelt.

Meiner Ansicht nach gibt es jedoch eine andere Ebene, die hinter jenen dramatischen Wirkungen auf Körper und Geist liegt, eine Ebene, auf der diese Lebensessenzen der Pflanzen die Lebenskraft des Menschen fördern und stärken und dabei zu einer Energie und einer Inspiration zum Streben nach größerem Wohlbefinden werden. Mit anderen

Worten: ich bin davon überzeugt, daß ätherische Öle auch auf einer spirituellen Ebene wirksam sind.

Innerhalb von weniger als 15 Minuten wirken ätherische Öle auf Körper, Geist und Seele. Sie entfalten keinerlei kumulative Wirkungen, da alle Spuren ihrer physischen Anwesenheit den Körper nach zwei bis drei Stunden verlassen.

Die Qualität ätherischer Öle

Durch die zunehmende Beliebtheit der Aromatherapie ist auch die Anzahl der Anbieter und Produktserien gestiegen. Die meisten Firmen verweisen auf den natürlichen Ursprung oder gar auf den biologischen Anbau ihrer Ausgangssubstanzen. In vielen Fällen handelt es sich jedoch eher um Parfüme, die durch pflanzliche Öle oder Alkohol als Trägersubstanzen gestreckt wurden, als um hochwertige ätherische Öle zu Heilzwecken. Diese minderwertigen Öle riechen oft recht ansprechend, verfügen jedoch nicht über die gewünschten arzneilichen Eigenschaften. Um eine möglichst hohe Qualität und einen optimalen Wirkungsgrad sicherzustellen, sollte man beim Bezug von ätherischen Ölen auf bewährte, qualitätsbewußte Lieferanten achten. Eine entsprechende Liste findet sich im Quellenanhang dieses Buches.

Folgende Punkte sind zu beachten:

1. Hochwertige ätherische Öle werden in lichtgeschützten Flaschen mit festen Verschlüssen angeboten.
2. Ein qualitativ hochwertiges ätherisches Öl sollte sich nicht ölig anfühlen, wenn es zwischen den Fingern gerieben wird.
3. Ein gutes ätherisches Öl hinterläßt nach dem Verdunsten keine fettigen Stellen auf einem Löschblatt oder Papiertaschentuch.
4. Ein hochwertiges Öl zersetzt sich nicht in Wasser oder hinterläßt eine milchige Spur.
5. Hochwertige ätherische Öle riechen nicht nach Alkohol.
6. Die Lagerung muß bei Zimmertemperatur oder etwas darunter und sonnengeschützt erfolgen.

Eine Auswahl von ätherischen Ölen für jedes Dosha

Im Ayurweda werden ätherische Öle zum Ausgleich der Doshas nach ihren Eigenschaften ausgewählt. Hierzu gehören natürlich ihr Duft sowie die Frage, ob sie eine erhitzende oder kühlende Wirkung im Körper entfalten, und die Art der Gefühle, die sie auszugleichen vermögen.

Öle für **Vata** sollten süß oder leicht sauer, wärmend, nährend und schmierend sein sowie eine beruhigende Wirkung auf das Nervensystem und den Geist im allgemeinen entfalten. Mäßigkeit ist bei Vata – wie immer – besonders wichtig. Aufgrund der starken Wirkungen, die ätherische Öle entfalten können, sollten sie nur in den von den Rezepten vorgeschriebenen Konzentrationen und Anteilen verwendet werden. Zu den Vata-ausgleichenden ätherischen Ölen gehören:

Muskatellersalbei	Geranium	Zimt
Zypresse	Nelke	Jasmin
Moschus	Orange	Rose
Sandelholz (erwärmt anzuwenden)		

Aufgrund seiner wärmenden, erdenden, nährenden, gründlich beruhigenden und schmierenden Eigenschaften ist kaltgepreßtes Sesamöl das beste Sesamöl für die Vata-Personen. Sesamöl ist das einzige Öl, das alle sieben Schichten der Haut durchdringt. Avocado-, Karottensamen- und Vitamin-E-Öle sind besonders nützlich, um einer besonders trockenen Haut mehr Nährstoffe zuzuführen.

Öle für **Pitta** sollten süß oder leicht zusammenziehend oder bitter sein und eine kühlende Wirkung auf den Körper entfalten. Des weiteren sollten diese Öle ausgleichend auf Gefühle wie Aufregung, Unruhe, Ungeduld, Zorn und Aggressionen wirken. Zu den besonders Pitta-ausgleichenden ätherischen Ölen gehören:

Kamille	Gardenia	Jasmin
Geißblatt	Lotusblüte	Lemongrass
Melisse	Minze	Rose
Rosenholz	Sandelholz	Vetiver

Traditionell finden Rose und Sandelholz weite Anwendung in der ayurwedischen Kosmetik. Sandelholz wird im Bereich des Dritten Auges

(Stirnmitte) aufgetragen, um den Geist zu beruhigen und den Kopf für das Gebet und die Meditation zu kühlen.

Kokosöl ist der beste Träger für Pitta. Für den westlichen Geschmack ist dieses Öl etwas zu zähflüssig. Sonnenblumen-, Saflor- und Jojobalöle liefern einen guten Ersatz. Mit kühlenden ätherischen Ölen vermischt, kann auch Sesamöl verwendet werden. Ghee, geklärte Butter, das zusammen mit Wasser in einem Silber- oder Kupferkessel „gewaschen" wurde, wird in Indien aufgrund seiner heilenden und Pitta-reduzierenden Eigenschaften hochgeschätzt. Dieses Ghee ist ebenfalls ziemlich zähflüssig und fettig. Außer bei Personen, die in einem ungewöhnlich trokkenen Klima leben, sollte dieses Ghee nur für medizinische Zwecke verwendet werden. Ein Hundert Jahre altes Ghee, das mehr als 100mal gewaschen wurde, gilt als ein Allheilmittel.

Ätherische Öle für das **Kapha**-Dosha sollten scharf, leicht zusammenziehend oder bitter, würzig, leicht, holzig, wärmend, jedoch auch anregend für den Geist und Körper sein. Zu den geeigneten ätherischen Ölen gehören:

Zedernholz	Zimt	Moschus
Eukalyptus	Myrrhe	Patchouli
Pinie	Salbei	

Eukalyptus wird hauptsächlich in einem Vernebelungsgerät (Diffusor) verwendet und hilft, den Kopf klar zu bekommen und die Luft zu reinigen. Mit Eukalyptus kann man auch die Brust einreiben, wo es bei Kongestionen (Katarrh und Verschleimung) hilft, oder es wird stark verdünnt auf Herpesbläschen (oder anderen Formen von Bläschen) aufgetragen. Eukalyptusöl wird im allgemeinen nur stark verdünnt direkt auf die Haut gebracht. Auch bei starker Verdünnung ist der überwältigende Duft zu kräftig für allgemeine kosmetische Zwecke.

Zu den Trägerölen für das Kapha-Dosha gehören Senf-, Leinsamen-, Jojoba-, Oliven- und Mandelöl.

Alle Trägeröle pflanzlichen Ursprungs sollten kaltgepreßt und möglichst aus biologischem Anbau stammen. Kaltgepreßte Öle enthalten viel Vitamin B und Vitamin E und enthalten ihre eigenen Konservierungsstoffe. Öle aus biologisch angebauten Ausgangssubstanzen sind aufgrund ihres höheren Gehalts an Wirk- und Vitalstoffen – und Lebensenergie – stets vorzuziehen. Diese hochwertigen Öle sind auch frei von Pestiziden und chemischen Düngemitteln, die durch die Extraktionsverfahren zur Ölgewinnung konzentriert werden. Diese chemischen Verbindungen können sich in der Haut ansammeln und zu vorzeitigem Altern führen.

Ätherische Öle und ihre Anwendungsmöglichkeiten

Es folgt eine Beschreibung der Methoden zur Anwendung von ätherischen Ölen.

Diffusor: Es handelt sich um ein Gerät für die Aerosoltherapie und zur Raumluftbehandlung, bestehend aus einer elektrischen Luftpumpe, einer Ölkammer und einem Düsenvernebler aus Glas, der die vernebelten Mikropartikel in die Luft versprüht. Diese feinen Partikel sind so klein, daß sie in der Luft schweben und dadurch die Raumluft reinigen, parfümieren und die Atmosphäre eines ganzen Raumes verändern. Da diese Geräte nicht leise sind und beim Vernebelungsvorgang relativ viel Strom verbrauchen, werden sie meist nur für kurze Zeit eingesetzt.

Aroma- oder Duftlampen: Diese werden aus Ton hergestellt und verwenden meist ein Teelicht, um eine darüberliegende Schale mit einer Lösung aus Wasser und ätherischen Ölen zu erhitzen. Aromalampen verbreiten eine angenehme, ruhige Stimmung und eignen sich für Situationen, die eine solche Atmosphäre erfordern, zum Beispiel während einer Massage, beim Studieren, Meditieren oder zur Schlafenszeit.

Tongefäße für ätherische Öle: Es handelt sich um kleine Tonflaschen, die genug Öl aufnehmen, um den Innenraum eines Fahrzeugs, eines Wäscheschranks oder Wandschranks zu aromatisieren.

Ringe für Glühbirnen: Werden aus Pappe oder Keramikmaterial hergestellt, das mit einem ätherischen Öl getränkt worden ist. Bei eingeschaltetem Licht wird der Duft durch die Wärme der Glühbirne in den Raum abgegeben.

Räucherwerk: Die Herstellung von Räucherwerk ist eine der ältesten Anwendungen von ätherischen Ölen. Heil- und Gewürzpflanzen werden getrocknet und einzeln oder in Kombinationen verwendet, um verschiedene atmosphärische und therapeutische Wirkungen zu erzielen. Bei den Ritualen der nordamerikanischen Indianerstämme werden einzelne Heilpflanzen wie Salbei oder Sweet Grass (Manna Grass, Hierochloe odorata) zu Stecken, Blöcken oder festen Bündeln gepreßt. In der östlichen Tradition werden die gewünschten aromatischen Substanzen zu einem feinen Pulver verarbeitet und daraus Räucherstäbchen oder Räucherkegel hergestellt, oder es werden entsprechende Pulver über Holzkohle verbrannt. Das nach traditionellen Rezepten hergestellte Räucherwerk war meist für das Gebet und die Meditation bestimmt, kann jedoch jederzeit verwendet werden, wenn man eine ruhige, klare Atmosphäre im Raum schaffen möchte. Daneben gibt es auch traditionelles, medizinisches Räucherwerk, das besonders von den tibetischen ayurwedischen Quellen aufgeführt wird.

Kosmetika: Hierzu gehören Öle, Lotionen, Schampoos, Pflegemittel, Andampfungen, Masken, Badesalze, Duschgele und so weiter. Ätherische Öle haben die einzigartige Fähigkeit, alle Schichten zu durchdringen und sind daher hervorragend geeignet, um die Haut zu befeuchten, zu heilen und zu regenerieren. Im Quellenanhang sind eine Reihe von Kosmetikherstellern aufgeführt, die hochwertige ätherische Öle in ihrem Sortiment führen. Darüber hinaus lassen sie sich mit allen möglichen natürlichen Kosmetika wie Ölen, Lotionen und Seifen vermischen, um deren Wirkungen zu steigern.

Mischungen für Badeöle

Ätherische Öle werden meist in Mischungen verwendet, die eine „Synergie" darstellen beziehungsweise eine synergetische Wirkung entfalten. Damit ist gemeint, daß die einzelnen Komponenten sich gegenseitig ergänzen und steigern hinsichtlich ihrer Duftnoten, medizinischen Eigenschaften und Heilkräfte. Eine gute synergetische Mischung wird zahlreiche Elemente wie Konstitution, Temperament, Symptome, auslösende Ursachen und Lebensumstände des Betreffenden berücksichtigen. Eine solche Mischung sollte ganz natürlich als wohlriechend und auch als wohltuend für den Geist empfunden werden.

Die Zusammensetzung synergetischer Mischungen ist eine hohe Kunst. Die kleine untenstehende Auswahl von Bademischungen wird Dir ein Gefühl für ihr Potential vermitteln. In den Abschnitten über Hautpflege und Behandlung der Haut werden weitere Rezepte für synergetische Massageöle, andere Präparate und ihre Anwendungen vorgestellt.

Synergetische Badeöle: Die folgende Mischungen sind als Zusätze für ein warmes Vollbad mit den angegebenen therapeutischen Wirkungen gedacht ...

Reinigende Mischung:
4 Tropfen Basilikum
3 Tropfen Rosmarin
3 Tropfen Zitrone

Für fettige Haut:
5 Tropfen Basilikum
2 Tropfen Zitrone
2 Tassen Apfelessig

Reife Haut mit Unreinheiten:
6 Tropfen Muskatellersalbei
2 Tropfen Zitrone
2 Tassen Apfelessig

Zur allgemeinen Entgiftung:
3 Tropfen Geranium
3 Tropfen Rosmarin
3 Tropfen Wacholder
2 Tropfen Lavendel

Vitalisierende Mischung:
2 Tropfen Fenchel
4 Tropfen Wacholder
2 Tropfen Rosmarin

Sonnenbrand:
6 Tropfen Pfefferminze
9 Tropfen Lavendel
3 Eßlöffel Jojoba
1 Eßlöffel Honig

Normale Haut:
5 Tropfen Neroli
3 Tropfen Rose
1 Tasse Milch
1 Eßlöffel Honig

Trockene Haut:
6 Tropfen Rosa mosquita
6 Tropfen Bergamotte
2 Eßlöffel Sesamöl
1 Eßlöffel Honig

Haut mit Unreinheiten:
5 Tropfen Teebaumöl
5 Tropfen Lavendel
2 Tassen Apfelessig

Nervöse Erschöpfung:
2 Tropfen Basilikum
4 Tropfen Geranium
4 Tropfen Lavendel

Tonikum:
3 Tropfen Muskatellersalbei
3 Tropfen Bergamotte
3 Tropfen Ylang-Ylang

Weitere Informationen über die passenden ätherischen Öle für bestimmte Hauttypen, Hautstörungen und Geistes- beziehungsweise Gemütszustände sind in der Aromatherapie-Tabelle auf Seite 144 und 145 zu entnehmen.

Tabelle 2: Aromatherapie im Überblick

	Normale Haut	Trockene Haut	Fettige Haut	Reife Haut	Akne	Entzündete Haut	Ekzeme	Empfindliche Haut	Juckreiz	Rissige Haut	Faltige Haut	UnreinheitenNarben	Kongestionierte Haut	Erschlaffte, aufgedunsene Haut	Zellulitis	Krampfadern/Äderung (Besenreiser)	Erhöhte Lichtempfindlichkeit/reizend
Bergamotte	✓	✓	✓	✓		✓	✓					✓					✓
Eukalyptus						✓											✓
Fenchel		✓	✓	✓							✓			✓	✓		
Geranium	✓	✓	✓	✓	✓	✓	✓						✓	✓	✓	✓	
Jasmin	✓	✓	✓	✓		✓		✓	✓					✓			
Kamille		✓			✓	✓	✓	✓	✓							✓	
Lavendel	✓		✓	✓	✓	✓	✓					✓			✓		✓
Melisse				✓									✓	✓	✓		
Muskatellersalbei	✓					✓								✓			
Myrrhe	✓	✓		✓		✓	✓		✓		✓						
Neroli	✓	✓	✓	✓		✓						✓				✓	✓
Orange			✓				✓							✓			
Patchouli	✓			✓	✓	✓	✓			✓				✓	✓		✓
Pfefferminze	✓			✓	✓	✓			✓				✓	✓	✓	✓	
Rose	✓	✓		✓	✓	✓		✓								✓	
Rosenholz	✓	✓		✓	✓	✓								✓			
Rosmarin		✓	✓	✓	✓		✓								✓	✓	
Sandelholz	✓	✓	✓	✓	✓	✓	✓		✓	✓						✓	
Teebaum			✓		✓	✓						✓					
Wacholder			✓	✓	✓	✓	✓						✓	✓	✓	✓	
Weihrauch		✓		✓						✓	✓						
Ylang-Ylang	✓	✓	✓														
Zedernholz			✓		✓		✓		✓				✓				✓
Zitrone			✓	✓	✓	✓			✓		✓		✓	✓		✓	
Zypresse			✓				✓						✓	✓	✓	✓	

Tabelle 2: Aromatherapie ... (Fortsetzung)

	Antiseptisch	Adstringierend	Antibiotisch	Deodorierend	Erfrischend	Aufheiternd, anregend	Bei geistiger Müdigkeit	Entspannend	Nervosität	Hysterie	Unruhe	Zorn	Schlaflosigkeit	Frucht/Angst, ängstliche Unruhe	Haarausfall	Schuppen	Nagelpflege
Bergamotte			✓	✓	✓	✓		✓			✓			✓			
Eukalyptus	✓	✓	✓	✓	✓		✓		✓								
Fenchel	✓																
Geranium	✓	✓		✓		✓			✓					✓		✓	
Jasmin	✓				✓	✓			✓					✓			
Kamille	✓					✓	✓	✓	✓	✓	✓	✓	✓	✓			
Lavendel	✓		✓	✓	✓	✓		✓	✓				✓	✓	✓	✓	
Melisse						✓				✓	✓		✓	✓			
Muskatellersalbei		✓		✓	✓	✓	✓		✓	✓			✓				
Myrrhe	✓	✓						✓					✓				
Neroli				✓		✓		✓	✓	✓			✓	✓			
Orange		✓								✓							
Patchouli	✓					✓	✓	✓			✓						
Pfefferminze	✓	✓		✓	✓		✓		✓								
Rose	✓	✓		✓		✓	✓		✓				✓	✓			
Rosenholz	✓			✓		✓		✓	✓								
Rosmarin		✓					✓	✓	✓						✓	✓	
Sandelholz		✓				✓		✓	✓	✓			✓	✓		✓	
Teebaum	✓		✓		✓												
Wacholder	✓	✓	✓		✓		✓		✓		✓		✓	✓		✓	
Weihrauch	✓	✓						✓	✓	✓	✓		✓	✓			
Ylang-Ylang		✓				✓			✓	✓		✓	✓	✓	✓		
Zedernholz	✓						✓	✓	✓					✓	✓	✓	
Zitrone	✓	✓	✓					✓								✓	✓
Zypresse		✓		✓							✓		✓				

Die Farbtherapie

Im Ayurweda wurde die Heilkraft der Farbe stets anerkannt. Farbe ist eine andere Form von Energieschwingungen, die wir hauptsächlich über die Augen und zu einem geringeren Anteil über die Haut empfangen. Farben haben eine Affinität zu verschiedenen Geweben im Körper und verfügen über das Potential, die Doshas auszugleichen oder zu stören. Dies wird ohne weiteres verständlich, wenn wir uns vor Augen führen, wie verschiedene Farben unseren jeweiligen Gemütszustand beeinflussen. Nimm Dir einen Augenblick Zeit und reflektiere über die Gefühle, die in Dir hochsteigen, während Du die Farben Grün, Rot, Blau und Gelb visualisierst. Die Reaktionen auf bestimmte Farben können bis zu einem gewissen Grad schwanken durch bestimmte Konditionierungen und unterschiedliche kulturelle Einflüsse, doch neigen die meisten Menschen zu ähnlichen Empfindungen.

Die richtige Auswahl von Farben in der häuslichen Umgebung, in Deiner Kleidung, sogar in der Farbe Deines Autos vermag eine fördernde Wirkung auf Schönheit und Gleichgewicht des Individuums zu entfalten. Das Trinken von Wasser, das einige Stunden lang in farbigen Flaschen der Sonne ausgesetzt wurde, ist eine traditionelle Methode, um dem Körper Farbe „zuzuführen“. Dieses Wasser ist mit der Schwingung der jeweiligen Farbe aufgeladen und wird direkt von den entsprechenden Körpergeweben aufgenommen. Dieselbe Methode läßt sich ebenfalls bei Ölen und allen anderen flüssigen Kosmetika anwenden. Theo Gimbel, ein Farbtherapeut aus der Schweiz, hat eine Farblichttherapie entwikkelt. Dabei werden in bestimmten Mustern angeordnete, wandmontierte Reihen von elektrischen Lichtern verwendet, um bestimmte therapeutische Wirkungen hervorzurufen. Es gibt eine Reihe von Farblicht-Therapien, die die Möglichkeiten der modernen Technik nutzen. Hierzu gehört die Farbpunktur nach Peter Mandel, die mit gebündelten Lichtstrahlen gemäß den Akupunkturpunkten und Energiemeridianen des Körpers arbeitet, oder das Lumatron von Dr. John Downing. Gestützt auf das Verständnis der Funktionen des autonomen Nervensystems, des Zentralnervensystems und den biochemischen Abläufen im Gehirn, wirken diese Methoden sowohl auf einer physiologischen als auch auf einer psychologischen Ebene.

Alles, was uns in physiologischer und psychologischer Hinsicht beeinflußt, wird sich auch auf Aussehen und Ausdruck des Körpers auswirken. Da Farben unsere inneren Organe genauso wie unsere Gemütslagen beeinflussen, sind die Konturen, Linien, Hauttonus und Ausdruck des Gesichts zum Teil Indikatoren der Auswirkungen von Farben auf das Einzelwesen. Allein was die Wirkungen von Farben auf unseren Ausdruck anbelangt, können wir davon ausgehen, daß aufbauende Farben einem Ausdruck von Güte und Großzügigkeit förderlich sind. Ein solcher Ausdruck ist unendlich mehr anziehend als ein Gesicht, auf dem Ängste und Neid ihre dunklen Schatten werfen. Eine durch Selbstvertrauen geprägte Körperhaltung wirkt ebenfalls anziehender als ein durch Sorgen gezeichnetes Auftreten. Eine Umgebung mit aufbauenden Farben und positiven, visuellen Eindrücken vermag einen starken Einfluß auszuüben auf die Art und Weise, in der wir uns selber darstellen und mit der Welt umgehen.

Farben für Vata

Wie immer ist bei Vata auf Mäßigkeit zu achten. Rot, Orange, Gelb oder Weiß sind nützlich, da sie wärmend und energetisierend wirken und die geistige Klarheit fördern. Gleichzeitig können sie sich jedoch als zu intensiv erweisen. Von diesen warmen Farben sind daher Pastelltöne und gedämpfte Töne vorzuziehen. Bei der Auswahl der Kleidung können Grün und Blau als Ausgleich getragen werden, um die Wirkung der warmen, intensiven Farben zu dämpfen. Schwarz, Braun und Grautöne sind zu vermeiden.

Farben für Pitta

Weiß, Blau und Grün wirken ausgleichend auf das Pitta-Dosha. Schwarz sowie alle sehr intensiven Farben sind nicht zu empfehlen.

Farben für Kapha

Kapha-Menschen benötigen üppige und warme Farben. Rot, Purpur, Gold und Gelb sind die besten Farben. Weiß und blasse Blau-, Grün- oder Rosatöne sind zu stark beruhigend. Schwarz, Grautöne oder Braun sind in Maßen zu empfehlen.

Farbe	Wirkung auf Doshas	Psychosomatische Wirkung	Wirkung durch Übermaß
Rot	Nützlich für Vata und Kapha, verschlimmert Pitta	Nährt und erwärmt das Blut, bringt Farbe in die Wangen, fördert Kreislauf, Vitalität und Kraft. *Psyche:* stimulierend, aktivierend, aufregend	Entzündungen, Verlangen, Aggressionen
Orange	Nützlich für Vata und Kapha, Übermaß verschlimmert Pitta	Wärmend und heilend, vermehrt die sexuelle Energie, löst Kongestionen, fördert den Glanz der Haut. *Psyche:* fördert Freude, Leichtigkeit, Loslassen, Genuß	Entsagung der Welt
Gelb	Nützlich für Vata und Kapha, kann Pitta verschlimmern.	Fördert Verdauung und Langlebigkeit *Psyche:* fördert Intelligenz und inneren Abstand, Nichtverhaftung	Verlust von Verstand und Richtung, Reizbarkeit
Grün	Nützlich für Kapha und Vata, Übermaß verschlimmert Pitta.	Beruhigt Hyperaktivität und fördert körperliches Gleichgewicht *Psyche:* Fördert Ruhe, wirkt erfrischend, verbessert das Urteilsvermögen	Vermehrt den Gallenfluß, Unentschlossenheit, Eifersucht, Frustration
Blau	Nützlich für Pitta, Übermaß vermehrt Vata und Kapha.	Beruhigend, kühlend, heilend, wiederaufladend *Psyche:* Entspannend, lösend	Kongestionen, Betäubung, Abstumpfung, übermäßige Selbstbeobachtung
Violett	Nützlich für Pitta und Kapha, vermehrt Vata.	Beruhigend, aufhellend, schärft die Sinne *Psyche:* Fördert inneres Gleichgewicht, Frieden, Würde, Mitgefühl	Erhöhte Sinnlichkeit, störende Wirkung auf die Sinne

Anmerkung zur Farbe Weiß: Wird sie angemessen verwendet, wirkt Weiß reinigend, im Übermaß (ständiges Tragen weißer Kleidung) kann Weiß vermehrten Stolz verursachen.

Anmerkung zur Farbe Schwarz: Bei übermäßiger Verwendung kann Schwarz Negatives anziehen und Haß und Zorn steigern.

Klang

In früheren Zeiten, als die Menschen in kleineren Gemeinschaften lebten und arbeiteten, wurde der gemeinsame Gesang in verschiedenen Formen gepflegt. Gemeinsames Singen stärkte das Zusammengehörigkeitsgefühl und unterstützte die ästhetischen Elemente in ihrer Arbeit. Heute ist dies eher die Ausnahme, während das Ausmaß an Lärm in unserem Leben anstelle der früheren harmonischen Geräusche der Natur getreten ist. Der Verkehr zu Wasser, Land und Luft, Maschinen, elektrische Geräte und die ganze moderne Unterhaltungselektronik sind zu festen Bestandteilen der täglichen Erfahrung geworden. In der modernen Welt ist ein bestimmter Lärmpegel geradezu unausweichlich geworden. Wenn wir uns dem nicht durch einen Rückzug in die Wildnis entziehen oder die Geräuschkulisse durch einen Stromausfall oder durch überschwemmte oder zugeschneite Straßen vorübergehend entfällt, akzeptieren wir den Lärmpegel als normal und machen uns keine weiteren Gedanken über dessen negativen Auswirkungen.

Alle Klänge und Geräusche wie alles andere, was Körper und Geist wahrnehmen, können entweder zum Gleichgewicht oder Gleichgewichtsverlust der Doshas beitragen. Die *Rishis*, die Verfasser der ursprünglichen ayurwedischen Schriften, lebten in einer Welt, deren Lärmpegel mit unserer heutigen Zivilisationsumwelt kaum verglichen werden kann. Dennoch wußten sie, wie Geräusche und disharmonische Klänge das psychosomatische Gleichgewicht zu stören vermögen und wie bestimmte Klänge eingesetzt werden können, um das verlorene Gleichgewicht wiederherzustellen. Gemeinsames Singen, zum Beispiel, hilft Spannungen, Angst und Gefühle der Entfremdung abzubauen. Es gibt jedoch auch Musikformen, die eine außerordentlich negative Wirkung auf die Lebensenergie entfalten. Beobachtungen zufolge kann Rap-Musik Pflanzen töten. Viele Straßengangs hören sehr viel Rap-Musik, was sicherlich einen Teil zu ihrer Neigung zu Gewalttätigkeit und Mißachtung jeglicher Ordnung beiträgt.

Durch Singen, Rezitieren, das Spielen eines Instruments oder sogar durch Musikhören entsteht mehr Harmonie in der ganzen Umwelt, in der wir leben. Durch positive Klänge ist es möglich, jeden Ort oder jeden Raum in eine Oase des Friedens und des wahren Genusses zu verwandeln. Viele indische Instrumente wurden ursprünglich so gebaut, um eine positive Wirkung auf Körper und Geist des Zuhörers zu entfalten. Die indischen Ragas wurden bewußt komponiert, um eine größere Harmonie im Tagesablauf zu verwirklichen, und sind förderlich beim Aufwachen, bei der Arbeit, verbessern die Verdauungsfunktionen, helfen beim Entspannen oder Einschlafen.

Viele Menschen werden Mantras eher mit einer spirituellen Praxis in Verbindung bringen. Im Ayurweda werden Mantras, ob einzelne oder spezifische Gruppen von Silben, aufgrund ihrer ausgleichenden, nährenden und verjüngenden Wirkung verwendet. Die nachfolgenden Mantras oder heiligen Klänge haben ebenfalls Auswirkungen auf die Schönheit ...

Om – vermehrt die spirituelle Kraft, klärt den Geist und vermehrt Ojas, jenes Element, das für eine strahlende Gesundheit und Schönheit verantwortlich ist.

Shreem – vermehrt die Kraft der weiblichen Energie für Gesundheit und Schönheit.

Ram – aktiviert die schützende Energie.

Hum – stärkt alle körperlichen Funktionen.

Aym – wirkt anziehend auf Sarasvati, Göttin der Weisheit.

Kreem – vermehrt die Wirkung von selbst hergestellten Kosmetika.

Klim – verbessert die sexuelle Vitalität.

Es gibt ebenfalls Mantras, die einen Bezug zu den fünf Elementen und den ihnen zugeordneten Organen, Geisteszuständen und Funktionen haben und einen positiven Einfluß auf diese entfalten ...

Lam – Erde; **Ram** – Feuer; **Ham** – Äther; **Vam** – Wasser; **Yam** – Luft

Sanskrit-Silben wie die oben angeführten haben eine mächtige Wirkung, denn diese Sprache wurde als spirituelle Sprache geschaffen mit der Absicht, das Leben in einen Zustand vollkommenen Gleichgewichts und Einklangs zu bringen. Interessanterweise hat die englische Sprache ihren Ursprung im keltischen Baumalphabet, das ebenfalls eine reiche Ausdruckskraft hat und auf einer spirituellen Grundlage fußt. Die Fülle der ursprünglichen Sprache ist im Verlauf der Geschichte verlorengegangen, aber viele der Silbenklänge üben noch eine kraftvolle Wirkung aus. Nimm zum Beispiel den Klang Deines eigenen Namens. Singe Dir den Namen vor und betone jede Silbe. Kannst Du Dich damit identifizieren? Gefällt Dir das, was Du hörst? Fühlst Du Dich mit diesem Namen wohl? Wäre ein anderer Name besser für Dich? Viele Frauen (und besonders im Zuge der New-Age-Bewegung), die den Weg zu ihren ureigenen Stärken beschritten und neue Fähigkeiten entwickelt haben, verspüren das Bedürfnis, ihren Namen zu ändern. In der östlichen Tradition ist es durchaus üblich, daß Individuen mit dem Fortschreiten auf ihrem spirituellen Weg neue Namen annehmen. Dem Namen als solchem wird eine transformative Wirkung nachgesagt.

Die moderne Tontechnologie hat nicht nur die Aufnahme, Wiedergabe und die Hörgewohnheiten von Musik grundlegend verändert, sondern wird nun auch gezielt eingesetzt, um körperliche und geistige Funktionen zu verbessern. Ein Beispiel hierfür ist „Genesis", ein von Michael Bradford entwickeltes Gerät, das die Entwicklung höheren Bewußtseins fördern soll. Bradford hat einen Computer mit künstlicher Intelligenz konzipiert, der Körperrhythmen und Körpersignale erfaßt und jede abgespielte Musik so aufbereitet, daß eine maximale Steigerung der Alpha- und Theta-Gehirnwellenfunktionen erzielt wird. Mit Hilfe dieser Maschine wird dasselbe Ziel verfolgt, wie es die Rishis des Ayurweda taten, als sie die Wirkungen von Klängen, spezifischen Mantras und bestimmten Instrumenten auf den menschlichen Körper und die Psyche entdeckt haben. Das Gerät von Michael Bradford steht durchaus im Einklang mit dem Geist des Ayurweda, denn die Wirkungen werden genau auf den jeweiligen Menschen abgestimmt.

In der heutigen Zeit können wir wählen zwischen den Gesängen und Traditionen der alten Hochkulturen und den Pionieren neuer Technologien, die das alte Wissen bewußt auf eine neue Art und Weise aufbereiten und einsetzen. Die Wahl liegt bei jedem von uns. Du solltest Dir – ganz gleich, wie Deine Wahl ausfällt – Zeit für die Musik nehmen und Dein Leben durch den Zauber des Klangs verschönern. Dies ist ein weiterer Weg, um Dich selbst zu erkennen, zu nähren und Deine Ausstrahlung zu verschönern.

Edelsteine und Schmuck

Edelsteine und Edelmetalle werden im Ayurweda verwendet, um planetarische Einflüsse auszugleichen, aber auch wegen ihrer direkten Wirkung auf die Lebensenergie. Aufgrund ihrer Fähigkeit, positive Energien sowohl anzuziehen, als auch abzustoßen, können wir ihre heilenden Energien empfangen, indem wir sie als Schmuck oder am Körper tragen. Es ist auch möglich, Edelsteine über Nacht in Wasser zu legen und das Wasser am nächsten Tag zu trinken, Edelsteintinkturen in Wasser einzunehmen oder Wasser aus Gefäßen aus besonderen Metallen wie Gold, Silber oder Kupfer zu trinken. Dabei wirkt Gold gut auf Vata, während Silber sich sowohl für Kapha als auch für Pitta eignet. Im Ayurweda werden auch oxidierte und gereinigte Edelsteine und Metalle in Medikamenten verwendet. Diese als „Basmas" bezeichneten Präparate wirken auf die tiefsten Ebenen im Körper, fördern die Heilung von chronischen Krankheiten oder werden bei der ayurwedischen Verjüngungstherapie eingesetzt. In der ayurwedischen Welt genießen die Tibeter einen ausgezeichneten Ruf hinsichtlich der Herstellung dieser kostbaren heilenden Substanzen.

Edelsteine, die zu Heilzwecken verwendet werden, sollten vorher zur Reinigung mindestens zwei Tage lang in Salzwasser gelegt werden. Bisweilen wird auch Wasser von heiligen Plätzen verwendet wie das Ganges-Wasser oder Wasser aus dem Chalice-Brunnen in Glastonbury. Die Heilkraft edler Steine kann ebenfalls durch das Rezitieren von heiligen Silben oder Mantras gesteigert werden.

Nachfolgend sind einige Einteilungen aufgelistet, die Dir helfen sollen, den größten Nutzen aus der Verwendung von Edel- und Halbedelsteinen zu ziehen. Wähle aus, was Dir in körperlicher, geistiger und spiritueller Hinsicht am besten erscheint. Du kannst sicher sein, daß diese Steine auch die Entfaltung Deiner inneren Schönheit fördern werden.

Ayurwedische Einteilung von Edel- und Halbedelsteinen nach dem Geburtsmonat

Januar	Granat	Juli	Rubin
Februar	Amethyst	August	Saphir
März	Hämatit (Blutstein)	September	Mondstein
April	Diamant	Oktober	Opal
Mai	Achat	November	Topas
Juni	Perle	Dezember	Rubin

In manchen Fällen wird es vielleicht nicht möglich sein, allein schon aus Kostengründen, den gewünschten Edelstein zu beschaffen. Daher folgt eine Liste von Halbedelsteinen, die als Ersatz bei allen hier gemachten Vorschlägen verwendet werden können.

Edelstein	**Halbedelstein**
Rubin	Granat
Perle	Mondstein
Smaragd	Jade oder Peridot
Gelber Saphir	Zitrin
Gelber Topas	Zitrin
Diamant	Farbloser Zirkon oder Quarz
Saphir	Amethyst

Eingehendere und spezifischere Empfehlungen finden sich in den vedischen astrologischen Schriften. Nach diesen Vorstellungen werden Edelsteine ausgewählt, um bestimmte Schwächen im Geburtshoroskop zu stärken oder eine heilende Wirkung während einer bestimmten Zeitspanne zu entfalten.

Edle Steine und die Doshas

Zunächst wollen wir eine Reihe von Edel- und Halbedelsteinen und ihre Wirkung auf die Doshas betrachten ...

Achat vermindert Kapha; hilft, vor Angst und Furcht zu schützen, und unterstützt das spirituelle Erwachen.

Amethyst vermindert Vata und Pitta; verhilft zu mehr emotionaler Ausgeglichenheit und fördert das Empfinden für Würde, Liebe, Mitgefühl und Hoffnung.

Beryll vermindert Vata und Kapha; fördert den Ausdruck und die Manifestation von Intelligenz, Macht und Prestige.

Diamant: Weiße oder farblose Diamanten regen Vata und Pitta an und beruhigen Kapha. Der blaue Diamant beruhigt Pitta und regt Kapha an. Der rote Diamant regt Pitta an und fördert feinstoffliche Schwingungen zum Herzen, Gehirn und den tiefen Geweben. Die verjüngende Wirkung steigert die Aura, verleiht Schönheit und Charme. Dieser Stein hilft, Beziehungen zu festigen.

Lapislazuli vermindert Vata und Kapha; trägt zur Stärkung der Augen, des Körpers und Geistes bei; ist nützlich in der spirituellen Praxis.

Mondstein vermindert Pitta und Vata und vermehrt Kapha; wirkt beruhigend auf den Geist; lindert emotionalen Streß (wirkt auch gut bei PMS).

Opal wirkt positiv auf Vata und Kapha; fördert Freundschaft, Mitgefühl, Kreativität und Verständnis.

Perle vermindert Vata und Pitta und vermehrt Kapha; beruhigt Körper und Geist; entfaltet eine heilende Wirkung, besonders auf die Haut; reinigt das Blut und steigert die Vitalität.

Rote Koralle vermindert Vata und Pitta und vermehrt Kapha; reinigt das Blut und hilft, Gefühle wie Zorn, Eifersucht und Haß zu zügeln; verleiht mehr Ausdauer und Mut.

Rubin vermindert Vata und Kapha; verbessert die Konzentration und Kraft des Geistes; stärkt den Willen und die Selbständigkeit.

Topas vermindert Vata; wirkt lindernd bei Ängsten und Furcht.

Blauer Saphir wirkt unterstützend beim Abnehmen und beruhigend auf die Gefühlslage.

Gelber Saphir: steigert Energie und Vitalität, aallgemein gesundheitsförderlich – unabhängig vom vorherrschenden Dosha.

Wenn Du Edelsteine als Schmuck tragen willst, wird die beste Wirkung mit Steinen erzielt, die mehr als zwei Karat (das entspricht 0,4 g) aufweisen und so getragen werden, daß ein Kontakt mit der Haut gegeben ist. Wenn es Dir nicht möglich sein sollte, einen Edelsteinring oder eine Halskette mit einem mehr als zwei Karat großen Stein zu beschaffen, dann ist es besser, sich für einen entsprechend größeren Halbedelstein zu entscheiden. Mit Kontakt zur Haut ist gemeint, daß die Steine so gefaßt werden, daß die Rückseite zum Körper entsprechend offen gehalten ist. Wenn nicht anders angegeben, ist Gold das bevorzugte Metall für eine Fassung der Edelsteine für die verschiedenen Doshas.

Edelsteine für Vata

Allgemeine Empfehlungen *(Einzelsteine):* Smaragd, Jade, Peridot, gelber Saphir, Topas, Granat, Rubin
(In Verbindung mit Edelmetallen) Zitrin in Goldfassung, Amethyst in einer goldenen Halskette, Beryll in einem Silberring am linken Ringfinger getragen

Spezifische Empfehlungen: Lapislazuli in einer goldenen Halskette; ein Opalring am rechten Zeigefinger; eine Opal-Halskette; eine Perle am rechten Ringfinger; ein Rubin am linken Ringfinger; ein Topas am rechten Zeigefinger; Topas als Halskette; ein gelber Saphir am Zeigefinger; blauer Saphir am Mittelfinger; ein in Silber gefaßter Mondstein am rechten Ringfinger.

Edelsteine für Pitta

Allgemeine Empfehlungen *(Einzelsteine):* Mondstein, durchsichtiger Quarz, Smaragd, Jade, Perle, Peridot, blauer Saphir
(In Verbindung mit Edelmetallen) Amethyst in Silber gefaßt; Diamant in weißem Goldring am Mittel- oder kleinen Finger getragen

Spezifische Empfehlungen (alle Steine in Silber gefaßt): Mondstein als Ring am rechten Ringfinger; Perle als Ring am rechten Ringfinger; Ring mit roter Koralle am Zeigefinger; blauer Saphir als Ring am Mittelfinger.

Edelsteine für Kapha

Allgemeine Empfehlungen *(Einzelsteine):* Granat, Rubin, blauer Saphir, Amethyst
(In Verbindung mit Edelmetallen) in Gold gefaßtes Katzenauge, Lapislazuli in einer goldenen Halskette; Achat in einer goldenen Halskette; Beryllring am linken Ringfinger.

Spezifische Empfehlungen: Diamantring am rechten Ringfinger; Opalring am rechten Zeigefinger; blauer Saphir am Mittelfinger; in Silber gefaßter Rubin am linken Ringfinger.

Nimm Dir Zeit, Deine Parfüms und ätherischen Öle zu entdecken, experimentiere mit besonderen Farben, gönne Dir ein besonderes Schmuckstück und fülle Dein Leben mit herrlichen Klängen.

Genieße alle diese wunderbaren Dinge und gib die Schönheit, die Du entdeckt hast, an die Welt zurück.

Der Nutzen ayurwedischer Massage

„Das Geheimnis von Jugend und Schönheit liegt im richtigen Kreislauf der wichtigsten Lebensflüssigkeiten und in der regelmäßigen Entgiftung unseres Körpers."
Harish Johari

Nichts unterstützt den Körper mehr dabei, Harish Joharis Worte zu befolgen, wie die Massage. In der Tat gilt die Massage nach ayurwedischer Tradition als ebenso fundamental für Gesundheit und Schönheit wie eine vernünftige Ernährungsweise und andere Lebensgewohnheiten. Für viele Inder stellt die Massage vom ersten bis zum letzten Tag ihres Lebens einen festen Bestandteil des Alltags dar. Babys werden ungefähr bis zu ihrem dritten Lebensjahr täglich massiert, dann bis zum sechsten Lebensjahr etwa zweimal in der Woche. Mit sechs Jahren beginnen sie, die älteren Familienmitglieder zu massieren, quasi als Ausgleich für die erhaltenen Massagen. Die Massage ist eine wahre Familienangelegenheit. Auch Braut und Bräutigam werden vor ihrer Hochzeit massiert. Hinterher massieren sie sich gegenseitig mindestens einmal pro Woche, um den Streß des Alltags abzuschütteln. Frauen und ihre Neugeborenen werden nach der Entbindung vierzig Tage lang täglich massiert. Und so setzt sich der Lauf von zärtlicher Fürsorge durch Berührung weiterhin fort. Was für eine herrliche Tradition! Nicht umsonst sind indische Frauen für ihre natürliche Anmut und ihren Liebreiz bekannt.

In der modernen, westlich orientierten Welt von heute gibt es das einfache Leben mit den Vorzügen familiärer Zusammengehörigkeit nur noch selten. Dennoch kann uns die Massage helfen. Besonders nützlich ist sie in kühleren Klimazonen und für Menschen, die mehr mit dem Geist als mit dem Körper arbeiten.

Welchen weiteren Nutzen neben Wohlbefinden und Entspannung kann eine Massage bieten?

Massage ...

- gibt der Haut geschmeidigen Glanz.
- kräftigt und entspannt das unter der Haut liegende Muskelgewebe, die Haut wird somit besser versorgt, der Körper erhält sanfte Rundungen.
- erhöht die Körperwärme und regt den Blutkreislauf an.
- begünstigt die lebenswichtige Sauerstoffversorgung des Gewebes.
- bewirkt eine Entgiftung des gesamten Organismus.
- stärkt das Immunsystem und erhöht somit die körperliche Widerstandsfähigkeit gegen Krankheiten.
- verschafft dem Körper Dynamik, Energie und ein Gefühl von Leichtheit.
- lockert die Gelenke, bewirkt so eine bessere Körperhaltung und verleiht den Bewegungen mehr Grazie.
- erhöht die Elastizität der Wirbelsäule und verbessert die Leistung der Organe und des restlichen Körpers.
- erhöht die Ausdauer und sexuelle Vitalität.
- reguliert die Verteilung elektromagnetischer Energie auf den gesamten Körper.
- verbessert Konzentration und Intelligenz.
- fördert Körperbewußtsein, Selbstvertrauen und Willenskraft.
- wirkt regenerierend und hält jung.

Kurzum, Massage kann Dir dabei helfen, Dich jung, vital, schön und gesund zu fühlen. Versuche also, so häufig wie möglich massiert zu werden. Falls Du keine Ganzkörpermassage erhalten kannst, dann versuche zumindest, Deine Füße täglich und Deinen Kopf etwa alle drei Tage zu massieren. Näheres hierzu findest Du in der allgemeinen Anleitung für Selbstmassage. Am Ende dieses Kapitels folgen jedoch Anweisungen für tiefe Fußmassagen sowie, falls Du viel mit den Händen arbeitest, tiefe Handmassagen.

Hier wird nun eine traditionelle ayurwedische Ganzkörpermassage beschrieben, die Du selbst anwenden kannst. Probiere alle einzelnen Massagen aus und füge sie so weit wie möglich in Deinen Tagesplan ein. Die Anwendungen werden sehr bald ihre Wirkung zeigen und Dich mit neuer Energie dazu anregen, damit fortzufahren.

Techniken der ayurwedischen Selbstmassage

Im Idealfall sollte der hier beschriebene Ablauf der Selbstmassage jeden Morgen vor einem warmen Bad erfolgen. Viele finden jedoch abends mehr Zeit, sich zu entspannen. Du solltest hierfür jedenfalls nicht unter Zeitdruck sein und mindestens zwanzig Minuten zum Ausruhen haben, bevor Du Deine normalen Tätigkeiten wieder aufnimmst.

Vorbereitung

Erwärme eine Vierteltasse kaltgepreßtes Sesamöl (oder ein anderes, Deinem Dosha-Grundtypus entsprechendes Öl, mit oder ohne Kräuterextrakte oder ätherische Öle). Am einfachsten ist es, das Öl in eine elastische Plastikflasche zu füllen und diese in heißes Wasser zu tauchen, bis das Öl für die Haut angenehm warm ist. (*Beachte:* unbenutztes Öl kühl aufbewahren!)

Als nächstes entspanne Dich. Atme ein paarmal tief ein und reibe Deine Handflächen, bis sie warm sind. Die Hände werden so mit Energie geladen und fühlen sich angenehm an.

Kopfmassage

Gib etwas Öl auf die Stelle am Mittelscheitel, die acht Fingerbreiten über den Augenbrauen (vorderer Fontanellenpunkt) liegt. Massiere das Öl auf beiden Kopfhälften wie beim Shampoonieren in Richtung der Ohren. Gieße nun etwas Öl auf den zentralen Scheitelpunkt (3 Fingerbreiten hinter dem vorderen Fontanellenpunkt) und massiere das Öl erneut in Richtung der Ohren in die Kopfhaut ein. Beuge den Kopf nach vorn und gib etwas Öl auf die Stelle, an der sich Schädelrücken und Hals treffen. Reibe das Öl in Richtung der Ohren entlang beider Seiten des Kopfes ein. Der gesamte Kopf sollte nun eingeölt sein.

Der Kopf wird nun mit beiden Fäusten sanft beklopft. Dadurch werden die Durchblutung und das Nervensystem angeregt. Reibe danach mit Deinen Fingern auf der Kopfhaut entlang, wobei Du an den Wurzeln jeweils kleiner Haarbüschel sanft ziehst. Dies trägt zur Muskelent-

Legende zu den nachfolgenden Abbildungen

Bei der Massage werden im allgemeinen Bewegungen im Uhrzeigersinn bevorzugt, da sie spannungslösend sind. Dies gilt stets für Marma-Punkte, um den Körper zu stärken und zu nähren.

Massagen gegen den Uhrzeigersinn regen die Energie im Körper an. Sie sind eher selten, werden nie an Marma-Punkten durchgeführt und gehen für gewöhnlich Massagen im Uhrzeigersinn voraus.

Diese Linien auf der Vorder- und Rückseite zeigen an, wo man Öl verwendet und entgegen der Haarwuchsrichtung streicht.

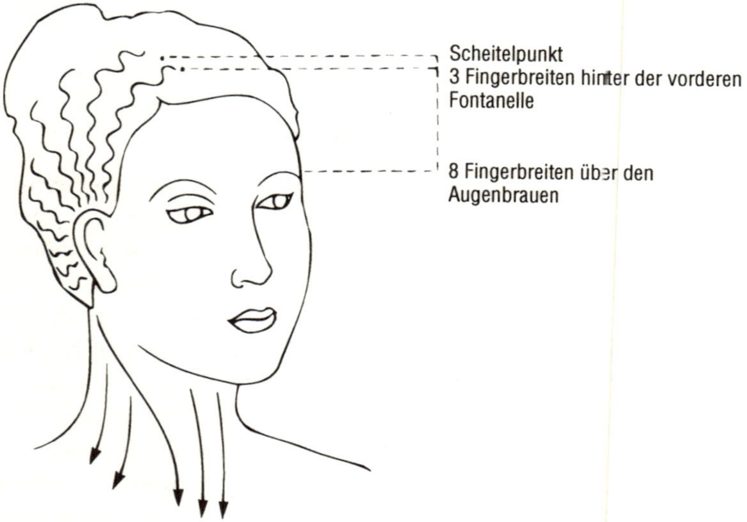

Abbildung 1: *Selbstmassage des Kopfes und des Halses*

spannung bei, der Kopf wird leichter. Achte vor allem darauf, das Haar über den drei Punkten zu ziehen, auf die Du das Öl gegossen hast (Abb. 1).

Gesichtsmassage

Massiere mit stets geölten Fingerspitzen von der Mitte der Stirn (oberhalb und zwischen den Augenbrauen) nach außen zu den Haaransätzen der beiden Gesichtshälften. Massiere nun weiter über alle Gesichtskonturen, von der Mittellinie des Gesichts nach außen und hinauf, über die Stirn, über und unter den Augen, von der Nase über die Wangen, über und unter den Lippen und – nicht zu vergessen – auch unterhalb des Kinns nach oben unter den Kiefer.

Halsmassage

(Denke daran, daß die Hände immer gut geölt sind, so daß sie leicht über den Körper gleiten können. Öle alle Gelenke der jeweils zu behandelnden Bereiche großzügig ein.)

Streiche mit allen vier Fingern zusammen den Halsrücken hinauf. Benutze die rechte Hand für die linke Seite des Halses und umgekehrt. Streiche auf beiden Seiten des Halses nach unten, drücke dabei aber nicht direkt gegen die Luftröhre. Im allgemeinen gilt die Regel, auf der Rückseite des Körpers aufwärts zu streichen (somit auch den Halsrücken nach oben) und auf der Vorderseite abwärts (die Vorderseite des Halses also nach unten).

Massage der Arme

Zunächst verwendest Du die Handfläche und die Finger der rechten Hand, um den linken Arm zu behandeln. Streiche in kleinen Kreisen kräftig über Schulter, Ellbogen und Handgelenk. Streiche nun die Muskeln des inneren Ober- und Unterarms abwärts, wobei Du den Konturen der Muskeln folgst. Fahre dann den Außenarm in einer Bewegung nach oben. Es wirkt äußerst entspannend, wenn Du dabei die natürlichen Kurven und Formen berücksichtigst. Wiederhole jetzt den Vorgang, indem Du die linke Hand für den rechten Arm gebrauchst. (Abb. 2, S. 164– 165)

Massage der Hände

Streiche die Handrücken hinunter und behandle dann jeden einzelnen Finger mit rupfenden, ziehenden Bewegungen. Danach streiche mit dem Daumen der einen Hand die Handfläche der anderen aus; dabei beginnst Du an den Handballen und arbeitest Dich über die Handfläche zu den Fingeransätzen vor. Wiederhole dies mit der anderen Hand.

Massage des Rumpfs

Massiere mit den Handflächen in großen Kreisen über die Vorderseite des Körpers. Arbeite Dich von der Mittellinie des Körpers nach oben und außen. Beginne an der Schulter und bewege Dich über die Brust zum Ende der Rippen. Massiere den Bauch in Kreisen, wobei Du spiralförmig im Uhrzeigersinn vom Nabel nach außen streichst (Du beginnst die Bewegung nach rechts, streichst über dem Bauchnabel nach links und dann abwärts, unterhalb des Bauchnabels wieder nach rechts und schließlich nach oben, wo Du weitere Runden um den Nabel streichst).

Massiere den Rücken, so gut wie Du kannst. Beginne am Fuß der Wirbelsäule und arbeite Dich vom Rückgrat über die Rippen nach oben und außen. Abschließend drückst Du die Schulterspitzen. (Abb. 2, S.164 –165)

Beinmassage

Massiere die Gesäßbacken in großen Kreisbewegungen im Uhrzeigersinn. Öle das gesamte Bein ein, indem Du entgegen der Haarwuchsrichtung nach oben streichst, damit das Öl gut absorbiert wird. Gebrauche nun beide Hände, die eine auf der Innen-, die andere auf der Außenseite des Beins. Massiere die Vorderseite des Beins abwärts. Dabei beginnst Du an der Hüfte, ziehst die Hände zur Mittellinie des Oberschenkels abwärts nach innen. Wenn Du die Rückseite des Oberbeins massierst, setzt Du jeweils knapp oberhalb der Knie an und fährst aufwärts nach innen zur Mittellinie des Oberschenkelrückens. Fange mit dem rechten Bein an.

Streiche die Vorderseite des Unterschenkels vom Knie abwärts zum Fußknöchel. Auf der Rückseite massierst Du auf gleiche Weise wie am Oberschenkel vom Knöchel über die Wade nach oben zur Kniekehle. (Abb. 2, S. 164 – 165)

Streiche den Fuß entlang nach unten und ziehe an den Zehen ähnlich wie bereits vorher an den Fingern. Denke hierbei besonders an den Fußrist und die Fußspitze, das heißt an die Ansätze der Zehenspitzen. Massiere die Fußsohlen mit reichlich Öl und achte darauf, daß beide Füße gleichermaßen behandelt werden. Die Abbildung der Fußreflexzonen in diesem Buch wird Dir dabei helfen, die jeweiligen Stellen an den Fußsohlen zu finden, die Deinen Organen und Deiner Körperstruktur entsprechen. Streiche vorsichtig über alle wunden und schmerzhaften Stellen. Schließe immer mit einer sanften Kreisbewegung im Nierenbereich. (Abb. 7, S. 173)

Beende Deine Massage, indem Du ein paar Tropfen warmes Sesamöl in jedes Ohr und Nasenloch, den Nabel und um den After- und Genitalbereich gibst. Ruhe Dich nach der Massage ein wenig aus. Nimm eine kleine Zwischenmahlzeit zu Dir und dusche Dich warm, um das restliche Öl abzuwaschen. Benutze hierzu eine Paste aus Kichererbsenmehl und Wasser oder Milch, die vor dem Abspülen oder dann, wenn das Wasser nicht läuft, aufgetragen wird. Das restliche Öl läßt sich auf diese Weise leicht entfernen, und die Haut wird gestärkt. Seife dringt dagegen tiefer ein und zerstört kurzzeitig den Schutzmantel der Haut. Dieser Mantel schützt den Körper vor unerwünschten Substanzen, die über die Haut eindringen. Außerdem kann Seife auch das Öl entfernen, das ruhig auf der Haut bleiben kann, um diese zu nähren und zu schützen. Wenn Du unbedingt Seife nehmen mußt, dann verwende eine reine, milde Olivenölseife oder eine der im Handel erhältlichen ayurwedischen Seifen (siehe Quellenanhang).

Einige Anmerkungen zu Kichererbsenpaste und -mehl: Kichererbsen sind hier im Westen auch als Garbanzo-Bohnen bekannt. Kichererbsenmehl ist bei orientalischen und indischen Händlern erhältlich, wo es „feines Graham"- oder „Besan"-Mehl genannt wird. Das in Naturkostläden erhältliche Kichererbsenmehl ist im allgemeinen zu grob für die Anwendung auf der Haut. Die zum Duschen verwendete Kichererbsenpaste wird zubereitet, indem man acht (8) gehäufte Eßlöffel (englische Dessertlöffel[3]) mit einer halben Tasse Milch oder Wasser vermengt. Trage diese Paste in kleinen Mengen auf die Haut auf, während Du Dich im Bad oder in der Dusche befindest. Verreibe sie sanft und spüle sie ab. Möchtest Du diese Paste nicht zubereiten, so kannst Du als Alternative

---

[3] entspricht etwa einem deutschen Kartoffel- oder Gemüselöffel. Amerkung der Lektorin.

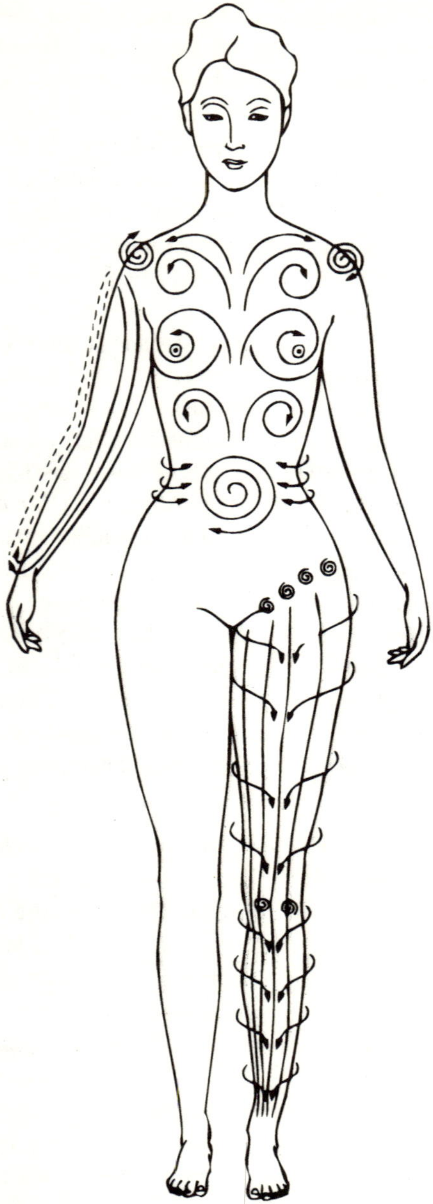

Abbildung 2: *Selbstmassage an der Vorderseite des Körpers*
Beachte: streiche grundsätzlich nach unten

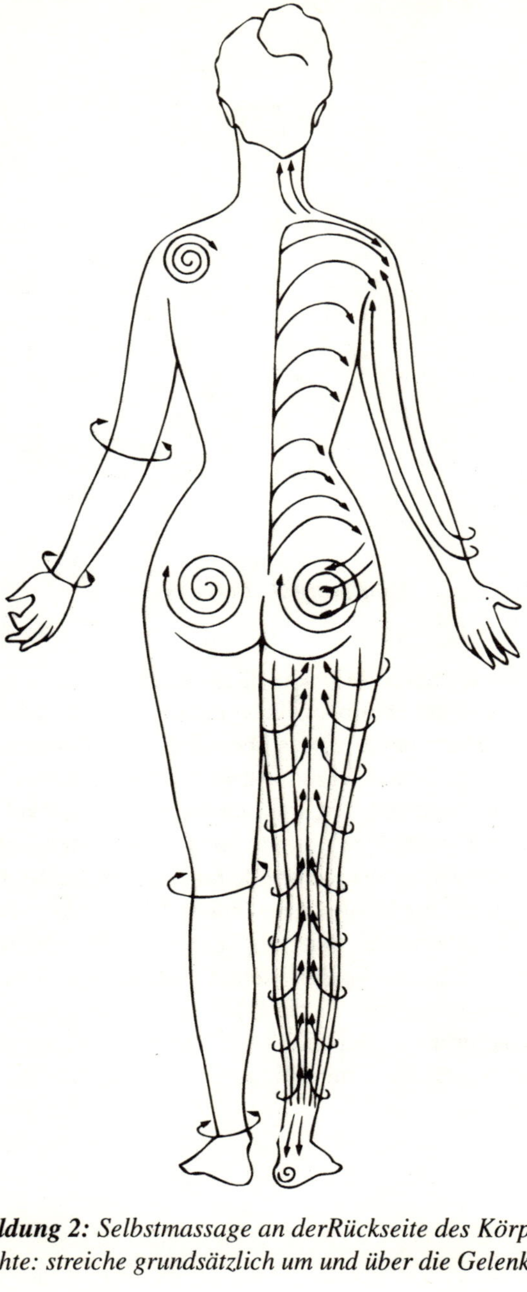

Abbildung 2: *Selbstmassage an derRückseite des Körpers.*
Beachte: streiche grundsätzlich um und über die Gelenke nach oben

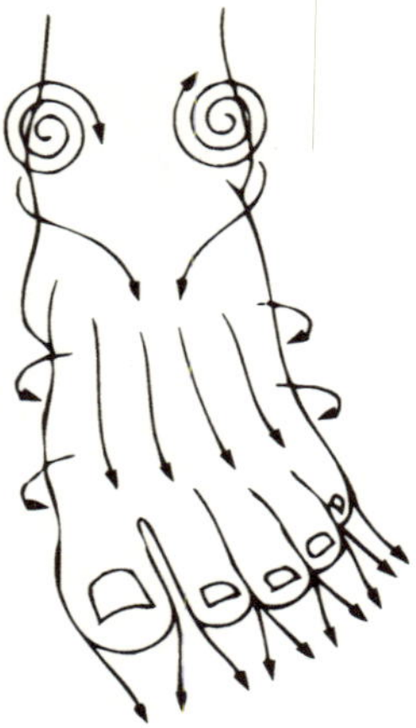

Abbildung 3: *Fußmassage*

auch trockenes Kichererbsenmehl direkt über Deinen Körper streuen und es zügig über die Hautoberfläche reiben. Laß das Mehl etwa eine Minute auf der Haut, damit es das überschüssige Öl aus den Poren absorbieren kann. Spüle es dann mit warmem Wasser ab. Beide Methoden glätten die Haut, verleihen ihr Geschmeidigkeit und prickelnde Frische.

Für erhöhten Genuß füge einem warmen Bad nach dem Abspülen etwas Milchpulver oder ätherische Öle hinzu und genieße die gute Wirkung. Milch glättet die Haut auf natürliche Weise und versorgt sie mit Nährstoffen, die ätherischen Öle entspannen gleichermaßen Körper und Geist. Rezepte, die Deiner körperlichen Konstitution und Kondition entsprechen, findest Du in dem Kapitel *Aroma, Farben und Edelsteine*.

Hast Du eine größere Menge Öl auf Deinem Kopf verwendet, wirst Du Deine Haare gründlich mit Shampoo waschen müssen.

Techniken für tiefe Hand- und Fußmassage

(Folgende Techniken für Hand- und Fußmassage können in Verbindung mit der Ganzkörpermassage oder gesondert angewandt werden.)

Handmassage

Durch Anregung der Akupunkturpunkte und Energiemeridiane, die durch die Hand zu den Fingerspitzen verlaufen, entfaltet die Handmassage eine ausgesprochene Tiefenwirkung. Vergleichbar mit den Fußreflexzonen gibt es auch an der Hand Bereiche und Punkte, die mit den verschiedenen Organen und Systemen innerhalb des Körpers in Verbindung stehen. Wenn Du versuchst, diese Stellen zu massieren, behandle sie vorsichtig und anfangs nur für kurze Zeit. Achte darauf, an beiden Händen die gleichen Punkte zu behandeln, und beende Deine Massage immer, indem Du den Nierenbereich im Zentrum der Handfläche stimulierst. Dies hilft dem Körper, die durch die Handmassage freigesetzten Gifte leichter auszuscheiden (Abb. 5, S. 170).

Es empfielt sich, bestimmte Stellen während der Schwangerschaft nicht zu behandeln, da die freigesetzten Gifte in den heranwachsenden Fötus gelangen und den Organismus schwächen können.

1. Trage ein paar Tropfen warmes Öl auf das Zentrum der Handfläche auf. Streiche nun mit dem Daumen der anderen Hand kräftig vom Handgelenk zu den Fingern. Dabei streichst Du zunächst nach außen zum Ansatz des Zeigefingers, dann nach und nach zu den anderen Fingern und schließlich zum kleinen Finger. Achte auf die speziellen Reflexzonen in der Handfläche.
2. Massiere die Fingeransätze in kleinen Kreisen und dann die Seiten der Handfläche.
3. Dreh die Hand um und massiere zwischen den Bändern auf dem Handrücken vom Handgelenk bis zu dem Gewebe zwischen den Fingern. Drücke und massiere den Punkt zwischen Daumen und Zeigefinger, wie er in der Abbildung gezeigt ist. Diese Anwendung fördert die Verdauung und wirkt lindernd bei Kopfschmerzen.
4. Bei der Behandlung von Daumen und Fingern beginne mit dem

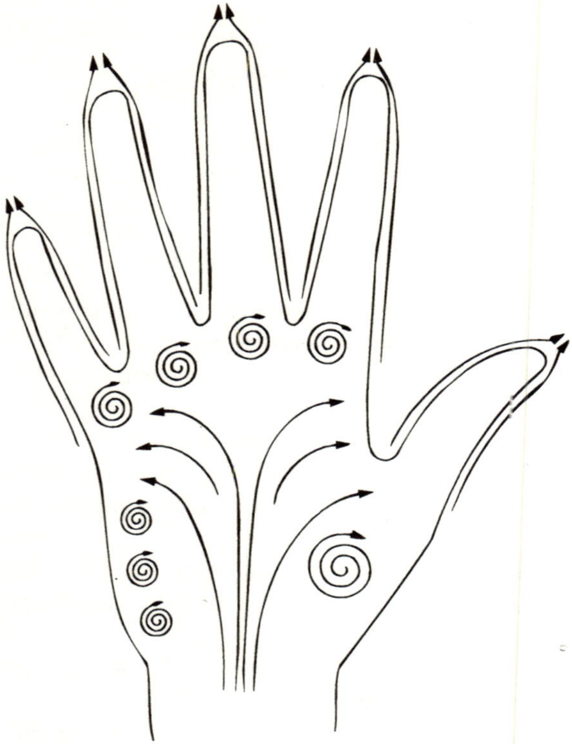

Abbildung 4: *Handfläche*

Daumen; dabei bewegst Du Dich in Zwickbewegungen vom Ansatz zur Spitze auf Fingerfront und -rücken und auf beiden Seiten entlang. Als nächstes massierst Du den Zeigefinger auf gleiche Weise und so weiter, bis Du am kleinen Finger angelangt bist. Wiederhole diesen Vorgang mehrere Male und beachte dabei, über und um alle Finger- und Daumengelenke herum zu arbeiten. Nach etwa drei Durchgängen müßtest Du den freien Energiefluß in den Fingern spüren.

5. Drücke auf jeden der in Abbildung 6 gezeigten Punkte bei allen Fingern. Drücke und laß rasch locker. Wiederhole dies mehrere Male.

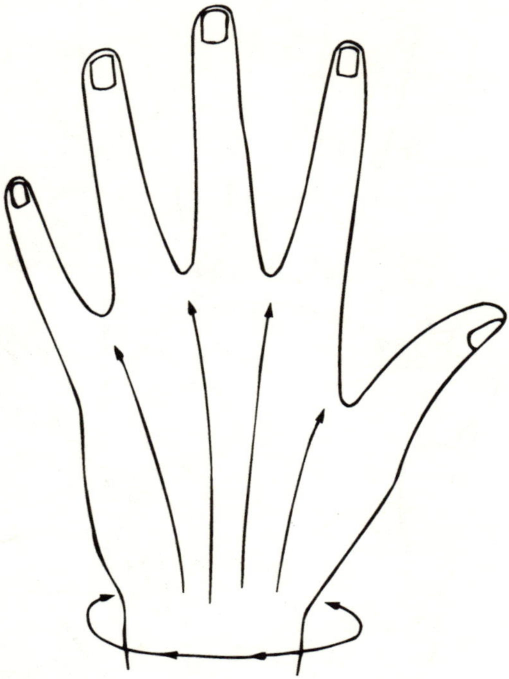

Abbildung 4: *Handrücken*

6. Beende die Handmassage, indem Du die Handflächen aneinander, dann Handfläche an -rücken reibst und zum Schluß ruhen läßt.

Dies ist durchaus ein sehr intensiver Vorgang. Du bist gefordert, einen kleinen Bereich äußerst konzentriert zu bearbeiten. Sollten Deine Hände durch diese Behandlung schmerzen oder steif werden, kannst Du sie mit chinesischen Eisenkugeln pflegen. Diese Kugeln machen Spaß, und sie trainieren und stärken Deine Hände auf sanfte Weise.

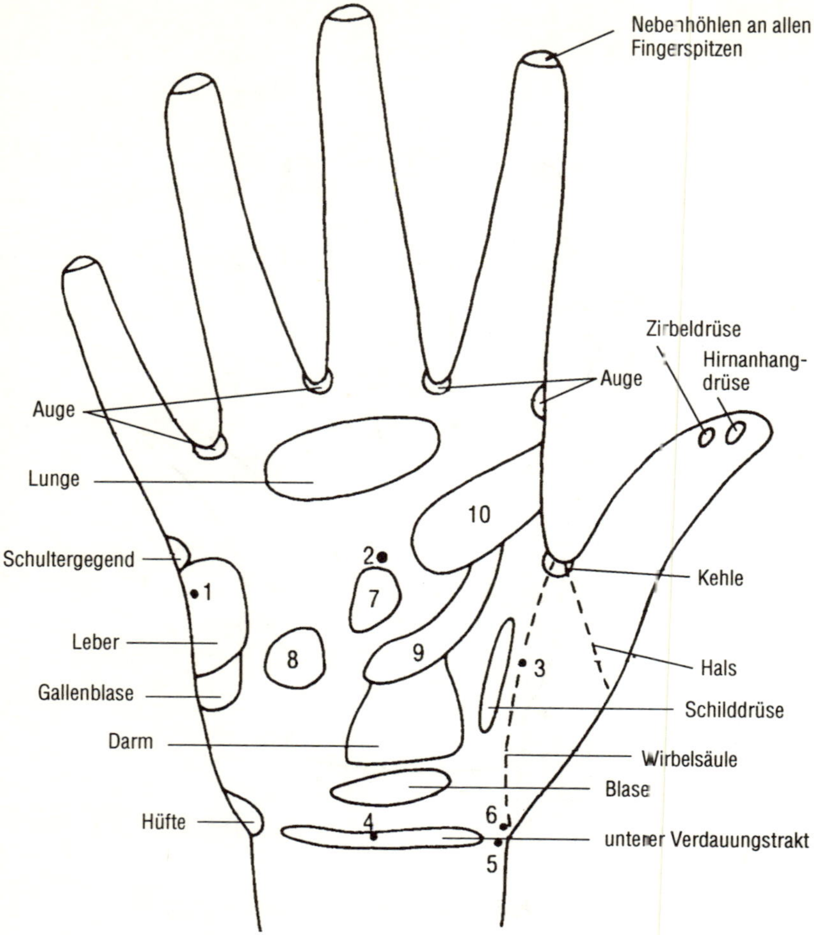

1. Leber an der re. Hand
   Milz *(Yakrut)* an der li. Hand
2. Herz *(Hrid)*
3. Verdauungspunkt an der Handfläche
   Nebenhöhlen am Handrücken *(Talus)*

4. – 5. Massiere hier zur Stärkung des gesamten Organismus *(Manibandha)*

6. Milz an der li. Hand
   Leber an der re. Hand *(Yakrut)*
7. Niere
8. Bauchspeicheldrüse
9. Dickdarm
10. Magen

Abbildung 5: *Handmassage: Reflexzonen und Marmapunkte*

Abbildung 6

Fußmassage *(Padabhyanga)*

„Krankheiten suchen niemanden heim,
der vor dem Schlafen seine Füße massiert,
genauso wie sich Schlangen keinen Adlern nähern."
Altes indisches Sprichwort

Die Tradition überliefert, daß körperliche Schönheit einem geraden, starken Rücken entspringt. Ein gesundes Nervensystem in der Wirbelsäule sorgt für gute Reizleitungen zu allen Organen und ermöglicht einen anmutigen Bewegungsablauf. Doch wenn wir uns anmutig durch diese Welt bewegen wollen, benötigen wir auch kräftige, schöne Füße, die unsere Schritte unterstützen und unsere Energie erden.

Ebenso wie bei den Händen und Ohren haben Berührungen unserer Fußsohlen eine stimulierende, reinigende und ausgleichende Wirkung auf alle Organe im menschlichen Körper. Dies ist ein Grund dafür, regelmäßig barfuß zu gehen. Es gibt nichts Wundervolleres, als barfuß über einen Kieselstrand zu spazieren oder durch morgentaubedecktes Gras zu laufen. Deshalb wirkt eine intensive Fußmassage entspannend.

Sie verhindert und heilt trockene, taube, rauhe, müde und spröde Fersen. Sie stärkt den Bewegungsapparat beim Gehen und Laufen. Die Fußreflexzonenmassage ist ein ausgereiftes Heilverfahren. Es basiert auf der Erkenntnis, daß alle Körperorgane und -regionen, somit der gesamte Organismus, auf den Füßen abgebildet ist, und es ist eine großartige

Methode zur Schmerzlinderung, zur Verbesserung der Haltung und des Gesundheitszustand der Organe. Nach dem ayurwedischen Arzt Vagbhata sind die Nerven in den Fußsohlen direkt mit den Augen und Ohren verbunden. Folglich kann die Fußmassage auch günstig auf die Funktion dieser Sinnesorgane einwirken. Eine gute Massage vor dem Schlafengehen sorgt für einen geruhsamen Schlaf. Wie bei den Händen solltest Du sanft und nur für kurze Zeit an diesen speziellen Punkten arbeiten. Behandle beide Füße gleich. Verwende Öle, die Deinen Bedürfnissen und Deinem Zustand entsprechen. Im allgemeinen ist Sesamöl das Öl der Wahl. Sesam- und Brahmiöle fördern einen tiefen und erholsamen Schlaf. (Trage Strümpfe, um das Bettlaken reinzuhalten, bis das Öl absorbiert ist.) Senföl schützt die Füße vor Austrocknen durch kaltes Wetter und vor Fußpilzerkrankungen. Mengt man dem Basisöl ätherisches Lavendel- und Rosmarinöl bei, wird eine hervorragende Wirkung gegen unruhige Beine erzielt (siehe Abb. 3, S. 166).

Sprunggelenkmassage

Reibe das Öl zügig in das gesamte Sprunggelenk, insbesondere in die Stellen um die Knöchel der Innen- und Außenseite. Zwicke nun die Achillessehne entlang, die den Wadenmuskel mit der Ferse verbindet. Wiederhole das Streichen und Kneten der Sehne mehrere Male.

Massage der Fußrückens

Halte die Ferse und laß den Rist des Fußes in Deiner Handfläche ruhen. Streiche nun kräftig mit dem Daumen der anderen Hand vom Sprunggelenk zwischen den Sehnen entlang bis zu den Zwischenräumen der Zehen. Wiederhole diese Anwendung zweimal.

Zehenmassage

Zwicke auf beiden Seiten vom Ansatz der Zehen bis zu den Spitzen, wobei Du mit der großen Zehe beginnst und an der kleinen Zehe endest. Ziehe und drehe nun jede Zehe. Gib reichlich Öl zwischen die Zehen.

Reflexzonenmassage an den Fußsohlen

Orientiere Dich an einer Abbildung über die Fußreflexzonen. Behandle zunächst die Stellen für Kopf und Hals, dann die für Schulter und Wirbelsäule und schließlich alle Problemzonen. Abschließend ist stets der Nierenbereich zu behandeln. (Beachte bitte, daß Fußreflexzonenmassage nicht während der Schwangerschaft zu empfehlen ist.)

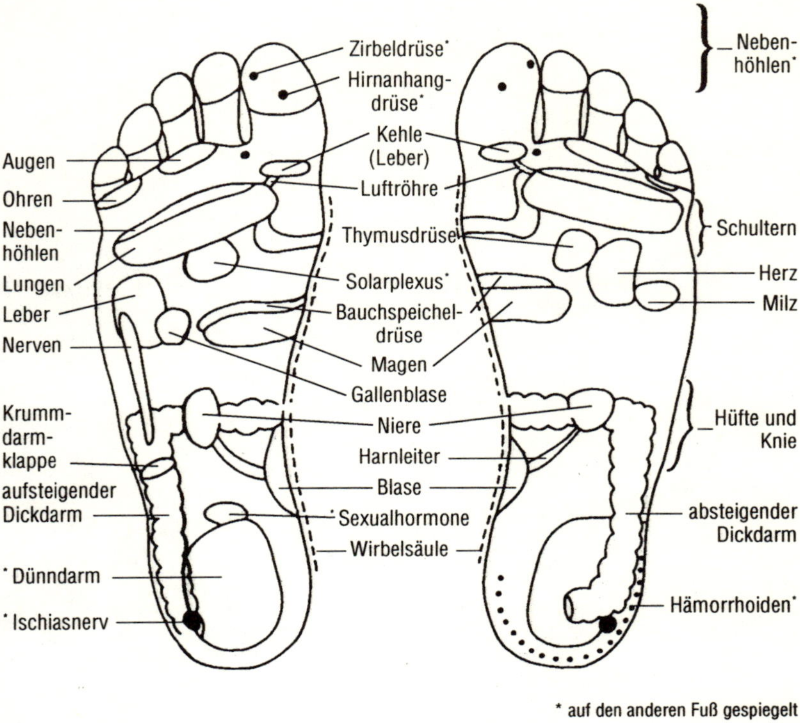

***Abbildung 7:** Fußreflexzonen*

Besondere Pflege von Körperteilen und -regionen

Der Ayurweda legt großen Wert auf eigenes Wissen und angemessene Selbstpflege, um den Körper innerlich und äußerlich schön und gesund zu erhalten. Die traditionelle Rolle des ayurwedischen Praktikers besteht darin, durch sein Wissen richtungweisend zu sein und Erfahrung in der Selbstpflege zu vermitteln; seine Verordnungen und Eingriffe sollen seine Patienten an den Punkt zurückführen, an dem sie mit Selbstpflege fortfahren können.

Diesem Zweck dient folgender Leitfaden für Präventivmaßnahmen an speziellen Körperteilen und -regionen. Außerdem werden auch einige Hausmittel für einfachere Störungen beschrieben.

Der Mund

Eine effiziente Verdauung und Ausscheidung ist im Ayurweda die Grundlage für Gesundheit und Schönheit. Gutes Aussehen ist nicht ohne optimales Arbeiten von Verdauungs- und Ausscheidungsorganen möglich.

Der Mund ist das erste Verdauungsorgan, durch ihn gelangt die Nahrung in den Körper. Gründliches Kauen und Schmecken sind wesentlich für eine gut funktionierende Verdauung. Gründliches Kauen kann die negative Wirkung schlechter Nahrung teilweise ausgleichen, aus qualitativ hochwertigen Speisen werden dagegen die wichtigen Nährwerte herausgefiltert. Voraussetzung für gründliches Kauen sind allerdings kräftige Zähne und gesundes Zahnfleisch. Um die Speisen richtig zu schmecken, benötigst Du eine kräftige, reine Zunge und ein gutes Geschmacks- und Geruchsempfinden.

Um ein kräftiges Gebiß zu erhalten, mußt Du Deine Zähne morgens und abends reinigen und mit Zahnseide behandeln. Bürste sie mit pflanzlichen Zahnpflegeprodukten oder mit nach ayurwedischen Rezepten hergestellten Präparaten. Diese Produkte schmecken gut, geben frischeren Atem und stärken gleichermaßen Zähne und Zahnfleisch. Verwende hierzu eine Bürste mit weichem Nylon oder Naturborsten. Bürste die Zähne vom Zahnfleisch wegführend oder in kleinen Kreisen und achte darauf, die gesamte Oberfläche der Zähne zu erreichen. Im Sinne einer Vorbeugung solltest Du Limonadengetränke ebenso einschränken oder vermeiden wie alle Arten von Süßigkeiten, die an den Zähnen kleben – selbst Rosinen. Diese zerfressen nicht nur den schützenden Zahnschmelz, sondern entziehen dem Körper auch wertvolle Mineralstoffe und schwächen somit Zähne und Knochen. Speisen, die reich an Mineralstoffen sind, kräftigen die Zähne. Meeresgemüse, dunkelgrünes Blattgemüse (Spinat, Broccoli etc.) und qualitativ gute Milchprodukte unterstützen die Kräftigung der Zähne von innen heraus.

Gesunde Zähne setzen gesundes Zahnfleisch voraus, das sie stützt und mit Nährstoffen versorgt. Eine Behandlung mit Zahnseide hilft gegen Zahnfleischbluten, denn festsitzende Essensreste und Zahnstein werden dadurch entfernt. Auch Zahnfleischmassage leistet gute Dienste. Versuche, Dein Zahnfleisch täglich zu massieren, vor allem wenn es Anzeichen von Zahnfleischschwund zeigt. Hier ist ein einfaches, doch wirksames Rezept für eine Mixtur zur Zahnfleischmassage:

5 Teile	Alaunpulver (hilft zur Zahnfleischkräftigung)
2 Teile	Steinsalz (lindernd)
3 Teile	schwarzer Pfeffer (desinfizierend)
1 Teil	Kurkuma (kräftigt das Zahnfleisch, steigert die Durchblutung und desinfiziert)

Verwende diese Mixtur als Puder oder mische sie zur leichteren Anwendung mit ein wenig Sesamöl, Nelkenöl oder Ghee. Massiere das Zahnfleisch mit dem Mittelfinger in kleinen Kreisen entgegen dem Uhrzeigersinn. Wem diese Anwendung nicht zusagt, der mag den Rat eines britischen Zahnarztes und Ayurwedaschülers befolgen: Massiere das Zahnfleisch mit einer zerstoßenen Erdbeere. Sie reinigt die Zähne hervorragend, und ihre zusammenziehenden Eigenschaften kräftigen das Zahnfleisch.

Die Zunge spiegelt den Zustand des Darmtrakts wider. Ein Zungenbelag deutet auf Ama, das heißt unverdaute Giftstoffe, im Darmtrakt hin und ist zudem nicht allzu attraktiv. Dieser Zungenbelag ist ein Abfallprodukt wie Urin oder Schweiß und muß jeden Morgen entfernt werden, damit er nicht beim Essen oder Trinken geschluckt wird und wieder in den Organismus gelangt. Kratze die Zunge mit einem Silber-, Kupfer-, rostfreiem Löffel oder mit einem ayurwedischen Zungenschaber, der von Firmen erhältlich ist, die ayurwedische Produkte vertreiben. Gehe vorsichtig vor, vor allem wenn die Zunge entzündet ist. Ein Belag im Bereich des Zungenansatzes deutet auf ein Problem im Dickdarm hin; die Mitte entspricht mehr dem Magen und dem Dünndarm.

Eine verbesserte Verdauung hilft auf Dauer auch gegen eine klebrige, dick belegte Zunge. Die Vata-Konstitution braucht hierfür allerdings am längsten, da ihre Verdauung so wechselhaft ist. Die Zungendiagnose ist eine ebenso komplexe Angelegenheit wie die Pulsdiagnose. In Dr. Vasant Lads Buch „Das Ayurweda-Heilbuch" sind jedoch einige einfache Beschreibungen zu finden.

Mundgeruch läßt sich nur durch eine Verbesserung der Verdauungsfunktionen nachhaltig beseitigen. Versuche es zweimal täglich mit einer halben Tasse Aloe-Vera-Saft. Außerdem kaue nach dem Essen geröstete Fenchelsamen. Beide Methoden wirken den Symptomen entgegen und fördern die Verdauungstätigkeit.

Der Rachen

Gurgle täglich mit einer Prise Salz und Kurkuma in einer Tasse warmem Wasser, um den Rachen von Schleim zu befreien. Zur Linderung von Halsschmerzen kannst Du mit dem unten beschriebenen Kräuteraufguß gurgeln, Süßholzwurzel kauen oder langsam an einem Löffel Honig lekken. Der Kräuteraufguß wirkt schmerzlindernd und antibakteriell. Süßholz löst Kongestionen (Verschleimungen) und lindert den Schmerz. Honig ist ein sehr effektives antibakterielles Mittel.

Gurgelaufguß:
1 Teelöffel Salbei
1 Teelöffel getrockneter Wegerich
1 Teelöffel getrockneter Rosmarin
1 Teelöffel getrocknete Geißblattblüten

Gieße diese Mischung mit $^1/_2$ Liter Wasser auf. Füge nach Geschmack Honig hinzu. Auch der bereits erwähnte Salz-Kurkuma-Gurgelaufguß hilft gegen Halsschmerzen.

Die Ohren

Trage jeden Morgen ein oder zwei Tropfen Sesamöl mit dem kleinen Finger um die Öffnung des Ohrenkanals auf. Dies unterstützt das Gleichgewicht des Vata-Doshas; Öl wirkt stets beruhigend auf Vata und erhält ein gutes Gehör. Außerdem löst es Kieferverspannungen.

Ohrenmassage entfaltet eine positive Wirkung auf den gesamten Körper – sie hilft gegen Müdigkeit und weckt die Sinne. Ziehe sanft die Ohrläppchen nach unten und zurück, dann nach oben und wieder zurück.

Reibe sie mit Deiner ganzen Hand, bis ein prickelndes Gefühl entsteht. Wenn man die Ohren vor- und zurückschlägt, hilft das bei sehr kaltem Wetter, Körperwärme zu erzeugen.

Wenn Du Dich einmal im Monat oder öfter in sehr Vata-störenden Situationen befindest, laß Dir eine „*Karna-purana*"-Behandlung geben. Das ist ein ayurwedisches Verfahren, bei dem der Ohrenkanal vollständig mit Sesamöl gefüllt wird. Näheres hierzu findest Du im Kapitel über besondere Anwendungen. Es hilft bei Kieferverspannung, Ohrensausen, Ohrenschmerzen, Kopfschmerzen, Zahn- und Zahnfleischproblemen und selbst bei Brennen in den Füßen. Diese Behandlung sollte früh morgens vor dem Essen durchgeführt werden.

Die Nase

Die Nase wird auch das Tor zum Gehirn genannt, wahrscheinlich weil die Gehirnfunktionen in einem so starken Ausmaß durch den Geruchssinn beeinflußt werden. Führe – wie schon bei den Ohren – jeden Morgen mit dem kleinen Finger ein bißchen Sesamöl oder Ghee in die Naseninnenwände ein. Dies hilft Dir, einen scharfen Geruchssinn zu bewahren, und beruhigt den Geist, weil es das Gleichgewicht des Vata-Doshas unterstützt. Eine Massage der Nasenspitze regt die Herztätigkeit an, eine Massage der Nasenflügel dagegen stimuliert die Lunge.

Das Ausspülen der Stirnhöhlen mit reinem, klarem Wasser, einer Prise Salz und einer Prise Kurkuma ist eine verbreitete Anwendung in Indien. Sie kann täglich durchgeführt werden oder immer, wenn die Stirnhöhlen durch das Einatmen von Staub und Schmutz voll Schleim oder trocken und entzündet sind. Inhaliere die Mischung vorsichtig durch ein Nasenloch. Laß das Gemisch in den Rachen gelangen und spucke es aus. Wiederhole das gleiche auf der anderen Seite. Dieser Vorgang läßt sich besonders gut mit einem ayurwedischen *Neti*-Topf durchführen. Eine Tasse erfüllt ihren Zweck allerdings auch. Zur Reinigung der Nasengänge und für andere medizinische Zwecke wird auch „*Nasya*" angewendet. Näheres hierzu findest Du im Kapitel über besondere ayurwedische Anwendungen.

Augen

Wenn man mehr dem Pitta-Typus entspricht, ist es vorteilhaft, die Augen kühl zu halten. Wasche sie sanft mit Wasser, das nicht heißer sein sollte als die Körpertemperatur. Wasser erhält die richtige Temperatur, wenn es eine Weile im Mund behalten wird, und das bißchen Speichel, das sich dadurch daruntermischt, ist ein natürliches Bakteriostatikum.

Bei trockenen und brennenden Augen, aber auch allgemein zur Stärkung der Sehkraft, empfiehlt sich, einen Tropfen Sesamöl in jedes Auge zu träufeln. Anfangs bildet sich dabei ein Schleier über den Augen, deshalb sollte man dies am besten vor dem Schlafengehen tun. Auch die besondere ayurwedische Behandlung *Netra Basti* eignet sich hervorragend bei den oben erwähnten Symptomen.

Bei Augendruck oder blutunterlaufenen Augen träufelst Du, wann immer es nötig erscheint oder zur Vorsorge einmal wöchentlich, ein paar Tropfen reines Rosenwasser in die Augen. Entspanne Deine Augen täglich. Du kannst sie mit Gurkenscheiben bedecken oder auch mit Wattekugeln, die in Aloe-Vera-Koriandersaft, Augentrost oder Fencheltee getränkt werden. Interessanterweise wird den Augen auch Hitze entzogen, wenn man die Fußsohlen mit Rizinusöl bestreicht. Anwendungen mit Honig, Rizinusöl, Berberitze oder Triphalatee können nach Anweisung eines ayurwedischen Praktikers als Heilmittel für einfache Augenbeschwerden verwendet werden.

Es ist allgemein augenschädlich, wenn man

- bei schlechtem oder unzureichendem Licht lernt oder liest.
- viel fernsieht oder sich häufig in der Nähe eines Fernsehers aufhält.
- lange an Computerbildschirmen arbeitet.
- sich in grellem Licht aufhält.
- ohne entsprechende Vorsichts- oder Schutzmaßnahmen mit dem bloßen Auge eine Sonnenfinsternis betrachtet.
- den Kopf überhitzt.
- heißes Wasser zum Haarewaschen verwendet.
- sehr stark gewürzte Speisen und Getränke zu sich nimmt.

Zur Verbesserung Deiner Sehkraft:

- reduziere die Zeitspannen, die Du unter künstlichem Licht verbringst.
- verwende Vollspektralbeleuchtung sowohl bei Glüh- als auch bei Neonlampen.

- blicke täglich 20 Minuten lang in die Flamme einer Butterlampe oder Kerze.
- massiere Deine großen Zehen und öle sie ein.
- mache Augenübungen.

Fernseh- und Computerbildschirme sind für die Augen sehr anstrengend. Außerdem erhitzen sie die Augen. *Netra Basti* oder die zeitweilige Anwendung von Ghee in den Augen ist überaus nützlich. Eine Möglichkeit für diese Anwendung wäre zum Beispiel, eine alte Schwimmbrille zu verwenden und beide Gläser mit warmem Ghee zu füllen. Führe die beiden Gläser an die Augen und lehne Dich zurück; da es durchaus passieren kann, daß ein bißchen Ghee nach unten tropft, sorgt man am besten für eine entsprechende Unterlage. Laß die Augen in diesem warmen Ghee etwa zehn Minuten lang rollen. Beuge Dich nach vorne, damit das Ghee sich wieder in den Gläsern sammelt.

Die Hände

Meine Mutter sagt immer, die Hände einer Frau verraten mehr über ihr Alter als ihr Gesicht. Allein im alltäglichen Leben kommen die Hände mit chemischen Verbindungen, Waschmitteln, den verschiedensten Formen von Schmutz und Staub in Berührung, was die Haut schädigt und vorzeitiges Altern verursacht.

Behandle Deine Hände gut und trage Handschuhe, wenn Du Geschirr spülst oder andere Arbeiten verrichtest, bei denen Du in direkten Kontakt mit diesen Substanzen kommst. Massiere sie regelmäßig mit Handcreme. Wenn Du bei der Arbeit nicht gerne Handschuhe trägst, dann probiere dieses Handcremerezept zum Schutz Deiner Haut aus:

1		Eigelb
1	Eßlöffel	Ringelblumenöl
		Kaolinpulver (oder feiner Ton) zum Mischen

Mische das Eigelb und das Ringelblumenöl mit ausreichend Kaolinpulver, um eine Paste zu erhalten. Reibe diese in Deine Hände. Verrichte nun Deine Arbeit und spüle die Mischung anschließend ab. Deine Hände werden so ganz besonders vor feinkörnigen Substanzen im Schmutz geschützt.

Zum Schutz und zur Nahrung hart arbeitender Hände verwende folgende Lotion:

3	Eßlöffel	Lanolin
1	Eßlöffel	Ghee
6	Eßlöffel	Sesamöl
10	Tropfen	ätherisches Kamillenöl oder ein ätherisches Öl Deiner Wahl.

Diese etwas zähflüssige Lotion ist nun gebrauchsfertig. Möchtest Du sie etwas dünner haben, so nimm weniger Lanolin und mehr Öl.

Sind die Hände kräftig, gesund und gut gepflegt, entfalten sie eine natürliche Energie, die man selbst beim beiläufigsten Händeschütteln bemerken wird. Pflege Deine Hände, und Du wirst Stärke und Wärme vermitteln – ganz gleich, wen Du berührst.

Nagelpflege

Die Fingernägel sind das Nebenprodukt (Mala) des *Asthi Dhatu* (Knochenbau). Alle Dhatus stehen in einer Wechselbeziehung zueinander und ernähren sich gegenseitig in einer bestimmten Abfolge. Das bedeutet, der Zustand der Nägel reflektiert den Zustand sämtlicher Körpergewebe bis zu den *Majja* und *Shukra Dhatus* und die damit verbundenen *Updhatus* und *Malas.* Die Lösungen von Nagelproblemen müssen also im Gleichgewicht und in der Ernährung des gesamten Organismus zu finden sein.

Zustände der Nägel

- Horizontale Einschnitte weisen auf eine Agni-Störung hin – also auf ein geschwächtes Verdauungssystem. Folglich muß Agni behandelt werden. Lösungen für Agni-Probleme sind auf Seite 73 zu finden.
- Vertikale Grate sind Anzeichen für seit längerem bestehende Vata-Störungen. Dies bedeutet oft ein geschwächtes Verdauungssystem mit einem gestörten Mineral- und Eiweißstoffwechsel und auch Vitamin-B_{12}- und Eisenmangel.
- Weiße Punkte deuten auf Kalzium- oder Zinkmangel hin. Sie erscheinen oft nach einiger Zeit, in der man Süßigkeiten verzehrt hat, insbesondere raffinierte Zuckerformen, die dem Körper Mineralstoffe entziehen.
- Angebissene Nägel lassen auf Nervosität schließen, auf Mineralstoffmangel oder Darmparasiten – allgemein ein hoher Vata-Zustand.

- Niednägel sprechen für Mangel an Eiweiß, Vitamin C und Folsäure im Organismus aufgrund zu geringer Zufuhr oder schlechter Aufnahme dieser Nährstoffe.
- Brüchige Nägel weisen auf Eisen- oder Vitamin-A-Mangel hin oder auch auf Schilddrüsen- oder Nierenfunktionsstörungen und eine schlechte Kreislauftätigkeit.
- Gespaltene Nägel sind ein Anzeichen für schlechtes Agni im Magen.
- Rosarote Nägel deuten auf einen geschwächten Organismus und auf allgemeine Müdigkeit hin.
- Dunkelrote Nägel bedeuten Blutstockung aufgrund schwerer, salziger und fetter Ernährung.
- Gelbliche Nägel weisen auf ein Ungleichgewicht in der Leber hin.
- Blasse Nägel sind ein Anzeichen für schlechtes Blut, Anämie und Energieverlust in Leber und Nieren.

Der Zustand der Nägel hängt nicht nur ab von der Qualität des Blutes und der Versorgung der anderen Dhatus, sondern auch von der elektromagnetischen Energie, die den Körper in Meridianen durchströmt. Weist ein bestimmter Nagel auf Probleme hin, dann untersuche das Organ, das diesem Finger beziehungsweise Nagel entspricht, auf die jeweilige Störung.

Daumennagel	–	Gehirn
Zeigefingernagel	–	Lungen und Dickdarm
Mittelfingernagel	–	Dünndarm
Ringfingernagel	–	Nieren
Nagel des kleinen Fingers	–	Herz und weibliche Fortpflanzungsorgane

Die Deinem Körpertypus angepaßte Ernährung und Lebensweise ist also ausschlaggebend für schöne Nägel. Die Ernährung sollte reich an Eiweiß sein und einem hohen Gehalt an nägelkräftigenden Mineralstoffen haben, wie etwa Schwefel, Kalzium, Eisen, Kieselsäure, Zink, aber auch ausreichend mit essentiellen Fettsäuren und Vitaminen, wie Biotin, Vitamin D, A und E versorgen. Im Kapitel über Ernährung findest Du die Quellen dieser Nährstoffe.

Gesunde Nägel sind rosa, eben und gleichmäßig geformt. Die eigentliche Form und Konsistenz variiert mit dem dominierenden Dosha-Typus. Nägel vom Vata-Typus weisen allgemein die unregelmäßigste Form auf und tendieren zu Blässe und Brüchigkeit. Pitta-Nägel sind gleichmäßig oval geformt, außerdem weich, flexibel und rosa. Kapha-Nägel sind rechteckiger, dick und fest.

Wie die Haut und die Haare sind gesunde Nägel von einer guten Versorgung und gründlichen Reinigung ihrer Wachstumsbereiche oder Wurzeln abhängig. Die Nagelpflege folgt dem bekannten Muster von Reinigen und Versorgen.

Die hier beschriebenen Anwendungen können ebenso auf die Zehennägel übertragen werden.

Reinige und massiere die Nägel und Fingerspitzen täglich mit einer weichen Nagelbürste. Das reinigt nicht nur, sondern regt die Durchblutung an. Reibe die Fingernägel beider Hände gegeneinander – das lädt die Energiemeridiane des Körpers auf. Man sagt auch, das fördere den Haarwuchs.

Einmal wöchentlich solltest Du Deinen Nägeln eine Sonderpflege gönnen. Tauche Deine Nägel in warmes Wasser mit Zitronensaft. Nimm Deine Fingerspitzen aus der Lösung und schrubbe sie mit einer Bürste. Tauche sie noch einmal kurz hinein und trockne sie dann ab. Massiere jetzt jeden Nagel mit Sesamöl oder medizinischem Öl. Neemöl nährt und stärkt die Nägel, Zitronenöl ist dagegen gut für trockene, brüchige Nägel. Befolge hierzu die Schritte 4 und 5 des Abschnitts über Handmassage (S. 168 und 169).

Natürliche Geschmeidigkeit und Glanz erhalten die Nägel, wenn man sie in erwärmtem pflanzlichen Öl mit einigen Tropfen ätherischer Öle badet.

Formel für allgemeine Nagelpflege

30	g	Mandelöl
2	Tropfen	Lavendelöl
2	Tropfen	Sandelholzöl
2	Tropfen	Zypressenöl

Füße und Fußpflege

Natürlich ist eine Fußmassage wohltuend, doch schon ein einfaches Fußbad kann den gesamten Organismus auffrischen und beleben. In heißen, staubigen Ländern wie Indien wird empfohlen, die Hände und Füße und das Gesicht zu waschen, und zwar nach dem Aufwachen, vor dem Essen oder Meditieren, vor dem Schlafen und immer, wenn Du Dich erfrischen oder beleben möchtest oder wenn Du kein Vollbad nehmen oder nicht duschen kannst.

Fußbäder

Es folgen eine Reihe von verschiedenen Fußbädern, die Dir helfen sollen, Deine Füße zu entspannen, zu beleben und zu kräftigen. Verwende ein Gefäß – einen Eimer oder eine Schüssel –, das groß genug sein sollte, damit das Wasser über deine Knöchel reicht.

Zum Beruhigen und Kühlen: Bereite ein kühles Bad mit einer Handvoll Sandelholzpulver oder ein paar Tropfen ätherisches Sandelholzöl. Dieser Aufguß kühlt den gesamten Körper und befreit den Geist von den Sorgen des Alltags und leistet wunderbare Unterstützung für einen geruhsamen Schlaf in einer heißen Sommernacht.

Zur Kräftigung: Nimm je eine Handvoll zerstoßener Wacholderbeeren, Rosmarin und Lavendel. Laß diese Mischung nun in einem halben Liter kochenden Wassers ziehen, seihe es nach 10 Minuten ab und füge es einem heißen Fußbad hinzu.

Zum Deodorieren: Laß eine kleine Handvoll Salbei, Thymian, Lavendel, süßen Majoran, Lorbeer und einen Eßlöffel Steinsalz in kochendem Wasser ziehen. Gieße alles ab und gib es in ein warmes Fußbad. Wenn Du die Kräuter darin läßt, wird eine stärkere deodorisierende Wirkung erzielt.

Bei Erkältungen: Bereite ein heißes Fußbad mit einer oder zwei Handvoll Ingwer- oder Senfpulver. Du kannst auch frisch geriebenen Ingwer oder ätherisches Ingweröl verwenden. Behalte die Füße in dieser Lösung, bis sie hellrot sind. Trockne sie ab und ziehe Dir warme Strümpfe an. Diese Behandlung wärmt den gesamten Körper und befreit den Kopf von Kongestionen (verstopfendem Schleim).

Bei heißen Füßen: Hier empfiehlt sich ein Umschlag mit Hennapulver und Essig oder Zitronensaft (Vorsicht! Henna färbt Deine Haut orange. Orangefarbene Handflächen und Fußsohlen sind in Indien und Nordamerika weit verbreitet). Eine Fußmassage mit Bhringarajöl wirkt auch stark kühlend.

Für gesunden und erholsamen Schlaf: Massiere Deine Füße mit warmem Sesamöl oder Ghee. Bade anschließend Deine Füße in einem heißen Fußbad, das mit wärmenden Kräutern und Gewürzen, wie zum Beispiel Ingwer, bereitet wird.

Zur Hautpflege: Probiere ein warmes Fußbad mit einem starken Ringelblumenaufguß.

Bei Verhärtungen der Haut: Massiere die Füße mit Sesamöl, tauche sie dann in ein heißes Fußbad mit Senf- oder Ingwerteelösung. Bereite die Lösung, indem Du einen kleinen Teelöffel Ingwer oder Senfpulver einem halben Liter kochenden Wassers beimengst. Gib diese Lösung nun in das Bad. Warte, bis die Füße hellrot sind, schrubbe sie dann mit einem Luffaschwamm oder einem Bimsstein. Rissige Fersen massierst Du mit einer Paste aus Muskatnuß und Milch oder legst Umschläge mit Rizinusöl an.

Bei Neigung zu Fußschweiß: Tauche Deine Füße in warmes Wasser mit gleichen Mengen ätherischen Salbei- oder Muskatellersalbei-, Lavendel-, Wacholder- und Zypressenöls. Gib 6 bis 9 Tropfen in $1\,{}^{1}/_{4}$ Liter Wasser.

Bei müden Füßen: Nimm ein Fußbad mit ätherischem Wacholder-, Rosmarin- und Lavendelöl. Die Mischungsverhältnisse und Mengen sind die gleichen wie beim Fußbad für Fußschweiß.

Das natürliche Fußbad: Gehe barfuß am frühen Morgen in taubedecktem Gras spazieren. Das Gehen im Tau wirkt erfrischend und nährend auf Geist und Seele. Das „Tautreten" ist ein fester Bestandteil der Kneippschen Hydrotherapie und wird auch in makrobiotischen Kreisen bevorzugt, um die weiblichen Fortpflanzungsorgane zu stärken.

Als letzte Anmerkung zu den Füßen sei noch empfohlen, Deinen Füßen so viel Frischluft wie möglich zu gönnen. Wie bereits erwähnt, ist das Barfußgehen der beste Zustand für die Füße. Natürlich wird dies aus praktischen Gründen nicht immer möglich sein, aber sorge dafür, daß Du wenigstens zu Hause möglichst viel barfuß gehst. Schuhe lassen die Energie um Deine Füße nicht entweichen, was auf Dauer zu erhöhter Müdigkeit führen kann. Sie sammeln negative Ladungen, was auch ein Grund dafür ist, daß sie in indischen Tempeln nicht getragen werden dürfen. Ziehe Deine Schuhe aus, wann immer Du kannst.

Haarpflege

Dichtes, festes und glänzendes Haar setzt kräftige Wurzeln und eine gesunde und gutversorgte Kopfhaut voraus. Man stelle sich die Haut als lebendige Landschaft vor und das Haar als hohes Gras, das Feuchtigkeit, einen guten Nährboden und ein starkes Wurzelsystem benötigt, damit es gedeihen kann.

So wie Trockenheit und sengende Hitze innerhalb kürzester Zeit einen Rasen vernichten, so zerstört die Hitze das Haar. Zuviel Sonne trocknet es aus und überhitzt den Kopf; dabei schwächt sie die Kopfhaut und die Haarwurzeln. Mein Vater erinnert sich noch daran, daß sein Haar dünner wurde, nachdem er während des 2. Weltkriegs einen Armeeschnitt geschoren und anschließend auf einem Schiff auf dem Weg in den Nahen Osten einen Sonnenbrand am Kopf bekommen hatte. Obwohl wir diese Geschichte meist mehr als Witz auf Kosten meines Vaters betrachtet haben, wäre es dennoch durchaus möglich, daß die heiße Mittelmeersonne die Haarwurzeln meines Vaters geschädigt und dies folglich zu seiner Kahlköpfigkeit geführt hat. Schütze Deinen Kopf durch einen Hut oder ein Kopftuch, wenn Du Dich draußen für längere Zeit in intensivem Sonnenlicht bewegst, insbesondere wenn Du blondes oder rotes Haar hast.

Große Pitta-Wärme innerhalb des Körpers kann auch das Haar an den Wurzeln schädigen. Hitze steigt natürlicherweise nach oben und verläßt den Körper über die Haarkrone. Da Pitta-Typen von Natur aus die größte Körperwärme besitzen, sind sie für frühzeitiges Ergrauen und Haarausfall am meisten prädestiniert. Ich habe Frauen gesehen, die große graue, von der Kopfkrone ausgehende Strähnen hatten. Neben einer Pitta-Dominanz kann auch übermäßige Ernährung mit rotem Fleisch für zu hohe Körperwärme verantwortlich sein. Kopfhitze kann aber auch durch viel geistige Aktivität verursacht werden. Interessanterweise stellt man sich den zerstreuten Professor oft mit lichtem Haar oder mit wilden, trockenen, grauen Strähnen vor.

Sowohl das Gehirn als auch die Kopfhaut bevorzugen Kühle; deshalb sollte man auch beim Haarewaschen warmes und beim anschließenden Spülen kaltes Wasser verwenden. Kaltes Wasser eignet sich zum Abspülen von Seife ohnehin besser, außerdem stärkt es die Kopfhaut und belebt die Nerven.

Eine ausgewogene Ernährung, reich an Eiweiß, Mineralstoffen und Vitaminen, besonders Eisen, Schwefel, Zink, dem Vitamin-B-Komplex,

Vitamin C und essentiellen Fettsäuren, ist notwendig für gesundes Haar. Wie bei der Haut kommt die Schönheit von innen. Das Haar spiegelt den inneren Zustand des Körpers tatsächlich so gut wider, daß die Haaranalyse von Ernährungs- und Gesundheitswissenschaftlern sehr häufig zur Feststellung von toxischen Schäden und Nährstoffmangelzuständen herangezogen wird.

Ausreichende, qualitativ hochwertige Nährstoffe sind zwar die Voraussetzung für gesundes Haar, doch zunächst müssen sie einmal die Haarwurzeln erreichen. Oft ist die Durchblutung der Kopfhaut durch Verspannungen oder Fettablagerungen blockiert. Dadurch trocknet die Talgschicht aus, was die Haarwurzeln buchstäblich verhungern läßt. Die Kopfmassage wirkt spannungslösend, verbessert dadurch die Durchblutung und befreit die Haarwurzeln von der ausgetrockneten Talgschicht.

Eine Kopfmassage ist eines der entspannendsten und angenehmsten Erlebnisse, die man sich denken kann. Massage beim Haarewaschen ist zweifellos eine gute Sache, doch eine Ölmassage ist für die Kopfhaut besser geeignet. Die ayurwedische Tradition kennt eine Reihe von Kräuterölen für diese Anwendung. Die Kräuter erhöhen die Wirkung der Massage, denn sie nähren und stärken die Haarwurzeln und fördern somit den Haarwuchs. Als Basis wird im allgemeinen Sesam- oder Kokosnußöl verwendet. Kürbiskern- oder Mandelöl erfüllen den gleichen Zweck. Zur Verstärkung dienen Amla, Shikaikai, Neem, Sandelholz, Jasmin und Koriander, kombiniert oder einzeln. Die zur Haarpflege am meisten verbreiteten Kräuteröle sind jedoch Bhringaraj oder Brahmi. Schau Dir dazu auch die Beschreibung der Kopfmassage im Massage-Abschnitt, außerdem die „Kopfmassage" im Abschnitt Selbstmassage an.

Erwärme das Öl vor der Massage, da warmes Öl entspannend wirkt und besser in die Haut eindringt. Wenn das Öl gründlich in die Kopfhaut einmassiert wurde, bürste das Haar mit einer Naturborsten- oder Nylonbürste mit kleinen gummigerundeten Enden und wickle den Kopf in ein warmes Handtuch. Laß den Kopf für mindestens 20 Minuten, möglichst aber über Nacht, darin eingewickelt. Wenn der Körper ruht, kann die Haut die ihr zugeführten Nährstoffe besser aufnehmen. Diese Behandlung ist äußerst wertvoll für die Kopfhaut, die Haarwurzeln und das Haar selbst. Sie eignet sich hervorragend zur Pflege vor dem Haarewaschen und ist die beste Lösung zur Bekämpfung von Trockenheit durch Färbemittel, Dauerwellen, elektrische Lockenwickler und Föne und für gesunden neuen Haarwuchs.

In der ayurwedischen Tradition wurden pulverisierte Kräuter zur Haarreinigung und zum Entfernen von Schmutz verwendet, ohne dabei die Kopfhaut in ihrer natürlichen Funktion zu beeinträchtigen. Diese Pulver sind nach wie vor erhältlich, manche bestehen aus ayurwedischen Heilpflanzen, andere aus Kräutern aus der westlichen Pflanzenheilkunde. Auch sanfte Schampoos, die ayurwedische Extrakte aus Neem, Amla und Shikaikai enthalten, sind inzwischen überall erhältlich. Du solltest auf jeden Fall auf Schampoos verzichten, die schäumende Zusätze, wie Natrium oder Ammoniaklaurylsulfat, enthalten. Der Schaum, den sie erzeugen, hat wenig mit der reinigenden Wirkung zu tun. Es sind einfache, aggressive chemische Verbindungen, die die äußere Eiweißschicht der Haare zerstören und die Kopfhaut austrocknen, wodurch die Verwendung von Conditionern erforderlich erscheint. Conditioner machen nicht viel mehr, als daß sie das Haar mit einem Ölfilm bedecken, der es stumpf aussehen läßt und den Schmutz festhält. Für gesundes Haar sind sie nicht notwendig.

Trockenes Schampoo

1	Teelöffel	Veilchenwurzelpulver
2	Teelöffel	Pfeilwurzpulver
1 – 2	Teelöffel	Kräuter (Alma, Neem, Sandelholz)

Teile das Haar, bepudere es an den Scheiteln und laß das Pulver 10 Minuten einwirken. Bürste das Haar durch, bis das ganze Pulver mitsamt überschüssigem Öl und Schmutz entfernt ist.

Nasses Schampoo

1	Eßlöffel	geraspeltes oder pulverisiertes Seifenkraut
1	Handvoll	Kräuter (am besten die für Öle und Spülungen verwendeten)
$^1/_4$	Liter	kochendes Wasser

Gieße das kochende Wasser über die Mischung. Laß es abkühlen und ziehen und verwende das Produkt wie herkömmliches Schampoo.

Solltest Du noch immer einen Conditioner anwenden wollen, versuche dieses Rezept:

3 Eßlöffel	Kräuteröl (wie zur Kopfmassage empfohlen)
1 Eßlöffel	Apfelweinessig oder frischen Limonensaft
1	Eigelb
1 Eßlöffel	Honig
ein paar Tropfen	ätherisches Öl pro Spülung

Dauerwellen und Tönungen verändern das Haar durch ihre chemischen Substanzen; sie machen es oft spröde und rissig. Inzwischen sind natürliche Dauerwellen allgemein erhältlich, und auch Tönungen sind nun durch natürlichere Verfahren möglich. Kräuterhaarspülungen sind die sicherste Alternative, die natürliche Haarfarbe zu verstärken oder zu unterstreichen und das Haar zu festigen, zu stärken und ihm Glanz zu verleihen.

Natürliche Haarspülungen

Pflegespülungen: Zitronensaft, Essig oder Bier beseitigen Seifen- und Conditionerreste äußerst gründlich. Sie heben die Keratinschicht hervor und geben dem Haar Glanz und Geschmeidigkeit. Durch ein beigemengtes Eigelb erhält das Haar zusätzlich natürliches Eiweiß und Schwefel. Verwende ein ätherisches Öl zur Spülung, denn der Eigeruch ist hartnäckig. Auch Joghurt ist hierbei nützlich, weil es das Haar auf natürliche Weise weich macht.

Aufhellende Spülungen: Um blondes Haar aufzuhellen, verwende Kamillentee, Ringelblumentee oder Zwiebelsaft. Rhabarberwurzel sorgt für eine natürliche Gelbtönung. Schwarzer Ceylon-Tee verleiht goldenen Glanz. Das Haar bleicht auf natürliche Weise, wenn Du es mit Zitronensaft spülst und anschließend in der Sonne trocknen läßt. Denke daran, den Kopf nicht zu starker Hitze auszusetzen.

Dunkelnde Tönung: Spülungen und Öle mit Rosmarin, Salbei, Bhringaraj und Brahmi machen das Haar dunkler und lassen es glänzen.

Für rote Tönung: Verwende Hennapulver. Eine große Auswahl an natürlichen Hennasorten ist im Handel erhältlich, rot bis naturfarben. Probiere Henna vor der Anwendung immer auf einer kleinen Haarsträhne aus. Die Wirkung kann auf blondem oder grauem Haar außerordentlich stark sein. Die Säure im Zitronensaft und Essig verstärkt die färbende Wirkung. Mischt man Henna mit dunklem Kaffee oder Burgunderwein, erhält man einen dunkleren, kräftigeren Farbton.

Haarprobleme

aar: Reduziere die Faktoren in Deiner Lebensweise, die ha reizen. Sorge dafür, daß Deine Ernährung genügend Zink lle Fettsäuren beinhaltet. Massiere Deinen Kopf regelmäßig mit warmem Öl. Verwende Amla-, Shikaikai-, Brahmiöle oder warmes Sesamöl mit ätherischem Lavendel-, Geranien- und Wacholderöl.

Fettiges Haar: Reduziere die Faktoren in Deiner Lebensweise, die das Pitta-Dosha reizen, vor allem ölige Speisen. Wasche Dein Haar regelmäßig. Verwende dabei zitronenhaltige Spülungen, bürste Dein Haar gründlich und scheue Dich nicht vor Ölmassagen. Massagen sorgen für einen ausgewogenen Zustand der Kopfhaut, besonders wenn ätherische Kräuteröle verwendet werden. Neemöl hat eine gute Wirkung oder auch Jojobaöl in Verbindung mit ätherischem Bergamott-, Muskatellersalbei-, Wacholder-, Zedernholz-, Zypressen-, Zitronen- und Lavendelöl.

Schuppen: Dieses Problem löst sich häufig von selbst im Zuge einer natürlichen Ernährungsweise und verbessertem Agni. Manchmal wird dieses Problem hervorgerufen oder verschlimmert durch Allergien oder bestimmte Speisen, die die Leber belasten. Zu diesen Speisen gehören schwere, fette Nahrungsmittel wie Milch, Joghurt, Käse, Erdnußbutter und fettes rotes Fleisch. Eine Massage regt die Kopfhaut und die Durchblutung an, ebenso wie ätherisches Eukalyptus- und Rosenöl in Jojobaöl (20 Tropfen auf 30 ml). Eukalyptus wirkt stimulierend und reinigt, die Rose kräftigt die Kopfhaut und macht sie geschmeidig. Bei juckenden Schuppen, die mit Abschuppung und Entzündungen einhergehen, hilft ätherisches Geranium-, Lavendel-, Wacholder- und Sandelholzöl in Verbindung mit Jojobaöl als Grundlage. Massiere diese gut in die Kopfhaut ein, laß sie über Nacht einwirken und shampooniere morgens gründlich. Fettiger, schuppender Kopfhaut kann durch ätherisches Zedernholz-, Rosmarin-, und Zitronenöl abgeholfen werden. Petersilienspülungen und auch die Verwendung von Petersilie in der Ernährung verschaffen hier Abhilfe, denn Petersilie enthält viele Nährstoffe für das Haar und wirkt bei äußerer Anwendung kräftigend und lindernd.

Haarausfall: Nicht nur schlechte Ernährung, sondern eine ganze Reihe weiterer Faktoren können verantwortlich sein für stark geschädigtes Haar. Neben der bereits erwähnten Überhitzung von innen und außen gehören zu den weiteren Faktoren:

- Streß und Verspannungen, die die Kopfhaut verkrampfen und die Durchblutung hemmen

- hormonelle Veränderungen während der Schwangerschaft und Wechseljahren
- Schilddrüsenfehlfunktion
- Medikamente, insbesondere Präparate zur Gewichtsreduzierung
- Krankheit und/oder Allergien
- Schock oder dauerhafte Sorgen
- Überbelastung des Haars durch Dauerwellen und Tönungen
- genetisch bedingte Neigungen

Hier wird empfohlen, mit Bhringaraj- und Brahmiöl zu massieren. Arbeite die Öle tief in die Kopfhaut ein. Das Nervensystem wird somit entspannt und genährt. Diese Maßnahme wirkt allen aufgeführten Faktoren entgegen und verjüngt die Haarwurzeln, damit ein gesundes Haarwachstum wieder einsetzen kann.

In New Mexico, USA, verwendet man eine Pflanze namens Yerba de la Negrita. Sie macht die Talgschicht weicher, die häufig trocken ist und die Haarwurzeln bedeckt und hemmt. Sind jedoch die Wurzeln frei und gesund, kann sich auch das Haar frei entfalten und wachsen. Das ist Ayurweda aus New Mexico!

Brustpflege

Zur Erhaltung jugendlicher Brüste empfiehlt die ayurwedische Tradition zwei Ölsorten. Sie können in gleicher Weise zubereitet werden wie Kräuteröle zur Massage. Vermische die unten aufgeführten Zutaten. Bringe sie zum Kochen. Laß sie vorsichtig sieden, bis das Wasser verdampft ist. Bis zur weiteren Verwendung solltest diese Mischung im Kühlschrank aufbewahren.

Granatapfel-Tonikum

1	Teil	pulverisierte Granatapfelschale
4	Teile	Senföl
16	Teile	Wasser

Shatavari-Ghee

1	Teil	Shatavaripulver
4	Teile	Ghee
16	Teile	Wasser

Die beste Wirkung wird erzielt, wenn Du die Brüste jeden Abend entweder mit dem Tonikum oder dem Ghee massierst.

Ayurwedische Hautpflege

„Wenn wir uns Zeit nehmen für uns selbst, so ist das ein Zeichen dafür, daß wir unseren eigenen Körper lieben. Diese Liebe können wir an unsere Familien und unsere Umwelt weitergeben. Wir finden zu innerer Ausgeglichenheit und Harmonie, die sich auf unsere Mitmenschen überträgt.“

Marj Campian, Direktorin
Delicious Magazine, März 1990

Nur wenige Menschen sind mit einer von Natur aus makellosen Haut gesegnet. Die meisten Menschen leben heute in Städten, sind der permanenten Einwirkung von Schmutz und umweltbelastenden Stoffen ausgesetzt, verfolgen ein aktives, spannungsgeladenes Leben und begehren dennoch natürliche Schönheit! Gifte scheinen überall zu lauern: in unserem Essen und Trinkwasser sowie in der Luft, die wir einatmen. Und da die Ozonschicht immer dünner wird, stellt selbst die Sonne eine zunehmende Gefahr für uns dar. Durch den verschärften Wettbewerb am Arbeitsplatz und weniger klar definierte Rollenverteilungen der Geschlechter befinden sich Frauen möglicherweise unter größerer Streßeinwirkung als je zuvor. Regelmäßige Hautpflege zur Erhaltung natürlicher Schönheit ist daher kein Luxus mehr, sondern eine notwendige Schönheitstherapie, um den verheerenden Einflüssen des modernen Lebens entgegenzuwirken und sich wohler zu fühlen.

Dieses Kapitel stellt verschiedene Formen der Kosmetik und Verfahrensweisen vor, die Deine Wohnung in einen Salon für natürliche Schönheitspflege verwandeln oder, falls Du bereits einen Salon besitzt oder betreibst, aus diesem eine exotische ayurwedische Schönheitsoase zaubert.

Das Wort „Kosmetik“ beruht auf dem griechischen „kosmetikos“, das bedeutet die Fähigkeit, etwas zu ordnen oder zu regulieren. Das Stammwort „kosmos“ bedeutet Ordnung. Der Begriff verdeutlicht, daß man schon in der Antike glaubte, Schönheit sei erst durch eine harmonisch gestaltete Lebensweise und einen wohlgeordneten Geist und Organismus möglich. Neben den Praktiken der ayurwedischen Ernährungs- und Lebensweise leistet auch die ayurwedische Kosmetik einen weiteren Beitrag zu diesem Schönheitsprinzip. Durch die Verwendung von Kräutern, Blumen, ätherischen Ölen und natürlichen Mineralstoffen verhilft die ayurwedische Schönheitspflege der Haut zu ihrem eigenen vollkommenen Gleichgewicht. Die sanfte, zarte und beruhigende Wirkungsweise der verwendeten Heilpflanzen ermöglicht uns, unsere persönliche natürliche Schönheit zu entdecken. Wie alle anderen Gewebe muß auch die Haut gründlichst gereinigt, gut versorgt, feucht gehalten und vor schädlichen Einflüssen geschützt werden, damit sie gut aussieht und sich herrlich geschmeidig anfühlt. Reinigung, Versorgung und Schutz stellen die wichtigsten Faktoren der ayurwedischen Hautpflege dar.

Ganz gleich, ob Du die Präparate selbst zubereitest oder von einer Kosmetikfirma beziehst, Du wirst feststellen, die ayurwedische Schönheitspflege ist ...

- einfach, sanft und natürlich;
- angenehm und leicht in der Anwendung;
- frei von chemischen Substanzen, Mineralölen, auf Erdöl basierenden Produkten oder synthetischen Duftstoffen;
- frei von tierischen Nebenprodukten, deren Herstellung die Tötung von Tieren erfordert (im Ayurweda werden Milch, Rahm, Ghee und aus Schafswolle gewonnenes Lanolin verwendet);
- vollkommen unabhängig von Tierversuchen und damit verbundenen Präparaten;
- von ausgleichender Wirkung auf den gesamten individuellen Organismus sowie auf Geist und Seele.

Der Vormarsch des Ayurweda in die moderne Schönheitspflege ist eigentlich ein „Rückmarsch in die Zukunft“, denn es sind uralte Verfahrensweisen und bereits in der Antike verwendete Zutaten, die in der modernen Kosmetik von heute wieder verwendet werden. Immer mehr erfahrene Schönheitspfleger sehen ein, daß die natürliche Kosmetik gesünder und wirkungsvoller ist als künstlich hergestellte Produkte. Sie erkennen auch, daß die Menschen heute immer mehr Wert auf rein natürliche Körperpflege legen. Es besteht ein steigendes Interesse für Behandlungsmethoden, die nicht nur dazu bestimmt sind, die Haut zu verschönern, sondern auch den gesamten Organismus sowie Geist und Seele zu nähren und zu entspannen. Der Ayurweda nimmt in dieser „neuen“ Bewegung der Selbstpflege eine führende Stellung ein.

Die Rezepturen der ursprünglichen ayurwedischen Tradition waren für die indische Bevölkerung bestimmt. Es wurden ausschließlich Zutaten verwendet, die vor Ort wuchsen, erhältlich und/oder erschwinglich waren. Obwohl die hier vorgestellten Rezepte in ihrer Abkunft der ursprünglichen ayurwedischen Tradition entsprechen, werden die Zutaten aus östlichen und westlichen Kulturen verwendet.

Diese Rezepturen beruhen auf ayurwedischen Prinzipien, sind jedoch den Menschen der heutigen westlichen Welt angepaßt worden und beinhalten nur beste Zutaten aus vielen Teilen der Welt, insbesondere westliche Kräuter, Blumen, Öle und natürliche Mineralstoffe. Es ist sicherlich eine große Herausforderung, diese Bestandteile in den Ayurweda aufzunehmen, doch ich glaube, nur so kann sich die ayurwedische Heilkunst auch im Westen etablieren und den westlichen Bedürfnissen entsprechen. In einem Zeitalter, in dem das Traditionsbewußtsein stark abnimmt und eine globale Denkweise in den Vordergrund rückt, hoffe ich sehr, daß sich der Ayurweda sowohl in der Schönheitspflege als auch auf dem Gebiet der allgemeinen Heilkunde erweitern und anpassen wird, um das Beste aus allen Kulturen zu integrieren und auf diese Weise den Menschen aller Hautfarben, Kulturen und Abstammungen gleichermaßen zu helfen.

Es ist zwar stets wichtig, bei der Wahl der Kräuter, Öle und anderer kosmetischer Bestandteile das *Prakruti*, das heißt die jeweilige Konstitution eines Menschen, zu berücksichtigen, in diesem Kapitel hat jedoch vor allem der individuelle Krankheitszustand, das *Vikruti*, der menschlichen Haut eine große Bedeutung. Die Zutaten für die einzelnen Anwendungen werden nach ihren Eigenschaften und Wirkungsweisen auf diesen Zustand abgestimmt, um gegen die Symptome und Ursprünge der Krankheit anzugehen. Eine Substanz oder Formel kann reinigend, feuchtigkeitsspendend oder auch kräftigend wirken. Dabei sei stets daran erinnert, daß die alleinige Behandlung der Haut einen rein symptomatischen Ansatz darstellt. Daher könnte es erforderlich sein, die Hautpflege auf einer täglichen Basis zu ändern und anzupassen.

Natürlich ist die Beschaffenheit der Haut immer durch die typischen Eigenschaften der jeweiligen Konstitution beeinflußt. Verschlimmerungen des Hautzustands durch den Einfluß Deines vorherrschenden Doshas können nur über einen längeren Zeitraum hinweg effektiv behandelt werden. Doch wie auch die akuten Zustände sind selbst diese Krankheitsbilder von einer Reihe weiterer Faktoren wie der Ernährungs- und Lebensweise, dem Klima, der psychischen Verfassung und dem allgemeinen Gesundheitszustand abhängig. Es ist daher ratsam, Deine Haut und ihren Zustand nicht nur streng gemäß Deiner Konstitution zu behandeln. Die Stärkung Deiner Konstitution und eine ihr angepaßte Lebensweise leisten sicherlich einen großen Beitrag zur natürlichen Schönheit Deiner Haut, doch es ist genauso wichtig, die täglichen Mängel und Bedürfnisse der Haut zu berücksichtigen und die dafür verantwortlichen Faktoren zu behandeln. Äußere Pflege und eine positive, gesundheitsfördernde Lebensweise sind gleichwertige Bedingungen für einen vitalen, strahlenden Teint.

Wie bereits erwähnt, sind die Dosha-beeinflußten Hautzustände schwieriger zu behandeln als die, die aus einer ungünstigen Ernährungs- und Lebensweise heraus entstehen und Symptome eines anderen Doshas aufweisen. Zur Verdeutlichung führe ich zwei Beispiele aus der Praxis an ...

Frau Jones besitzt eine Konstitution mit vorherrschendem Vata und leidet an rissigen Lippen. Trockene Lippen sind ein Zeichen für innere Trockenheit im unteren Verdauungstrakt und ein typisches Symptom bei Vata-Konstitutionen. Da dieser Zustand ihrer Konstitution entspricht, wird Frau Jones für den Heilungsverlauf wahrscheinlich etwas mehr Geduld aufbringen müssen. Aufgrund der Tatsache, daß ihre trockenen Lippen auf ein tiefer liegendes Problem hinweisen, muß sie ihren gesamten körperlichen Gesundheitszustand berücksichtigen, damit ihr konstitutionelles Gleichgewicht wiederhergestellt wird und sich der Zustand ihrer Lippen bessert.

Sollte der Zustand jedoch nicht auf ihre Dosha-Dominanz zurückzuführen sein, so ist möglicherweise nur eine einfachere, kurzfristige äußere Behandlung erforderlich.

Frau Brown leidet an einem juckenden, roten Ausschlag auf den Augenlidern. Dieser Zustand entspricht dem Pitta-Typus, doch Frau Brown besitzt eher eine Vata-Kapha-Konstitution. Sie bemerkte den Ausschlag in seiner Entstehung, nachdem sie ein neues Augen-Make-up verwendet hatte. Höchstwahrscheinlich ist diese Symptomatik als allergische Reaktion, das heißt als eine lokale Reizung des Pitta-Anteils im Körper, zu betrachten und relativ leicht mit einer lindernden Creme zu behandeln.

Die Wissenschaft der ayurwedischen Heilkunde besteht darin, gesundheitliche Probleme in ihren Ursachen genau zu untersuchen und zu verstehen. Die Kunst besteht nun darin, das körperliche Gleichgewicht mit entsprechenden Mitteln wiederherzustellen. Folgende Anleitungen werden Dir hoffentlich dabei helfen, diese Fähigkeiten zu entwickeln und erfolgreich anzuwenden.

Die einzelnen Hauttypen unter Berücksichtigung ihrer Dosha-Dominanz

Zur besseren Übersicht sind die entsprechenden Hauttypen von Vata, Pitta und Kapha sowie ihre Eigenschaften nochmals aufgeführt.

Vata

Prakruti

- dünn, feinporig, dunklerer Teint mit weißlicher oder gräulicher Tönung
- fühlt sich kühl an, insbesondere an den Extremitäten (Hände und Füße); trocken, rauh, fleckenweise schuppig
- klimaempfindlich

Vikruti

- fehlender Tonus oder Glanz
- rauhe Flecken, rissig, aufgesprungen
- trockene Ausschläge
- Hühneraugen und Verhärtungen
- trockene Ekzeme

Pitta

Prakruti

- heller, pfirsich- oder kupferfarbener Teint, eventuell Sommersprossen
- weich, schimmernd, warm
- empfindlich gegenüber chemischen Verbindungen

Pitta-Vikruti

- Ausschläge, Entzündungen, Juckreiz

- fettig im „T“-Bereich des Gesichts
- frühzeitige Faltenbildung
- gelbe, pustelartige Akne, Mitesser, Hautgrieß, allgemein übermäßig fettige Haut
- Verfärbung der natürlichen Pigmentierung

Kapha

Prakruti

- dick, feucht, blaß
- fühlt sich allgemein weich und kühl an
- straffes Gewebe, altert langsam

Vikruti

- matte, träge, unreine Haut
- vergrößerte Poren
- Mitesser oder große weiße Pusteln oder zystische Gebilde
- zähe, fettige Sekretion

Natürlich mußt Du Dir nicht alles auf einmal merken können. Wenn Du Dich mit dem Ayurweda beschäftigst, wirst Du durch Praxis und Erfahrung verstehen lernen, wie er diese phänomenale Welt interpretiert und durch seine Behandlungsmethoden Einfluß auf sie nimmt. Mit zunehmendem Verständnis wirst Du ein wahrer Meister des Kosmetikos werden, bald zu innerer Ordnung und natürlicher Schönheit finden und diese mit den Menschen, die Du liebst, und der ganzen Welt um Dich herum teilen.

Gesichtspflege

Eine vollständige ayurwedische Gesichtsbehandlung ist in acht Punkte unterteilt:

1. Reinigung
2. Öl-Massage
3. Behandlung mit Kräuterdampf oder -kompressen
4. Sanfte Schälkur

5. Gesichtsmaske oder -packung zur Reinigung und Ernährung der Haut
6. Tonisierung und Verjüngung der Haut
7. Behandlung mit einer Feuchtigkeitscreme
8. Hydratisieren
9. Anwendung eines Make-ups Deiner Wahl

In der täglichen Gesichtspflege genügt es, die Haut zu reinigen, zu straffen und mit der Feuchtigkeitscreme zu behandeln (Punkte 1, 6, 7). Der gesamte Programmablauf sollte jedoch einmal wöchentlich oder mindestens zweimal im Monat durchgeführt werden.

Die jeweiligen Schritte sowie die Art der einzelnen Anwendungen in bezug auf den individuellen Hauttypus werden nachfolgend ausführlich beschrieben.

Die in diesem Kapitel vorgestellten Rezepte beinhalten die Grundbestandteile der Gesichtspflege und bieten auch einige Vorschläge, wie sich die eine oder andere Formel dem speziellen Hauttypus oder persönlichen Vorzügen anpassen läßt. Viele Menschen verspüren eine starke Anziehung oder Abneigung gegenüber bestimmten Düften. Daher habe ich versucht, eine Reihe verschiedener Duftrichtungen anzubieten. Alle genannten Zutaten sind über die Bezugsquellen (siehe Anhang S. 318) erhältlich. Ganz im Sinne des Ayurweda werden aufgrund der verschiedenen individuellen Bedürfnisse keine exakten Mengenangaben gemacht. Am besten ist es, Deiner eigenen Intuition zu folgen und selbst herauszufinden, welche Mengenverhältnisse für Dich die optimale Wirkung zeigen. Falls Du zwar die ayurwedischen Behandlungsmethoden anwenden möchtest, jedoch nicht daran interessiert bist, Deine eigenen Kosmetika herzustellen, hast Du die Möglichkeit, eine Vielzahl hervorragender Produkte über diverse, im Quellenanhang aufgelistete Firmen zu beziehen. Bitte denke daran, daß auch reine und natürliche Bestandteile durchaus Allergien hervorrufen können. Du solltest daher sowohl die selbst hergestellten als auch die im Handel gekauften Produkte stets an einer kleinen Stelle der Haut testen, bevor Du sie auf der gesamten Gesichts- oder Körperoberfläche anwendest. In der täglichen Gesichtspflege ist es völlig ausreichend, die Haut zu reinigen und ihr Feuchtigkeit und Frische zu spenden. Das gesamte Programm läßt sich wunderbar einmal wöchentlich durchführen. Du wirst herausfinden, daß die Zeit, die Du Dir für Dich nimmst, auch ihre Früchte tragen wird. Schon bald wirst Du schöner aussehen, Dich wohl und frisch fühlen und den Tag mit neuer Vitalität, klarem Geist und gestärktem Selbstbewußtsein besser meistern. Diese Art der Eigenbehandlung kann bei Frauen, vor allem wenn sie am ersten Tag der Menstruation durchgeführt wird, zu enormen Veränderungen der menstruellen Symptomatik führen und wird die Umstellung während der Wechseljahre beträchtlich erleichtern.

Erste Reinigung

Talg, Schweiß und damit verbundene Abfallprodukte werden ständig über die Hautoberfläche ausgeschieden, ziehen Schmutzstoffe an und bieten einen hervorragenden Nährboden für Bakterien. Das erste Reinigen befreit die Hautoberfläche von dieser klebrigen Schicht und Make-up, macht sie frisch und schafft auf diese Weise die Voraussetzung für eine Gesichtsmassage.

Die ayurwedische Tradition rät bei der Gesichtsreinigung zu Kräuterpulvern, sogenannten „Ubtans". Die Pulver werden mit verschiedenen Flüssigkeiten vermischt und bilden eine cremige Paste. Diese Paste wird nun wie eine sehr feine Schälkur angewandt. Wenn Dir das nicht zusagt, dann verwende eine natürliche Creme oder ein auf Öl basierendes Reinigungsmittel, behandle Dein Gesicht jedoch niemals mit Seife. Wie bereits erwähnt, zerstört Seife die Schutzschicht der Haut, beraubt die Oberfläche feuchtigkeitsspendender Öle und beeinträchtigt die natürliche Wirkungsweise der Poren. Gerade die empfindliche Gesichtshaut sollte diesem kurzfristig erhöhten Infektionsrisiko nicht ausgesetzt sein. Es gibt eine Reihe von ayurwedischen Seifen, wie zum Beispiel Chandrika, Sandelholz oder Neem, die im Handel erhältlich sind. Verwende sie nur am Körper und auch dort nur gelegentlich. Sie eignen sich nur für wirklich schmutzige Hände. Allgemein solltest Du nach dem Gebrauch von Seife eine Hand- oder Körperlotion oder Öl verwenden, um die Haut zu schützen, bis sie ihre zerstörte Schicht wieder erneuern kann (das dauert etwa 20 Minuten).

Kräuter-Reinigungspulver

Nachfolgend werden einige allgemeine und spezifische Rezepte für Kräuter-Reinigungspulver vorgestellt. Das allgemeine Rezept kann auf die individuelle Hautbeschaffenheit abgestimmt werden, indem man die beigemengte Flüssigkeit wechselt. Die spezifischeren Formeln enthalten bestimmte flüssige Grundlagen, damit die Wirkung verstärkt wird.

Jede dieser Kräuterpulver-Mixturen wirkt durchblutungsfördernd, beruhigend sowie heilend und verleiht dem Teint herrlichen Glanz.

Die ***allgemeine Formel*** enthält gleiche Teile an Aloe-Vera-Pulver, Koriander, Kalmus, Beinwell, Kreuzkümmel, Holunder, Bockshornklee, Zitronenschalen, Süßholz, Manjistha, Muskatnuß, Tulsi, Sandelholz, Vetiver, feines Linsen- oder Kichererbsenmehl oder Ton (alle Kräuter sind in pulvriger Form zu verwenden).

Für die Anwendung auf NORMALER Haut ist Quellwasser oder ein Kräutertee Deiner Wahl beizumengen.

Zur Pflege TROCKENER Haut fügst Du Aloe-Vera-Saft, Milch, frische Sahne oder Milchpulver mit Wasser hinzu.

Zur Pflege FETTIGER oder UNREINER verwende verdünnten Zitronensaft oder Joghurt.

Bei REIFERER Haut verwendest Du ein wenig Weizenkeim- oder Rosa-Mosquita-Öl zur sanften Nährung der Haut, außerdem Quellwasser oder Milch.

Spezifische Formeln

Zur Pflege TROCKENER Haut vermengst Du Ashwagandha, Zitronenschalenpulver, Bockshornklee, Haritaki, Lotuskeime, Rosenblütenblätter, Shatavari und Tulsi mit Milchpulver und Wasser oder frischer Milch, Sahne oder Aloe-Vera-Saft.

Um FETTIGER oder UNREINER Haut entgegenzuwirken, vermengst Du Amalaki, Brahmi, Bockshornklee, Lotussamen, Manjistha, Neem, weißes Sandelholz mit verdünntem Zitronensaft oder Joghurt.

Bei REIFERER oder UNREINER Haut empfiehlt sich eine Mischung aus Aloe, Ashwagandha, Bibitaki, Zitronenschalen, Haritaki, Jasmin, Neem, Rose und Eukalyptus mit ein wenig Weizenkeim- oder Rosa-Mosquita-Öl und Quellwasser oder Milch.

Reinigungsmittel auf Ölbasis

Herkömmliche Hautcremes benötigen chemische Zusätze, damit sie sich nicht zersetzen. Das folgende Reinigungsmittel ist frei von chemischen Zusätzen und zersetzt sich zwar, erhält jedoch durch schnelles Schütteln vor Gebrauch wieder seine richtige Konsistenz.

5 Teile	Basisöl (siehe unten)
4 Teile	Aloe-vera-Gel oder -Saft
je 1 Teil	Jojoba-, Avocado-, Sonnenblumen-, Mandel- und Vitamin-E-Öl und Glyzerin
	Ätherisches Öl Deiner Wahl (einzeln oder kombiniert; 20 Tropfen auf ca. 60 ml der vermengten anderen Zutaten)

Diverse Basis- und ätherische Öle zur Behandlung verschiedener Hautzustände:

Bei NORMALER Haut verwende Mandelöl als Basis und die Kombination aus ätherischem Basilikum-, Rosmarin- oder Zitronenöl.

Bei TROCKENER Haut ist Sesamöl als Basis mit einer der folgenden Kombinationen ätherischer Öle zu empfehlen:

- Rosen- oder Sandelholzöl mit Jasmin- und Geraniumöl
- Zedernholz-, Sandelholz- und Rosenöl
- Sandelholz-, Geranien- und Rosenöl

Bei FETTIGER Haut verwende Jojobaöl als Basis mit einer der folgenden Kombinationen ätherischer Öle:

- Zitronen- und Zypressenöl
- Bergamott-, Zypressen- und Wacholderöl

Bei REIFER Haut versuche Sesam- oder Jojobaöl als Basis und die Kombination aus ätherischem Lavendel-, Weihrauch- und Neroliöl.

Bei UNREINER Haut empfiehlt sich Jojoba- oder Sonnenblumenöl als Basis mit einer der folgenden Kombinationen ätherischer Öle:

- Lavendel- und Teebaumöl
- Bergamott- und Zitronenöl

Gesichtsmassage

Es ist schwer, nach einer ayurwedischen Gesichtsmassage nicht aus vollem Herzen zu lachen. Diese komplexe Massage stimuliert die tiefen Gehirnzentren, Reflexzonen, Energiemeridiane sowie die Durchblutung des Gesichts und wirkt beruhigend auf den gesamten Organismus. Verspannungen im Hals-, Schulter- und Gesichtsbereich werden gelöst und die Energieströme vom Kopf bis in die Zehenspitzen neu ausbalanciert. Zur Pflege der individuellen Hauttypen und Konstitutionen werden kaltgepreßte Keim- und Nußöle verwendet. Mit ihren zusätzlich heilenden

Eigenschaften und Duftnoten können verschiedene Kräuterextrakte und ätherische Öle hinzugefügt werden. Obwohl eine ayurwedische Gesichtsmassage etwas Herrliches ist, sind bislang nur wenige ausgebildete Praktiker, die diese Kunst beherrschen, in der westlichen Welt zu finden. Wer an einer solchen Ausbildung interessiert ist, kann dem Quellenanhang Kontaktadressen entsprechender Örtlichkeiten und Anwender entnehmen. Außerdem kannst Du Dich nach den Anweisungen im Kapitel „Ayurwedische Gesichtsmassage" auch selbst behandeln. Auch wenn Du nicht die Zeit dazu hast, die in diesem Kapitel beschriebenen Anwendungen zu befolgen, so kannst Du dennoch Deinen Körper verwöhnen, indem Du die für Deine Konstitution und Deinen Zustand optimalen Öle wie unten abgebildet in Deine Gesichtshaut einmassierst. Wenn wir auch wissen, daß die Behandlung spezieller Punkte tiefgreifender wirkt, so ist es Ziel dieser Anwendung, die guten Öle tief in das Gewebe einzuarbeiten. Die Abbildung unten zeigt Dir, wie Du dabei am besten vorgehst.

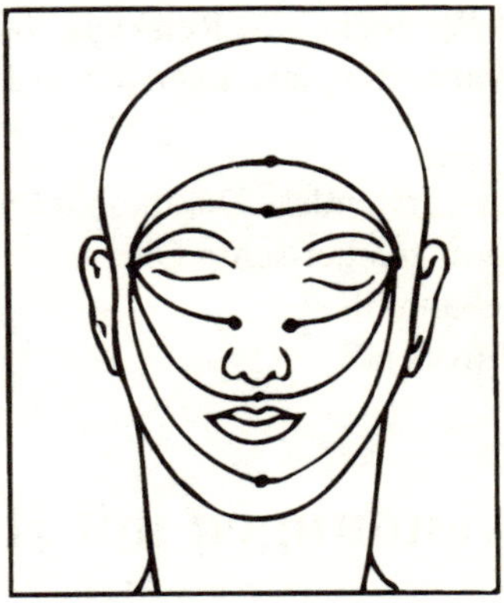

Massageöle

Die wichtigste Formel zur Entwicklung Deines auf Dich abgestimmten Massageöls lautet:

10	Teile	Basisöl
1	Teil	Weizenkeimöl
400	IE	Vitamin-E-Öl (entspricht normalerweise der Menge von zwei Kapseln) auf 6 Eßlöffel Weizenkeim- und Basisöl

Kombinationen ätherischer Öle; 20 Tropfen auf ca. 60 ml der kombinierten Öle von oben.

Folgende Basisöle und Kombinationen ätherischer Öle werden im Idealfall für verschiedene Hautzustände verwendet ...

Bei NORMALER Haut ist Jojoba- oder Mandelöl und eine der folgenden Kombinationen ätherischer Öle ratsam:

- Lavendel-, Geranium- und Rosenöl
- Zedernholz-, Rosen- und Jasminöl

Bei TROCKENER Haut verwende 8 Teile Sesamöl mit 2 Teilen Reiskleieöl als Basis und füge die Kombination von ätherischem Rosen-, Geranium- und Jasminöl hinzu.

Bei FETTIGER Haut verwende Jojoba- oder Sonnenblumenöl als Basis und eine der folgenden Kombinationen ätherischer Öle:

- Zitronen- und Zypressenöl
- Bergamott-, Zypressen- und Wacholderöl

Bei REIFER Haut vermengst Du 5 Teile Jojobaöl, 4 Teile Ringelblumenöl und 1 Teil Weizenkeim-, Reiskleie- oder Rosa-Mosquita-Öl als Basis mit der Kombination aus ätherischem Lavendel-, Weihrauch- und Neroliöl.

Bei UNREINER Haut verwendest Du Jojobaöl als Basis und eine der folgenden Kombinationen ätherischer Öle:

- Lavendel- und Teebaumöl
- Bergamott- und Zitronenöl

Dampfanwendungen mit Heilpflanzen

Die Wärme, Feuchtigkeit und der Duft eines Kräuterdampfs beseitigt Muskelverspannungen und öffnet Geist und Seele. Dampfbäder zählen zu den ältesten Methoden der ayurwedischen Tradition, die Haut tief und gründlich zu reinigen. Durch die Feuchtigkeit werden die trockenen äußeren Hautränder weicher und lassen sich besser lösen. Zurück bleibt ein beruhigter, frischer Teint. Durch die Wärmeeinwirkung wird die Durchblutung des Gesichts angeregt und die Funktionen der Poren und Nieren aktiviert. Auf diese Weise gelangen Schmutzstoffe und Toxine aus dem Körper an die Oberfläche.

Dampfbehandlungen wirken bei einer Reihe von Zuständen des Teints positiv. Sie empfehlen sich aus den oben erwähnten Gründen ganz besonders bei Akne und unreiner Haut. Der Ayurweda lehrt, daß die Anwendung von Öl mit anschließender Wärmebehandlung nicht nur eine einfache und effektive Methode zur Hautreinigung ist, sondern auch das Gleichgewicht des Vata-Doshas fördert. Da alle Alterungserscheinungen auf erhöhtes Vata zurückzuführen sind, wird Vata durch Öl- und Dampfbehandlungen kontrolliert, und der Körper erhält seine Jugendlichkeit zurück. Allmählich verschwinden die Falten, denn das Gesicht fühlt sich wieder frischer, gesünder und angenehm warm an.

Die Häufigkeit der Dampfbehandlungen richtet sich nach dem Zustand Deiner Haut. Bei trockener und reifer Haut solltest Du nur einmal in zwei Wochen eine Dampfanwendung durchführen. Der Dampf besitzt zwar viel Feuchtigkeit, doch übermäßiges Anwenden trocknet die Haut aus. Eine Behandlung wöchentlich ist bei normaler oder fettiger Hautbeschaffenheit zu empfehlen.

Vorbereitung einer Kräuterdampfanwendung

Bring mindestens 1 Liter Wasser zum Kochen. Füge zwei Handvoll der unten aufgelisteten Kräutermischungen hinzu und laß sie bei geschlossenem Deckel und niedriger Temperatur etwa 2 Minuten lang einweichen.

Stelle den Topf an einen Ort, wo Du Dich bequem über ihn beugen und entspannen kannst. Nimm den Topfdeckel ab und gib ein paar Tropfen ätherisches Öl hinzu. Halte das Gesicht etwa 30 bis 45 cm über der Oberfläche der Flüssigkeit und bedecke Deinen Kopf und den Topf mit einem Handtuch, damit der Dampf nicht entweichen kann. Für die Anwendung genügen fünf Minuten, es sollten keinesfalls mehr als zehn Minuten sein. Vielleicht empfindest Du es entspannender, Dein Haar während der Dampfanwendung mit einem kühlen Frotteeturban zu umwickeln.

Zutaten für Dampfanwendungen mit Heilpflanzen

Jede Dampfanwendung benötigt vier Arten von Zutaten: die durchblutungsfördernden, die entschlackenden, die beruhigenden und heilenden sowie die Bestandteile, deren therapeutischer Wert in ihrem Aroma liegt. Einige Kräuter werden in allen unten beschriebenen Formeln ver-

verwendet. Lorbeer regt die Durchblutung der Hautoberfläche an, Süßholz wirkt entschlackend. Die weiter aufgeführten Heilpflanzen pflegen die Haut durch ihre beruhigenden und heilenden Eigenschaften. Ätherische Öle verstärken das Aroma, aktivieren Bereiche im Gehirn und erfreuen Geist und Seele. Verwende 5 Tropfen auf 1 Liter Wasser.

Bei NORMALER Haut ist eine Mischung aus Süßholz, Rose, Sandelholz, Thymian, Ashwagandha, Lorbeer, Kamille, Klee, Beinwell, Fenchel, Lavendel, Frauenmantel, Eibisch mit ätherischem Lavendel-, Geranium-, Bergamott- oder Sandelholzöl zu verwenden.

Bei TROCKENER Haut versuche eine Mischung aus Lorbeer, Süßholz, Kamille, Beinwell, Dashmula, Löwenzahn, Rose, Sandelholz, Eibisch und Orangenschale. Diese Mischung kann etwa einmal im Monat angewandt werden. Bei trockener Haut wirkt eine warme Kompresse allerdings sanfter. Versuche die Abkochung eines Kräutertees aus Beinwell, Holunder, Lavendel, Lindenblüte, Rose, Rosmarin, Sandelholz und Schafgarbe oder 3 bis 4 Tropfen ätherisches Rosen-, Sandelholz-, Kamillen- oder Neroliöl auf 1 Liter gekochtes Quellwasser. (Näheres zu den Kompressen findest Du unten.)

Bei FETTIGER Haut empfehle ich eine Mischung aus Lorbeer, Süßholz, Beinwell, Fenchel, Lavendel, Melisse, Lemon grass, Zitronenschalen, Zitronenverbene, Rose, Rosmarin und Sandelholz (oder Zaubernußrinde) mit der Mischung aus ätherischem Wacholder-, Zitronen- und Zypressenöl.

Bei REIFER Haut versuche Lorbeer, Süßholz, Anis, Zimt, Nelke, Eukalyptus, Fenchel, Ingwer, Minze, Brennessel, Orangenschale und Pinie mit ätherischem Rosmarin- oder Salbeiöl.

Bei UNREINER Haut ist eine Mischung aus Lorbeer, Süßholz, dem Blatt der schwarzen Johannisbeere, Klettenwurzel, Löwenzahnwurzel, Lemon grass, Manjishta und Schafgarbe mit ätherischem Blaukamillen-, Myrrhen-, Rosen-, Zitronen-, Bergamott-, Lavendel-, Zedern- oder Wacholderöl zu empfehlen.

Kompressen

Kompressen stellen eine ausgezeichnete Alternative zur Dampfbehandlung dar. Warme oder kühle Kompressen besitzen in vielerlei Hinsicht ebenso wohltuende Eigenschaften wie die Dampfbehandlung, können jedoch die Haut nicht austrocknen. In ihrer sanften Wirkungsweise lassen sie die äußeren trockenen Hautschichten leicht anschwellen und regen die Hautfunktionen auf die gleiche Weise an wie Dampf. Die Haut wird weich und geschmeidig und empfänglicher für weitere Anwendungen. Kompressen eignen sich vor allem bei trockener, empfindlicher oder auch bei geröteter Haut mit Tendenz zur Bildung feiner Äderchen. Verwende etwa 1 Liter Flüssigkeit (die Zutaten findest Du im Kapitel über Kräuterdämpfe im Abschnitt über trockene Haut), zumindest genügend Flüssigkeit, um einen Waschlappen darin zu tränken. Wringe den Waschlappen aus und halte ihn auf das Gesicht. Schneide Löcher für Augen, Nase und Mund hinein oder verwende zwei Lappen – einen, um die Augen, Nase und Wangen zu bedecken, den anderen für das Kinn und den Kiefer.

Schälkuren

Eine Schälkur sollte mild sein und nicht zu stark scheuern, damit sie täglich angewandt werden kann. Schälkuren regen die Durchblutung an, reinigen die Poren und beugen Mitessern vor, indem sie die Haut von ihrer schuppenartigen äußersten Schicht befreien. Sie verleihen dem Teint strahlenden Glanz und stimulieren den Wuchs neuer Hautzellen. Je nach Abstimmung auf Deine Haut kann sie anstelle von Seife oder Reinigungsmitteln täglich oder auch wöchentlich angewandt werden.

Vermeide angeblich natürliche Schälkuren, die zerstoßene Aprikosenkerne oder Nußschalen beinhalten, denn sie sind zu grob und aggressiv. (Auch „Buffing Pads“ und Luffaschwämme sind in der Gesichtspflege zu vermeiden.) Die Verwendung solcher Produkte auf der Haut käme etwa einer feinen Oberflächenbehandlung von Holz mit grobem Sandpapier gleich. Außerdem können sie die hochempfindlichen Hautstrukturen reizen, irritieren oder ihr mikroskopisch kleine Schäden zufügen.

Die Basis aller Schälkuren besteht aus reinem Getreide- oder Bohnenmehl, versetzt mit einigen pulverisierten Kräutern zur tieferen Reinigung sowie mit pulverisierten, getrockneten Blütenblättern für Duft und Farbe. Wie bei den Ubtans wird auch für die Schälkuren ausreichend Quellwasser oder Kräutertee verwendet, damit eine cremige Paste entsteht. (Du kannst auch ein wenig Kräutertee oder das Wasser-Öl-Gemisch Deiner Dampfanwendung verwenden.)

Reibe diese Mixtur sanft in kleinen Kreisen entgegen dem Uhrzeigersinn auf die Gesichtshaut. Spüle sie anschließend mit kaltem, reinem Wasser ab.

Bei NORMALER Haut verwendest Du Hafermehl mit ein wenig Tulsi, Sandelholz- und Rosenblütenpulver. Mische diese Paste mit Quellwasser, Rohmilch oder Beinwelltee.

Bei TROCKENER Haut ist Kichererbsen- oder feines Linsenmehl mit Weizenkeimen, Mandelpulver, Agar-Agar, Ashwagandha, Haritaki, Bockshornklee, Tulsi, Holunder und Rosenblüten zu verwenden. Mische diese Zutaten mit Aloe-vera-Saft, Milch oder Rahm.

Bei FETTIGER Haut empfiehlt sich Gerstenmehl mit Reiskleie, Amalaki, Koriander, Manjishta, Neem, Sandelholz und Lavendelpulver. Mische diese Zutaten mit verdünntem Limonen- oder Aloe-Vera-Saft.

Bei REIFER Haut verwendest Du Linsen-, Gersten- oder Reismehl mit Haritaki, Ashwagandha, Tulsi, Süßholz und Orangenschalenpulver, vermischt mit Aloe-vera-Saft oder Milch mit etwas Honig.

Bei UNREINER Haut ist Hafermehl und Tonpulver mit Ashwagandha, Koriander, Kreuzkümmel, Bibitaki, Haritaki, Bockshornklee, Ingwer, Neem, Manjhista und eine Prise Kurkuma und Lavendelpulver, vermischt mit Joghurt zu verwenden.

Alle Schälkuren können auch als Masken verwendet werden. Nachfolgend wird eine Reihe spezieller wohltuender Gesichtsmasken beschrieben.

Masken

Es gibt zwar viele Arten von Masken, doch ihre Wirkungsweisen lassen sich grundsätzlich in drei Kategorien einteilen:

1. Sie entziehen den tieferen Hautschichten Schmutzstoffe, beseitigen Mitesser und Akne und wirken auch vorbeugend.

2. Sie ernähren die Haut, indem sie ihr Vitamine und Mineralstoffe zuführen, und verjüngen sie, indem sie die Poren wiederbeleben, Vernarbungen heilen, einen ausgeglichenen Farbton herstellen und die Haut beruhigen und ihr Feuchtigkeit spenden.

3. Sie stimulieren die tiefstliegenden Hautschichten und sorgen für gesundes, neues Wachstum.

Ton ist als Grundlage für eine Gesichtsmaske am besten geeignet, denn wie ein Magnet zieht er tief in den Hautschichten angesammelte Schmutzstoffe und Toxine an. Ton ist außerdem reich an (für die Haut lebenswichtigen) Mineralstoffen wie Eisen, Magnesium, Zink, Kalium, Kalzium und Kieselsäure. Weißer oder grüner Ton ist in Pulverform in den meisten Reformhäusern und Kräuterläden erhältlich.

Damit Deine Maske optimal wirkt, mußt Du die Kräuter und ätherischen Öle auf Deine Konstitution abstimmen (siehe Wahl der Zutaten für Dampfbäder). Für einen angenehmen Duft genügen schon wenige Tropfen ätherisches Öl. Eine Maske sollte etwa 10 bis 20 Minuten aufliegen. Diese Zeit kannst Du für kurze Hand- und Fußmassagen nutzen.

Bei NORMALER und TROCKENER Haut stellst Du eine Maske aus 6 Teilen Ton, 2 Teilen Aloe-vera-Saft, Eiweiß oder Quellwasser und 1 Teil Honig her.

Bei FETTIGER Haut bereitest Du Dir eine Maske aus 5 Teilen Ton, 1 Teil Honig, 1 Teil Aloe-vera-Saft und 1 Teil Fencheltee oder Zitronensaft.

Bei REIFER Haut verwende 6 Teile Ton, 3 Teile Honig, 2 Teile Quellwasser oder Aloe-vera-Saft und ein wenig Rosa-Mosquita-, Vitamin E- und A-, Nachtkerzen oder Borretschöl.

Bei UNREINER Haut versuche 6 Teile Ton, 1 Teil Joghurt und 2 Teile Jojobaöl.

Gesichtspackungen

Gesichtspackungen sind weichere, porösere Gesichtsmasken. Auf ähnliche Weise wie Masken verbessern sie die Durchblutung und reinigen und straffen das gesamte Gesicht. Aufgrund ihrer weicheren Konsistenz wirken sie sanfter als Masken und lassen die Haut besser atmen. Sie können längere Zeit auf dem Gesicht bleiben, selbst während einer Ganzkörpermassage.

Die hier beschriebenen Gesichtspackungen setzen sich aus einer Reihe verschiedenartiger Früchte und Gemüsesorten zusammen. Die frischen Frucht- und Gemüsesäfte dienen zum Straffen der Haut und versorgen diese mit Enzymen, die die Haut reinigen und ihr natürliches Gleichgewicht wiederherstellen. Zerdrücke die frischen Früchte und Gemüsesorten, füge Fruchtpektin, Agar-Agar, Ton oder Hafermehl hinzu, um die Mischung zu festigen, damit sie nicht vom Gesicht rutscht.

Bei NORMALER Haut ist Avocado, Banane, Kantalupe (Beutelmelone), Traube, Pfirsich, Nektarine oder Zucchini zu verwenden.

Bei TROCKENER HAUT versuche Apfel, Avocado, Banane, Karotte, Birne, Melone oder Nektarine.

Bei FETTIGER Haut verwende Kohl, Salatgurke, Zitrone, Birne, Erdbeere oder Tomate.

Bei REIFER Haut wähle Apfel, Avocado, Traube oder Zitrone.

Bei UNREINER Haut versuche Apfel, Kohl, Traube oder Tomate.

Sowohl die Masken als auch die Packungen sollten mit kühlem Wasser und einem reinen Waschlappen entfernt werden.

Tonika

Ein gutes Tonikum ist ein alkoholfreies Präparat, das die Reste der vorangegangenen Anwendungen entfernt. Zudem belebt es die Poren, strafft und kräftigt (tonisiert) die Haut und bereitet sie auf die Feuchtigkeitsbehandlung vor.

Ein After-shave besitzt grundsätzlich die Eigenschaften eines Tonikums. Da jedoch die meisten After-shaves vorwiegend aus Alkohol und künstlichen Duftstoffen bestehen, schädigen sie die Haut und verhindern die Wiederherstellung ihrer Schutzschicht, die durch Rasierschaum und -klinge zerstört wird. Der Alkohol trocknet die Haut weiter aus.

Anstelle dieser aggressiven Produkte solltest Du adstringierende oder aus ätherischen Ölen zusammengesetzte Sprühfluids verwenden. Trage das Tonikum mit Hilfe eines Wattebausches oder eines Pumpsprühers auf.

Versuche eines dieser Tonika entsprechend Deinem Hautzustand.

Bei NORMALER Haut kombiniere Zaubernuß mit der gleichen Menge Kräutertee oder Blütenwasser. Für den Kräutertee eignen sich Beinwell, Holunderblüten oder Rosmarin. Das beste ist allerdings hochqualitatives Rosenwasser.

Bei TROCKENER Haut verwende reines Rosenwasser.

Bei FETTIGER Haut ist Tulsiwasser oder eine Mixtur aus gleichen Teilen Zaubernuß mit Koriander-, Fenchel-, Taubnessel- oder Schafgarbentee zu verwenden.

Bei REIFER Haut verwende reines Rosenwasser.

Bei UNREINER Haut verwende gleiche Teile Zaubernuß mit Tulsi oder Rosenwasser.

Feuchtigkeitsspendende Präparate

Alle Hauttypen benötigen feuchtigkeitsspendende Präparate, selbst von Natur aus fettige Haut. Feuchtigkeitsspendende Präparate schützen die Haut vor den natürlichen Elementen und Bakterien und verhindern, daß Make-up in die Poren gelangt.

Feuchtigkeitsspendende Präparate besitzen im wesentlichen zwei Funktionen. Die äußeren Hautschichten schwellen an, werden weich, samtig und geschmeidig. Feine Fältchen werden vorübergehend beseitigt und tiefere Falten übertüncht. Außerdem wird verhindert, daß der Haut durch trockene Luft Feuchtigkeit entzogen wird. Glyzerin ist in vielen feuchtigkeitsspendenden Präparaten enthalten und bewirkt, daß die Feuchtigkeit der Haut an die Oberfläche wandert. Gegen diesen Vorgang ist nichts einzuwenden, solange der Körper noch ausreichend Feuchtigkeit besitzt, um die Haut damit insbesondere in den tiefen Schichten zu versorgen. Andernfalls trocknet die Haut auf lange Sicht aus und verliert ihren Tonus. Neben Glyzerin wird auch Alkohol für viele feuchtigkeitsspendende Präparate und Körperlotionen verwendet. Alkohol besitzt von Natur aus eine austrocknende Wirkung und ist daher auf Dauer ebenso wenig geeignet. Vermeide Präparate, die diese Substanzen enthalten, es sei denn, Du weißt, daß Deine Haut ausreichend Feuchtigkeit besitzt.

Feuchtigkeitsspendende Präparate sollten nach jedem Waschen angewandt werden, um die Haut bei der Wiederherstellung ihrer Schutzschicht (dauert etwa 20 Minuten) zu unterstützen. Für den Tag sind mildere feuchtigkeitsspendende Präparate zu empfehlen, stärker wirksame, die Haut nährende Präparate, sollten abends, wenn die Haut empfänglicher für Nährstoffe ist, angewendet werden.

Für feuchtigkeitsspendende Präparate gelten grundsätzlich folgende Mengenverhältnisse:

2	Eßlöffel	Aloe-vera-Gel
ca. 30	ml	Kakaobutter oder Lanolin
ca. 60	ml	Rosenwasser

Bei NORMALER Haut verwendest Du Mandel- oder Jojobaöl.
Bei TROCKENER Haut ist Sesamöl oder Lanolin zu verwenden.
Bei FETTIGER oder UNREINER Haut empfiehlt sich Jojobaöl oder -butter.
Bei REIFER Haut ist Reiskleieöl oder Ghee zu verwenden.

Zur Zubereitung erwärme die Öle und die Butter gemeinsam und das

Blütenwasser und Aloe vera separat. Gib alle Zutaten in einen Mixer und vermische sie. Füge ätherische Öle hinzu, wie sie in den verschiedenen beschriebenen Massagen verwendet werden. Zur Herstellung einer schwereren Nachtcreme vermindere den Anteil des Aloe-vera-Gels und füge Vitamin A und E oder ein wenig Rosa-Mosquita-Öl hinzu. Bewahre sie kühl und luftdicht verschlossen auf.

Der Bereich um die Augen erfordert besondere Pflege, da die dort befindlichen Gewebe keine Fettdrüsen besitzen. Dieser Bereich ist auch sehr zart und häufig empfindlich. Vermeide es, in diesem Bereich zu ziehen, wenn Du Dich massierst oder Make-up aufträgst. Die Haut in diesem Bereich läßt sich sehr leicht dehnen. Betupfe die Zonen um die Augen nachts mit Rosa-Mosquita-Öl. Dadurch beugst Du Falten vor, die sich im Laufe der Zeit von Natur aus bilden.

Falten kann man auf verschiedene Weise betrachten. Betrachte sie als ein Zeichen von Weisheit und gereiftem Charakter. Lachfältchen kannst Du als Beweis für ein frohes und zufriedenes Leben anstatt als Ausdruck von Bitterkeit interpretieren. Vergiß nicht, daß der Körper niemals lügt – vor allem nicht das Gesicht.

Sprühfluids

Die sanfte Anwendung von Sprühfluids verleiht dem Teint zu jeder Tageszeit seine ursprüngliche Vitalität. Sprühanwendungen sind besonders erfrischend in sehr trockenem Klima, windigem Wetter, nach Körperübungen oder auf Luftreisen, während derer die Haut ganz besonders Trockenheit ausgesetzt ist. Verwende sie zur Stabilisierung des Makeups, zur Reaktivierung der Feuchtigkeitsbehandlung oder auch nur zur Erfrischung. Wende die Sprühfluids zur Unterstützung der Absorption vor und nach der Feuchtigkeitsbehandlung an. Sprühfluids können aus reinem Quellwasser, Kräutertee oder mit Mineralstoffen angereichertem Wasser hergestellt werden. Eine der Besonderheiten des Ayurweda ist die Verwendung von Metallen, Mineralstoffen und Edelsteinen zur heilenden Wirkung. Die Eigenschaften von Edelmetallen können dem Wasser zugeführt werden, indem man das Metall mit Wasser in einem Glas oder einer Emailpfanne zum Kochen bringt. Verwende dazu ca. 30 g Metall auf etwa 600 ml Wasser. Laß die Flüssigkeit sieden, bis die Hälfte des Wassers verdampft ist. (Falls Du nicht ausreichend Metall zur Verfügung hast, verwende einen schweren Ring und gib diesen in einen halben Liter Wasser.) Dieses Wasser kann als Sprühfluid verwendet werden.

Bei NORMALER oder TROCKENER Haut verwende Goldwasser.
Bei FETTIGER Haut verwende Silberwasser.
Bei REIFER Haut verwende Kupfer- oder Goldwasser.
Bei UNREINER oder GERÖTETER Haut verwendest Du Kupferwasser.

Es kann auch Wasser mit Edelsteinen verwendet werden. Die nützlichen Eigenschaften von Edelsteinen können dem Wasser zugeführt werden, indem man ein Glas Quellwasser mit dem darin befindlichen Edelstein etwa 30 Tage lang intensivem Sonnenlicht aussetzt. Die nützlichen Eigenschaften der einzelnen Edelsteine sind dem Kapitel über Edelsteintherapie zu entnehmen.

Einige Anmerkungen zum Make-up

Mit der allgemeinen Verbesserung Deines Gesundheitszustands und der allmählichen Herstellung Deines körperlichen Gleichgewichts wird sich auch die Qualität Deiner Haut zunehmend verbessern. Deine innere Kraft und natürliche Schönheit werden neuen Glanz erhalten, und Du wirst weniger schmückendes Beiwerk benötigen.

Wende Make-up nur an, wenn es unbedingt nötig ist und belasse die Haut so oft wie möglich in ihrem natürlichen Zustand. Verwende ausschließlich natürliche Kosmetik bester Qualität, und zwar nur zur Unterstreichung Deines Aussehens, nicht zum Überdecken.

Und vergiß nicht ...

„Das Leben ist ein Spiegel.
Wenn Du die Stirn runzelst, wird es das auch tun.
Wenn Du lächelst, wird es Dein Lächeln erwidern."
Thackeray

Hautpflege für den gesamten Körper

Die ayurwedische Hautpflege für den gesamten Körper verläuft nach den gleichen Prinzipien und Anwendungsweisen wie die Gesichtspflege, ist jedoch in weniger Schritte eingeteilt, weil die einzelnen Schritte mehrere Anwendungen gleichzeitig beinhalten. In diesem Abschnitt beschreibe ich ein System für die häusliche Eigenbehandlung und eine etwas unfangreichere Alternative, die einen professionellen Massagetherapeuten sowie die entsprechende Praxisumgebung erfordert. Beide Systeme zeigen wunderbare Wirkung.

Die Hautpflege zu Hause

- Trage erwärmtes, Deiner Dosha-Dominanz und dem Hautzustand entsprechendes Öl auf den gesamten Körper auf. Verwende einfaches kaltgepreßtes Öl oder mit Kräutern angereichertes Öl beziehungsweise ätherische Öle nach der Beschreibung im Rezept-Abschnitt, S. 216 (siehe Mischungen).
- Verabreiche Dir eine Ganzkörpermassage. Das Kapitel über Selbstmassage (S. 159) liefert genaue Anweisungen. Diese Anwendung wirkt besonders belebend. Hier besteht der Hauptgedanke der Behandlung darin, das Öl gründlich in die Haut einzuarbeiten.
- Erhöhe Deine innere Wärme durch Bewegung. Eine Ölbehandlung mit anschließenden Körperübungen ist besonders nützlich für Vatavorherrschende Konstitutionen und wenn Du unter viel Streß stehst. Als Alternative kannst Du die Haut erwärmen, indem Du Dich etwa 20 Minuten lang in der Sonne entspannst. Nutze die Zeit dazu, Dich wirklich auszuruhen oder nachzudenken. Zumindest solltest Du unharmonische Situationen innerhalb dieser wenigen Minuten vermeiden.
- Reinige Dich mit einem Ubtan. (Ein Ubtan ist eine Mischung aus Mehl, Kräutern und manchmal Öl, das die Haut kräftigt, ernährt und mit Feuchtigkeit versorgt.) Wende diesen Ubtan genauso an wie eine Schälkur, jedoch am ganzen Körper (siehe Rezepte, S. 218). Die Paste neigt dazu, wieder abzublättern. Daher ist es sicherlich die sauberste Alternative, diese Behandlung sitzend in der Badewanne durchzuführen. Bequemer ist es, wenn Du vorher etwas warmes Wasser in die Wanne einläßt. Das Wasser erwärmt die Wanne und kann zur Befeuchtung verwendet werden, wenn die Ubtan-Paste trocken wird.
- Nimm ein warmes Kräuter- oder aromatherapeutisches Bad, um den Ubtan abzuspülen und dusche Dich anschließend kurz mit kaltem Wasser. Das warme Bad öffnet die Gewebe, und das kurze kühle Duschbad läßt das Blut an die Hautoberfläche strömen. Trockne Dich ab und entspanne Dich für einen Moment.

Du wirst Dich völlig ausgeruht und angenehm energiegeladen fühlen. Es ist eine hervorragende Methode, um den Tag zu beginnen und dauert einschließlich der Übungen und Entspannungen nur etwa 30 Minuten. Die Methode ist ebenso geeignet, sich vom Streß des Tages zu erholen und schafft die Voraussetzung für einen produktiven oder lustigen Abend sowie für einen wunderbaren Schlaf.

Ayurwedische Körperpflege in einer Praxisumgebung

Körpermassage: Der Patient sollte eine Ganzkörpermassage mit reichlich Duftstoffen und warmem Öl erhalten. Die ayurwedische Massage wird entweder von einem einzelnen oder bisweilen von zwei Therapeuten durchgeführt, damit die feinen Energieströme im Körper rhythmisch stimuliert werden und sich die Haut und das darunterliegende Gewebe entspannen können. Wichtig ist hierbei, daß die Massage zu einem sicheren und nährenden Erlebnis für den gesamten Organismus wird. Viele Patienten fühlten sich vor Geborgenheit in den Mutterleib zurückversetzt.

Kräuterdampfbad für den gesamten Körper: Während der Körper noch mit Öl bedeckt ist, nimmt der Patient ein Dampfbad in einem Dampfkasten. Die Feuchtigkeit des Dampfes fördert die Blutzufuhr der Hautoberfläche und öffnet die Drüsen und Poren, damit diese das nährende Öl aufnehmen können. Das Öl spendet der Haut Feuchtigkeit und verleiht ihr Fülle und Geschmeidigkeit. Auf diese Weise kommt die Haut in den Genuß der Heilkräfte der Kräuter und ätherischen Öle. Nach der Dampfbehandlung sollte Dein Körper abkühlen und entspannen. (Ein heißes Bad besitzt fast die gleiche Wirkung, vor allem, wenn ihm ein Kräuterumschlag zur Durchwärmung des Körpers folgt.)

Ubvartan: Bei dieser Anwendung werden getrocknete Kräuter oder Kräuterpasten (Ubtans, s.S. 218) zügig in die Haut gerieben. Durch diesen Vorgang wird die Haut gereinigt und genährt sowie die Muskeln gekräftigt. Zudem wird der Stoffwechsel innerhalb der Muskeln und Fettgewebe verbessert. Die Haut erhält prickelnde Frische, wird beruhigt und fühlt sich weich an.

Spülung: Es erfolgt eine kühle Spülung, um das Pulver oder die Paste restlos zu beseitigen. Reibe den Körper sanft trocken. Du wirst sehen, wie geschmeidig, frisch und wohldurchblutet sich Deine Haut selbst ohne

Lotion anfühlt. In einem besonders trockenen Klima kannst Du, falls unbedingt nötig, ein wenig Körperöl oder -lotion auftragen.

Damit Du Dich noch wohler und schöner fühlst, laß Dir vor dem Abspülen noch eine der folgenden Anwendungen verabreichen:

Shiro Dhara: Sorge dafür, daß auch die entlegensten Winkel Deines Geists und Körpers völlig entspannt sind, während ein feiner warmer Strahl Sesamöl auf das dritte Auge gegossen wird.

Bei ***Netra Basti*** werden die Augen mit zerlassenem Butterfett gebadet. Diese Anwendung bewirkt, daß sich die inneren Spannungen der Augenhöhlen lösen, Falten zurückbilden und die Augen herrlichen Glanz erhalten. Biete eine kurze Gesichtsmassage an und wende Nasya an (Einbringen von Nasentropfen), um den Geist zu entspannen und zu reinigen sowie die dunklen Ringe unter den Augen zu beseitigen.

Bei ***Karna Purana*** wird warmes Öl für eine Dauer von 20 Minuten in die Ohren gegossen, um Kinn- und Halsverspannungen zu lösen.

Rezepte und Zutaten für die Hautpflege am gesamten Körper

Bei der Beschreibung von Formeln und Kräutern für ayurwedische Gesichtspflege ist vor allem von Bedeutung, welche Wirkung sie auf einen bestimmten Zustand der Gesichtshaut haben. Dabei wird die Konstitution mit eingeschlossen, wogegen die Hautpflege für den gesamten Körper vor allem an die Konstitution gerichtet ist. Das bedeutet, daß alle für die Gesichtspflege geeigneten Kräuter und Ölmischungen auch hier angewendet werden, jedoch die folgenden Formeln eine größere Wirkung auf den gesamten Organismus besitzen, weil sie an den ganzen Körper gerichtet sind.

Ölmischungen

Allgemein sollten die verschiedenen Dosha-Dominanzen bei der Zubereitung der Öle und Auswahl der Kräuter für diese Anwendungen folgendermaßen berücksichtigt werden:

Wenn **Vata** vorherrscht, verwende wärmende, nährende und tonisierende Präparate (am besten für trockene Haut geeignet).

Wenn **Pitta** vorherrscht, verwende kühlende, reinigende und beruhigende Präparate (vor allem bei fettiger und unreiner Haut).

Wenn **Kapha** vorherrscht, verwende wärmende, reinigende und stimulierende Präparate (am besten für normale und reifere Haut geeignet).

Mischungen für Vata:

Basisöl: Sesam- oder Avocado-Öl, mit Weizenkeimen oder Rizinusöl angereichert.

Kräuter: Ashwagandha, Brahmi, Beinwell, Zimt, Bockshornklee, Haritaki, Tulsi, Shatavari.

Ätherische Öle: Muskatellersalbei, Zimt, Nelke, Zypresse, Geranie, Jasmin, Moschus, Rose, Sandelholz.

Mischungen für Pitta

Basisöl: Sonnenblumen- oder Safloröl, mit Ringelblumen-, Kokosnuß- oder Reiskleieöl angereichert.

Kräuter: Amalaki, Kamille, Koriander, Jasmin, Mahabala, Manjistha, Sandelholz.

Ätherische Öle: Kamille, Gardenia, Geranium, Geißblatt, Jasmin, Lemongrass, Melisse, Minze, Rose, Rosenholz, Vetiver.

Mischungen für Kapha

Basisöl: Oliven- oder Mandelöl, angereichert mit Jojoba-, Rosa-Mosquita- oder Vitamin-A-Öl.

Kräuter: Ashwagandha, Bibitaki, Bockshornklee, Haritaki, Neem, Eukalyptus.

Ätherische Öle: Zeder, Zimt, Eukalyptus, Weihrauch, Moschus, Patchouli, Salbei.

Für Körperdampfbäder befolgst Du die Anweisungen für Gesichtsdampfbäder, S. 204 ff. Für Bäder siehe Kapitel Lebensweise, S. 111 ff.

Ubtans

Die einfachsten Ubtans enthalten Mehl, Öl und etwas Kurkuma. Beispiel:

ca. 60	g	Kichererbsenmehl
ca. 7	ml	Senfkeimöl
1/2	Teelöffel	Kurkumapulver
		Ausreichend Flüssigkeit zur Herstellung einer Paste

Kichererbsenmehl ist von allen Mehlsorten das nährstoffreichste, Senföl regt die Durchblutung an.

Zur Herstellung mehr Dosha-bezogener Ubtans, versuche folgende Rezepte:

Für Vata: Getreide- oder Linsenmehl mit Avocado- oder Sesamöl, Weizenkeim- oder Rizinusöl und Milch.
Für Pitta: Gersten- oder Reismehl mit Saflor- oder Sonnenblumenöl und Aloe-vera- oder Zitronensaft.
Für Kapha: Maismehl, blaues Maismehl, Hirsemehl mit Oliven-, Mandel- oder Jojobaöl und Quellwasser.

Damit Dein Körper noch geschmeidiger wird und einen herrlichen Glanz erhält, füge jedem Rezept ein wenig Bockshornkleepulver hinzu.

Ubtans können auch durch die alleinige Verwendung von Kräuterpulver hergestellt werden. Eine einfache Formel, die alle Hauttypen tonisiert und aus Zutaten hergestellt wird, die im Westen überall jederzeit erhältlich sind, besteht aus einer Mischung gleicher Teile Ashwagandha-, Dashmula- und Süßholzpulver. Füge einfach ein wenig Quellwasser hinzu und reibe die Paste in den Körper.

Es werden immer mehr ayurwedische Öle und Kräuterzubereitungen produziert, die im Handel erhältlich sind. Die Namen und Adressen von Lieferanten und Herstellern ayurwedischer Produkte findest Du im Quellenanhang. Bei der Bestellung solltest Du Dich eingehend über das Produkt und seine Lieferung informieren sowie nach den Preisen der Produkte und Muster fragen.

Die ayurwedische Verjüngungstherapie

Ayurweda ist weitaus mehr als ein System natürlicher Heilverfahren. Ayurweda ist sowohl eine Wissenschaft als auch die Kunst der richtigen Lebensweise, die die Langlebigkeit und die größtmögliche Entfaltung unseres menschlichen Potentials fördert. Aus den vorangegangenen Kapiteln dürfte zweifelsfrei hervorgegangen sein, daß Ayurweda klare und spezifische Richtlinien für jeden Menschen bietet hinsichtlich der Ernährungsweise, der Gestaltung der Lebensweise und der Bewegungsformen, die erforderlich sind, um den Körper zu regenerieren und bei guter Gesundheit zu halten und die Entwicklung der Persönlichkeit und dem höheren Streben des menschlichen Geistes zu fördern. Durch diesen umfassenden, ganzheitlichen Ansatz versucht der Ayurweda Krankheiten vorzubeugen und einen Zustand von natürlicher, strahlender Schönheit und guter Gesundheit aufrechtzuerhalten.

Sowohl die Förderung der Gesundheit als auch die Heilung stützen sich auf das Prinzip, nach dem die physische Erscheinung, die inneren Funktionen und die psychologische und spirituelle Beschaffenheit des Individuums durch die drei Doshas Vata, Pitta und Kapha bestimmt werden. Die Doshas werden als natürliche Kräfte aufgefaßt, die durch bestimmte Eigenschaften und Funktionen gekennzeichnet sind. Der Körper ist ein Produkt dieser Kräfte, die sich aus der äußeren Umwelt heraus verdichtet haben. Obwohl es den Anschein haben könnte, das Individuum existiere seit dem Augenblick der Geburt als eigenständiges, einzelnes Wesen, bleibt jeder Mensch mit der Welt, die ihm das Leben verliehen hat, zeitlebens energetisch verbunden. Die Wechselwirkungen zwischen dem Individuum und seiner Umwelt geschehen durch das Wechselspiel der Körper-Doshas und den energetischen Eigenschaften der jeweiligen Umwelt. Falsche Ernährungsweisen, Gewohnheiten und Lebensweise, unterdrückte Gefühle, klimatische und jahreszeitliche Faktoren in Verbindung mit verschiedenen anderen Streßformen tragen alle zur Störung des empfindlichen inneren Gleichgewichts der Doshas bei.

Störungen dieser subtilen, feinstofflichen Kräfte haben eine direkte Auswirkung auf Agni und damit auf die Verdauung und auf die Assimilation und Ausscheidung der Nahrung und beeinträchtigen den natürlichen Ausdruck der Gefühle. Geschwächtes Agni führt zu Verdauungsstörungen und Unordnung im Organismus. Durch unvollständige Verdauung werden selbst die reinsten, nahrhaftesten Speisen zu einer Quelle von Toxinen, die im Ayurweda als *Ama* bezeichnet werden. Nach der Bildung von Ama gehen diese Substanzen in die Blutbahn über, verstopfen die Kanäle des Körpers und lagern sich am Ort der niedrigsten Energie ab, also dort, wo der Organismus am anfälligsten ist. Ama benebelt den Geist, wodurch der Betroffene weniger in der Lage sein dürfte, gesundheits- und schönheitsfördernde Entscheidungen hinsichtlich der Lebensweise zu treffen.

Im Ayurweda beruhen Gesundheits- und Schönheitspflege sowie die Heilung von Krankheiten auf der Ausscheidung von Ama aus dem Körper, der Wiederherstellung einer gesunden Zellernährung, der Förderung aller Ausscheidungsprozesse und der Wiederherstellung des Dosha-Gleichgewichts. All dieses kann allmählich erreicht werden durch die richtige Ernährungs- und Lebensweise und der Verbesserung von Agni wie bereits zuvor geschildert. Da unser modernes Leben so grundlegend hektisch und chaotisch ist, stellen solche Veränderungen eine erhebliche Herausforderung dar, die nur durch ein gehöriges Maß an Disziplin und Geduld gemeistert werden kann. Eine raschere und tiefergreifende Reinigung und Herstellung des Gleichgewichts kann durch die traditionelle ayurwedische Verjüngungstherapie erreicht werden.

Die als *Pancha Karma* bezeichnete ayurwedische Verjüngungstherapie ist das älteste wissenschaftliche System zur Entgiftung des Körpers und optimalen Versorgung des Organismus mit allen notwendigen Nährstoffen. Obwohl dieses System vor Tausenden von Jahren entwickelt wurde, kann es mit Fug und Recht als eines der gründlichsten seiner Art betrachtet werden und erzielt transformative Wirkungen auf allen Ebenen. Durch Pancha Karma wird das gesamte System verjüngt, der Körper gewinnt an Jugendlichkeit und Kraft und der Geist an Offenheit und Ruhe. Durch die Kombination von Ölmassagen, Ganzkörper-Dampfbädern und Reinigung der Haut durch Schälkuren mit Mehl wird die Schönheit der Haut gesteigert und der Tonus und die Geschmeidigkeit verbessert. Obwohl die spezifischen Reinigungstherapien und Verjüngungstonika eine innere Wirkung entfalten, stärken sie die Eckpfeiler der äußeren Schönheit und fördern die Charakterstärke.

Die ayurwedische Verjüngungstherapie kann entweder als Programm zur Verbesserung der Gesundheit und Schönheit oder auch zur Heilung eines spezifischen Leidens verwendet werden. In der ayurwedischen Tradition wurde diese Behandlung als vorbeugende Maßnahme während des Übergangs vom Sommer zum Herbst und vom Winter zum Frühjahr durchgeführt. Die Verjüngungstherapie dient nicht nur dem Ziel, den Körper von allen möglicherweise angefallenen Schlacken und Toxinen zu reinigen, sondern auch überschüssige feinstoffliche Energien oder überschüssige Dosha-Energien abzubauen. Diese Maßnahmen fördern eine gute Gesundheit und Langlebigkeit und ein ausgeglichenes, schönes Äußeres unter wechselnden klimatischen Bedingungen. Traditionelle Gleichnisse sprechen davon, daß es besser sei, ein Tuch vor dem Färbevorgang zu reinigen oder eine Schale zu waschen, bevor man daraus Tee trinkt. Diese Analogien beziehen sich auf die Tatsache, daß man die besten Resultate erzielt, wenn man den Körper zuerst reinigt, ehe man heilende Nahrung oder pflanzliche Heilmittel einsetzt.

Die Verjüngungstherapie sollte niemals als Ersatz für eine vernünftige Ernährungs- und Lebensweise betrachtet werden, genauso wie ein jährlicher Urlaub nicht das einzige Gegengewicht zum arbeitsbedingten Streß sein sollte. Die Verjüngungstherapie ist ein integrierter Bestandteil einer laufenden Selbstpflege, die die Schönheit ein Leben lang fördert. Diese besondere Behandlung ist auch eine ausgezeichnete Möglichkeit, einen völlig frischen Anfang zu machen mit positiven, gesundheitsfördernden Veränderungen der Lebensweise.

Als eine jahreszeitliche „Kur" ist die Verjüngungstherapie geeignet, um sowohl Krankheiten vorzubeugen als auch bestehende Krankheiten zu heilen, denn sie wendet sich an die zugrunde liegende Krankheitsursache, nämlich der Ansammlung toxischer Abfall- und Stoffwechselprodukte, die die normalen Funktionen des Körpers und das Gleichgewicht der Doshas blockieren. Nach Ausscheidung dieser Toxine werden die betroffenen Gewebe besonders genährt. Als Heilverfahren betrachtet, erhöht die gründliche Reinigung des Körpers die Empfänglichkeit für eine Behandlung mit Medikamenten und Aufbaumitteln und steigert die Fähigkeit des Körpers, die zugeführte Nahrung zu verwerten. Auf diese Weise werden nicht nur die Ursachen und Symptome einer Krankheit beseitigt, sondern der ganze Organismus nachhaltig gekräftigt, was die beste Vorbeugungsmaßnahme gegen künftige Erkrankungen darstellt. Wenn Du Dich bei guter Gesundheit befindest, wird die ayurwedische Verjüngungstherapie sogar Störungen, die sich noch nicht als Symptome manifestiert haben, wieder in einen Zustand des Gleichgewichts zurückführen.

Es ist wichtig, sich bewußt zu machen, daß nach Abschluß einer Pancha-Karma-Behandlung die Kanäle des Körpers so tiefgreifend gereinigt sind und ungehindert fließen und der Geist im wahrsten Sinne des Wortes offener ist, daß die Ernährungs- und Lebensweise wichtiger wird als vor der Verjüngungstherapie. Ebenso wie pflanzliche Heilmittel nun in die tiefsten Gewebschichten einwirken und der geistige Raum für die Entwicklung besserer Verhaltensmuster entstanden ist, so können auch Toxine, die einer falschen Ernährungs- und Denkweise entspringen, frei den Organismus durchdringen und sich festsetzen.

Die ayurwedische Verjüngungstherapie unterteilt sich in drei Hauptgebiete der Behandlung: Purva Karma, Pancha Karma und die Verordnung von Aufbau-, Stärkungs- und Verjüngungsmitteln. In allen Fällen sollte eine einfache Ernährung mit Getreide, Mungbohnen, gedämpftem Gemüse und gekochtem Obst eine Woche lang vor dem Verjüngungsprogramm beibehalten werden. Auf Fleisch, alkoholische Getränke, raffinierten Zucker, Brot mit Hefe oder koffeinhaltige Getränke ist ebenfalls zu verzichten. Diese Ernährungsweise wird auch für die Zeit der Behandlung empfohlen. Fasten ist nicht empfehlenswert, da diese Behandlungen viel Energie verzehren.

Purva Karma

Purva Karma ist erforderlich, bevor man die Pancha-Karma-Verfahren anwendet. Purva Karma umfaßt Massagen mit warmem Öl und Wärmeanwendungen am Körper. Ziel dieser Behandlung ist die Mobilisierung von Abfallstoffen und überschüssigen Dosha-Energien in den Geweben, damit diese in Richtung der großen Hohlorgane des Körpers bewegt werden, von wo aus sie durch die Pancha-Karma-Verfahren zur Ausscheidung gebracht werden können. Diese Massage ist eine wahre Wohltat und zutiefst entspannend. Dabei arbeiten ein oder zwei Masseure, die den Körper mit warmem Öl einreiben und dieses kräftig in die Haut einmassieren. Durch die Wärme des Öls und die Reibungswärme der Massage gelangt das Öl in die Haut und erreicht die darunterliegenden Gewebe. Hierdurch gewinnen Haut und tieferliegende Gewebe an Geschmeidigkeit, Blockaden und Toxine werden gelöst, die Muskulatur tonisiert, und die Haut bekommt einen strahlenden Glanz.

Aufgrund seiner Fähigkeit, die Haut zu durchdringen, wird Sesamöl in den meisten Fällen angewandt. In Fällen mit einem Übermaß an Pitta kann Sesamöl bisweilen zu Juckreiz und Hautausschlägen führen. Hier empfiehlt sich, dem Sesamöl einige kühlende Heilpflanzen hinzuzufügen oder die Verwendung von Jojoba- oder Sonnenblumenöl. Eine Reihe von anderen Heilpflanzenölen können verwendet werden, um die Haut zu reinigen und zu nähren, verschiedene innere Organe zu unterstützen oder um das Gleichgewicht der Doshas wiederherzustellen. Zu diesen Zwecken können hochwertige ätherische Öle verwendet werden. Schaue Dir hierzu die Rezepte für Massageöle und deren Herstellung an sowie den Abschnitt über Hautpflege, um Anregungen für geeignete Inhalts- und Wirkstoffe zu erhalten. Es gibt inzwischen auch einige Firmen, die ausgleichende Öle für Vata, Pitta und Kapha anbieten. Diese Dosha-Öle beinhalten Heilpflanzenauszüge und ätherische Öle sowie leichte, exotische Duftnoten, die Geist und Körper erfreuen und die Wirkung der Massage erheblich steigern. Es gibt ebenfalls eine Reihe von traditionellen Heilpflanzenölen, die im Handel erhältlich sind. In Indien werden Hunderte von Heilpflanzenölmischungen für Purva Karma verwendet. Die auf individuelle Bedürfnisse abgestimmte Herstellung und Anwendung dieser Öle kann mit Fug und Recht als eine Kunst und Wissenschaft bezeichnet werden. Gleichzeitig können auch ausgezeichnete Ergebnisse mit den einfachen Bestandteilen und den gewöhnlicheren, im Westen verfügbaren Ölen erzielt werden, wenn der ayurwedische Praktiker diese auf die Bedürfnisse des Individuums abstimmt.

Nachdem der Körper durch die Massage mit warmem Öl genährt wurde, wird Wärme angewandt, um die Kreislaufkanäle des Körpers zu öffnen, die Schweißabsonderung anzuregen und das Öl in tiefere Schichten eindringen zu lassen. Es gibt eine Reihen von verschiedenen Möglichkeiten, Wärme oder Hitze auf den Körper einwirken zu lassen:

***Baspa Sweda*:** Dampfbad, meist mit kreislauffördernden und schweißtreibenden Heilpflanzen (Lorbeerblätter, Eukalyptus und Ingwer werden häufig verwendet). Sind spezifischere Wirkungen erwünscht, sollten andere Heilpflanzen vorgezogen werden.

Nadi Sweda: Heißer Dampf, der mit Hilfe eines hitzebeständigen Schlauchs auf spezifische Punkte oder Gelenke einwirkt.

Upanaha Sweda: Umschläge und heiße Kompressen, die auf spezifische Bereiche aufgelegt werden.

Tapa Sweda: Einwirkung von trockener Hitze durch die Nähe eines Feuers, Sonnenbaden, Sauna oder Schwitzhütte.

Drava Sweda: Heißes Bad mit Heilpflanzen.

Avagana Sweda: Sitzbad mit Heilpflanzen.

Padavagaha: Heißes Fußbad mit Heilpflanzen.

Hastavagaha: Heißes Handbad mit Heilpflanzen.

Dhara Sweda: Heiße Dusche des Rückens.

Unagni Sweda: Anwendungen, die selbst nicht heiß sind, jedoch Hitze erzeugen wie Senföl, Ingwerkompressen oder Tigerbalsam.

Bei all diesen Anwendungen wird der Kopf kühl gehalten. Dies geschieht entweder durch Einwickeln mit einem kalten, nassen Handtuch oder durch Übergießen mit kühlem Wasser, damit die erzeugte Hitze als angenehm empfunden wird und keine Schwindelgefühle auftreten.

In der Volksheilkunde verschiedener Länder und Kulturkreise begegnen uns diese Anwendungen. Als ich zum Beispiel Finnland besuchte, war ich schon mit der Sauna vertraut, wußte aber nicht, daß in den Saunas auch bestimmte Heilpflanzen aufgrund ihrer spezifischen Eigenschaften verwendetet werden. In ähnlicher Weise werden in den Schwitzhütten der nordamerikanischen Indianer reinigende Heilpflanzen auf heiße Steine gestreut. In Japan und China finden Ingwerkompressen bei einer Vielzahl von funktionellen und organischen Störungen Verwendung. In England sind heiße Fußbäder mit Senfkörnern noch immer ein beliebtes Hausmittel bei Erkältungen. Diese Art und Weise, mit der Natur zu arbeiten, ist ein Bestandteil der überlieferten Tradition vieler Kulturkreise. In diesem Zusammenhang nimmt Ayurweda eine herausragende Stellung ein als eines der ältesten, jedoch umfassendsten Systeme, die bis auf den heutigen Tag auf eine ungebrochene erfolgreiche Anwendung blicken können.

Dampfbäder

Von allen erwähnten Verfahren, dem Körper Wärme zuzuführen, wird das Dampfbad am häufigsten im Rahmen von Purva Karma verwendet. Der Körper wird von einem Dampfkasten oder einer Art Zelt umgeben, wobei nur der Kopf herausschaut. Der Kopf (und die Genitalien beim

Mann) werden durch ein mit kaltem Wasser befeuchteten Handtuch kühl gehalten. Die erwärmende und reinigende Wirkung des Dampfs wird durch den Zusatz von Heilpflanzen gesteigert. Eine beliebte Mischung besteht aus in Scheiben geschnittenen Ingwerwurzeln, Eukalyptus- und Lorbeerblättern zu gleichen Teilen. Auch hier werden viele Mischungen, je nach den spezifischen Erfordernissen, verwendet.

An die Dampfanwendung schließt sich eine Ruhe- und Abkühlungsphase an. Wenn die Körpertemperatur sich wieder normalisiert hat, wird ein wenig gewärmtes Kichererbsenmehl/-pulver aufgetragen, um das überschüssige Öl zu entfernen. Dieses nicht absorbierte Öl kann vom Körper nicht verwertet werden und enthält Toxine, die durch den Schweiß an die Hautoberfläche ausgeschieden wurden. Wenn dieses Öl auf der Hautoberfläche und in der Schicht knapp darunter verbleibt, wird es schließlich vom Körper erneut absorbiert und führt zu unliebsamen Symptomen wie Verdauungsstörungen, Schwere, Lethargie und Verstopfung.

Purva Karma wird fünf, sieben oder zehn Tage lang, bisweilen auch länger durchgeführt, wenn es um die Heilung einer länger bestehenden Störung geht. Ölige Haut, öliges Haar und öliger Stuhl sind Indikatoren dafür, daß der Prozeß abgeschlossen ist und das Öl den Körper gründlich durchdrungen hat. Genauso wie eine klebrige Masse sich aus einer zuvor geölten Schale leicht entfernen läßt, so wird sich ein gut geölter Körper angesammelter, zäher Abfallprodukte gut entledigen können. Für sich betrachtet mögen die Reinigungsverfahren des Pancha Karma, die in Verbindung mit Purva Karma angewandt werden, etwas drastisch oder kathartisch anmuten. Dank der richtigen Vorbereitung in Form eines gründlich und fachgerecht durchgeführten Purva Karmas haben diese eine sanfte, gut verträgliche und umfassende Wirkung.

Pancha Karma

Um Geist und Körper (*Santarpana*) vollständig zu nähren und das Gleichgewicht des energetischen Systems des Körpers zu bewahren, müssen die Kanäle (*Srotas*), über die die Nährstoffe zugeführt und Abfallstoffe ausgeschieden werden, zunächst gereinigt und gut tonisiert werden (*Apatarpana*). Wenn diese – angefangen mit den größten Kanälen des Verdauungs- und Atmungstraktes bis hinunter zu den feinsten Kapillaren – wieder frei und durchgängig sind, können die Gewebe sich auf natürlichem Wege selbst reinigen und sind empfänglicher für Nährstoffe und Medikamente. Dann vermag der Körper für sich selbst zu sorgen und die naturgegebene Schönheit des Menschen zu offenbaren. Dann wird auch ein gestärktes Agni dafür sorgen, daß alle Nährstoffe gründlich verdaut und absorbiert werden, so daß die Gewebe besser ernährt werden und weniger Schlacken entstehen. Diese Art der Reinigung löst eine Verjüngung des ganzen Körpers aus, verbessert die Gesundheit und läßt manche Zeichen des Alterns verschwinden. Der Körper gewinnt an Vitalität, der Geist an Zufriedenheit und die Doshas sind im richtigen Fluß, wodurch ein Zustand positiver Gesundheit und des Gleichgewichts aufrechterhalten wird. Dieses Gleichgewicht ist die Quelle von bleibender Schönheit.

Diese tiefe Reinigung des Körpers von Stoffwechselschlacken, Abfall- und Schadstoffen und die anschließende hochwertige Ernährung der Gewebe wird in der ayurwedischen Tradition durch ein Verfahren erreicht, das Pancha Karma genannt wird. Wörtlich bedeutet Pancha Karma „fünf reinigende Handlungen". Bevor diese Reinigungsverfahren angewendet werden dürfen, muß der Körper durch die zuvor beschriebene Purva-Karma-Verfahren gereinigt werden. Die fünf reinigenden Handlungen des Pancha Karma bestehen aus:

Virechana: Eine purgierende Wirkung wird mit abführenden Mitteln erzielt, um den Dünndarm zu reinigen und überschüssiges Pitta auszuscheiden.

Bastis (eingeteilt in Niruna und Anuvasana): Es handelt sich um Einläufe mit Heilpflanzen und/oder Ölabkochungen zur Reinigung und Funktionsverbesserung des Dickdarms und Abbau von überschüssigem Vata.

Vamana: Dies bezeichnet die Anwendung von Brechmitteln oder eingeleitetem Erbrechen, um den Magen zu reinigen und überschüssiges Kapha abzubauen.

Nasya: Die Anwendung verschiedener Öle am Kopf (Sequenzen von Ölmassagen, das Einbringen von Ölen in den Nasen-Rachen-Raum) zur Reinigung des Kopfbereiches.

Rakta Moksha: Aderlaß oder Reinigung des Blutes durch die Anwendung von Heilpflanzen. (Obwohl traditionell als fünfte der fünf Handlungen betrachtet, wird diese manchmal ausgelassen und zwei Formen von Bastis werden einzeln angeführt, um wieder auf die Zahl von fünf Handlungen zu kommen.)

Nach Abschluß der geeigneten Reinigungsverfahren sollte man darauf achten, Agni zu schützen und das Verdauungssystem nicht übermäßig zu belasten. Trinke nur dann, wenn Du auch Durst hast, und fange langsam mit der Aufnahme von Speisen an, stets nur dann, wenn Du Hunger hast. Die Vielfalt der Speisen solltest Du über eine Anzahl von Mahlzeiten hinweg ebenfalls langsam steigern, ganz so, wie es der Körper zuläßt. Beginne mit warmem Wasser, gehe dann zu einem Brei aus Basmati-Reis über, danach zu weich gekochtem Basmati-Reis und anschließend zu halben Mungbohnen. Nach diesen vier Mahlzeiten kannst Du regelmäßig Kichadi und anschließend Kichadi mit gedämpftem Gemüse essen. Nach diesen einfachen Speisen solltest Du eine Ernährungsweise wählen, die Deiner Konstitution entspricht, aber auch hierbei gilt, daß Du zunächst mit einfachen Mahlzeiten aufbauen solltest.

Verjüngende Aufbaumittel

Nachdem Blockaden beseitigt und Toxine aus den Geweben entfernt, zu den großen Hohlorganen bewegt und schließlich vom Organismus ausgeschieden worden sind, ist der Körper gereinigt und befindet sich nun in einem optimalen Zustand, um mit Stärkungsmitteln oder Medikamenten behandelt zu werden. Dabei kann es sich um pflanzliche Stärkungsmittel zur innerlichen Einnahme oder auch um nährende Einläufe, Nasentropfen oder Körperlotionen handeln. Da der Organismus jetzt gründlich gereinigt worden ist, verlaufen alle Funktionen mit außerordentlicher Effizienz. Das bedeutet, daß alle verjüngenden oder heilenden Mittel wesentlich besser assimiliert und rascher wirksam werden. Eine eingehende Beschreibung der Prinzipien und Praktiken der Verjüngungstherapie bietet das Werk von Dr. Sunil Joshi, das in Kürze im Windpferd Verlag erscheinen wird. Diese Arbeit ist das Ergebnis von fünfzehn Jahren klinischer Erfahrung, die Dr. Joshi in Tausenden von Fällen in seiner indischen Heimat und im Westen gesammelt hat. Ich bin Dr. Joshi für die Inspiration und wertvollen Anleitungen, die ich von ihm in diesem Spezialgebiet des Ayurweda erhalten habe, zutiefst zu Dank verpflichtet. Er ist in der Tat ein Meister dieser Wissenschaft, und viele seiner Behandlungserfolge grenzen schlicht und einfach an Wunder.

Wenn Du einen kleinen Eindruck von dem Potential dieser Behandlungsverfahren bekommen möchtest, empfehlen wir Dir die folgende ayurwedische Kur. Hierzu solltest Du eine Zeit aussuchen, in der Du relativ frei von Ablenkungen und Sorgen bist und Dir ein ausreichendes Maß an Ruhe und Entspannung gönnen kannst. Das Frühjahr und der Herbst sind die besten Jahreszeiten hierfür, solange das Wetter mild ist.

- Befolge eine einfache Ernährungsweise mit Kichadi (eine Mischung aus weißem Basmati-Reis, halbierten Mungbohnen und Gewürzen – Rezepte hierzu findest Du im Abschnitt über das Fasten auf Seite 88), gedämpftem Gemüse und Kräutertees. Jeden Morgen solltest Du einen Teelöffel Ghee einnehmen, um Agni zu verbessern.
- Führe jeden Tag eine Ganzkörpermassage mit warmem Sesamöl durch. Du kannst hierzu die Selbstmassage-Sequenz in diesem Buch anwenden oder Dich von einem Freund oder Partner massieren lassen.
- Durch anschließende Bewegung sollte die Körpertemperatur erhöht werden.
- Entferne überschüssiges Öl durch Abreibung des Körpers mit warmem Kichererbsenmehl wie auf S. 103 beschrieben.
- Spüle das Mehl unter einer warmen Dusche ab und beende mit einer kurzen kalten Dusche. Trockne Dich durch sanftes Betupfen ab.
- Entspanne Dich etwa zwanzig Minuten lang.
- Während dieser Kur solltest Du ein Darmreinigungsprogramm durchführen. Verschiedene Präparate hierzu sind in Reformhäusern, Naturkostgeschäften und Apotheken erhältlich. Es gibt einige ausgezeichnete Verfahren, aber es ist ratsam, nähere Informationen hierzu von einem erfahrenen Behandler einzuholen.
- Beginne eine Kur mit einem ayurwedischen Tonikum wie Chywanprash.

Solltest Du einen erfahrenen ayurwedischen Praktiker konsultieren oder Dich einer vollständigen Purva- und Pancha-Karma-Behandlung unterziehen wollen, verweisen wir auf die Adressliste im Anhang. In diesem Zusammenhang machen wir Dich darauf aufmerksam, daß alle Anwendungen des Pancha Karma unter der Aufsicht eines erfahrenen ayurwedischen Arztes oder Heilpraktikers durchgeführt werden müssen.

Verjüngungsmaßnahmen und Hautpflege

Bei der Gestaltung des ayurwedischen Programms zur Hautpflege habe ich mich an die Grundsätze der ayurwedischen Verjüngungstherapie gehalten.

Auf eine einleitende leichte Reinigung folgen die Purva-Karma-Verfahren der Ölmassage und der Dampfbehandlung mit Kräutern. Purva Karma bereitet die Haut vor für die tieferen Verfahren der Pancha-Karma-Art, wie die Abreibung der Haut mit Mehl und die Reinigungsmaske. Nachdem die Haut in der obengenannten Art und Weise wunderbar gereinigt worden ist, befindet sie sich in einem herrlich erfrischten Zustand und ist aufnahmefähig für eine Verjüngungsbehandlung mit tonisierenden, feuchtigkeitsspendenden Maßnahmen oder hydrierenden Sprühfluids. Ähnliche Verfahren können auch am ganzen Körper angewandt werden. In diesem Fall würde man mit einer Ganzkörpermassage beginnen, eine Wärmeanwendung mit Heilpflanzen in Form eines Dampfbads oder eines Saunagangs folgen lassen und anschließend eine Körperlotion auftragen. Entsprechende Rezepte hierfür sind dem Abschnitt über Hautpflege zu entnehmen.

In ähnlicher Weise wie diese abgeänderten Verfahren kann die Verjüngungstherapie bei einer Reihe von Schönheitsproblemen angewandt werden. Da Ayurweda stets das Individuum behandelt und nicht einen bestimmten, isolierten Zustand als solchen, sind alle Verfahren in spezifischer Weise auf die Gesamtheit der Störungen des betreffenden Individuums abzustimmen und anzuwenden. Aus diesem Grund führen wir keine global anwendbaren Therapievorschläge an.

Virechana bezeichnet die Anwendung eines abführenden Mittels, das Pitta-verursachte Störungen wie Hautausschläge, Juckreiz, fettige Haut und gelbliche entzündete Pickel lindert. Diese Maßnahme hilft auch, hitzige Gefühle wie Zorn und Reizbarkeit zu beruhigen.

Bastis sind nützlich bei Vata-Gleichgewichtsstörungen, die meist mit trockener Haut, trockenem Haar und trockenen Nägeln einhergehen. Sie sind hilfreich, um eine regelmäßige, beschwerdefreie Verdauungstätigkeit wiederherzustellen und Blähungen und Aufgetriebenheit zu beseitigen. Auf einer emotionalen Ebene helfen Bastis, tiefsitzende Ängste zu lösen und loszulassen.

Vamana wird verwendet, um kaphagene Symptome, die durch verschiedene Arten von Kongestionen verursacht worden sind, zu beseitigen.

Hierzu gehören starke Verschleimung im Kopf und im oberen Brustraum oder Flüssigkeitsretention, kongestionierte Haut und Übergewicht. Vamana ist ebenfalls außerordentlich nützlich, um emotionale Probleme anzugehen, die mit zu starker Verhaftung an den Dingen und mit Übergewicht einhergehen.

Nasya, die Anwendung verschiedener Öle am Kopf (Sequenzen von Ölmassagen, das Einbringen von Heilpflanzenölen in den Nasen-Rachen-Raum) zur Reinigung des Kopfbereichs, wird aufgrund seiner direkten Wirkung auf das Aussehen im Abschnitt über besondere Behandlungsformen beschrieben. Nasya öffnet das Gesicht und verleiht den Augen einen besonderen Glanz. Es beseitigt dunkle Ringe unter den Augen und wirkt beruhigend und klärend auf den Geist.

Rakta Moksha wird selten angewandt, mit Ausnahme der weniger kathartischen Anwendung in Form von blutreinigenden Mitteln. Da die Qualität des Blutes eine so unmittelbare Auswirkung auf den Zustand der Haut ausübt, werden blutreinigende Heilpflanzen verwendet, um Störungen, die mit Allergien und/oder anderen toxischen Zuständen einhergehen, zu beheben. Diese Heilpflanzen wirken sowohl auf das Blut als auch auf die Leber, reinigen den Körper von Ama und stellen so die natürliche Schönheit der Haut wieder her. Zu diesen Heilpflanzen gehören Klette, Löwenzahn, Ampfer, Rotklee, Aloe vera und Manjistha. Diese Heilpflanzen können entweder als Tees getrunken oder als Mischungen in Tablettenform eingenommen werden. Auch in diesem Fall wird empfohlen, den Rat eines erfahrenen ayurwedischen Praktikers einzuholen, dessen spezifische Anweisungen helfen werden, die bestmöglichen und verträglichsten Ergebnisse zu erzielen.

Die ayurwedische Gesichtsmassage

Die Massage-Sequenz stützt sich auf die uralte Weisheit der tibetischen und indischen ayurwedischen Systeme. Diese Systeme haben in ihrer traditionellen Form Polarity, Akupressur und die Ölmassage nach dem schwedischen Stil integriert. Erst in jüngerer Zeit haben sich diese Behandlungsverfahren zu Einzeldisziplinen entwickelt.

Massage wirkt lokal, am Ort der Anwendung, jedoch ebenfalls im Sinne einer Reflexzonenbehandlung: durch die lokale Wirkung wird das Aussehen der Haut und des Gesichts gestrafft und verbessert, während die reflektorische Wirkung eine entspannende und tiefe, nährende Wirkung auf den Organismus entfaltet. Die ayurwedische Gesichtsmassage-Sequenz ist Bestandteil einer umfassenden Schönheitsbehandlung, die andere Anwendungen wie Dampfanwendungen mit Heilpflanzen, Schälkuren, Masken und feuchtigkeitsspendende Mittel beinhaltet. Die Gesichtsmassage kann jedoch auch für sich allein mit ausgezeichnetem Erfolg angewandt werden.

Die positiven Wirkungen der ayurwedischen Gesichtsmassage

- Verbesserung der Ernährung und Reinigung der Gewebe, was einen herrlich strahlenden Teint schafft.
- Aufrechterhaltung eines guten Tonus und Elastizität aller Hautschichten; verleiht dadurch ein jugendliches Aussehen.
- Beseitigung von Verspannungen im Gesicht und Körperstreß; faltenglättende Wirkung und sanfter Ausdruck sind die Folge.
- Umverteilung feinstofflicher Energien, was hilft, Steifheit im ganzen Körper zu lösen.
- Entfaltet eine tiefgreifende nährende und kräftigende Wirkung auf den ganzen Körper.

- Erzeugt ein sinnliches Gefühl von freudiger Erregung, das den ganzen Körper verstärkt energetisch auflädt.
- Erfahrung eines tiefen Ernährtwerdens, das die Bereitschaft, für andere zu sorgen, verstärkt und steigert; fördert die Entwicklung innerer Schönheit.

Einige Gedanken zur Massage: Kontakt aufnehmen

Jede Massage bedeutet einen Austausch, die Erzeugung einer Wechselwirkung. Wenn wir einen Körper berühren, treten Veränderungen ein. Es wird nicht nur eine Wirkung an der Stelle der Berührung, sondern ebenfalls eine Reaktion im ganzen Organismus erzeugt. Es gibt zahlreiche Formen von Reflexzonentherapie, die mit ausgezeichnetem Erfolg Punkte an den Füßen, Händen, Ohren und so weiter behandeln, um die Reinigung und energetische Aufladung von inneren Organen, Funktionen, Gelenken oder Gliedmaßen zu bewirken. Shiatsu ist eine weitere Form von Reflexzonentherapie, bei der Akupunkturpunkte massiert werden, um Reaktionen im elektromagnetischem Feld des Körpers hervorzurufen. Bei einer Polarity-Behandlung findet die reflektorisch erzeugte Wirkung in den feinstofflichen Energiefeldern statt, die den Körper umgeben – und dabei können sogar Gedankenformen von ihrer Fixierung an den physischen Körper gelöst werden. Die ayurwedische Gesichtsmassage beinhaltet alle diese Methoden und darüber hinaus noch die Ölmassage und konzentriert sich dabei auf das Gesicht, die Kopfhaut, Hals- und Nacken und die Schultern – also auf jene Bereiche, die meist verspannt sind.

Es ist eine interessante Tatsache, daß wohl die meisten westlichen Menschen auf die Frage „Wo denken Sie?“ auf den Kopf zeigen würden, während viele Menschen im Osten auf den Herzbereich, dem Sitz der Emotionen verweisen würden. Diese unterschiedliche Wahrnehmung in Verbindung mit dem hektischen Tempo und der Komplexität heutiger, mit moderner Technologie befaßter Lebensweisen tragen dazu bei, daß sehr viel mehr Energie auf die oberen Abschnitte des Körpers (das heißt auf den Kopf, Hals, Nacken und Schultern) konzentriert wird. Dies alles führt dazu, daß wir in unserer schnellebigen modernen Welt oft das Gefühl haben, der Kopf sei wesentlich beschäftigter als der Rest unseres

Körpers. Unsere Gedanken und Emotionen führen leicht zur Anspannung und Verzerrung der Muskulatur des Gesichts-, Kopf-, Nacken- und Schulterbereichs. Manchmal nehmen wir eine bestimmte Stelle besonders stark wahr, etwa in Form von Schmerzen oder Verspannungen um die Augen, des Kiefers oder im Brustbereich, Nacken oder einer Schulter. Durch Schmerzen und Verspannungssymptome versucht der Körper, uns darauf aufmerksam zu machen, daß nicht alles zum Besten steht und sich nicht alles im freien Fluß befindet. Wenn es uns gelingt, diese Verspannungen zu lösen, klingen nicht nur die Schmerzen in diesen Bereichen ab, sondern es werden möglicherweise auch Erinnerungen, emotionelle Traumata freigesetzt und/oder besondere visuelle Wahrnehmungen ausgelöst. Wenn Verspannungen im Nackenbereich gelöst werden, kann zum Beispiel die Energie zwischen dem Kopf und dem Herzen freier fließen, was wiederum eine bessere Verbindung zwischen unseren Gedanken und Gefühlen und unseren Gewohnheiten und Verhaltensmustern fördert. Verspannungen der Schultern wie auch des Kiefers beruhen häufig auf nicht ausgesprochenen oder unterdrückten Gefühlen. Die Lösung dieser Verspannungen ermöglicht den Betroffenen einen natürlicheren Kommunikationsfluß mit größerem Selbstvertrauen und weniger Ängsten.

Die therapeutische Arbeit am Kopf-, Nacken- und Schulterbereich vermag viele Veränderungen zu fördern. Aufgrund des großen Wirkungspotentials, das hier gegeben ist, muß behutsam und mit konzentrierter Fürsorge vorgegangen werden. Während der ganzen Behandlung muß der Behandler stets in Kontakt mit dem Empfänger der Massage bleiben und diesem helfen, die Verbindung zu sich selbst zu wahren. Wenn schwerwiegende Inhalte an die Oberfläche kommen, kann es ratsam sein, eine weitere Betreuung durch einen qualifizierten Behandler/Therapeuten vorzuschlagen. Nach meinen Beobachtungen beinhalten die ayurwedischen Behandlungen häufig die Lösung insofern, als störende Gefühle häufig ans Licht gelangen, wahrgenommen werden und schließlich verschwinden, ohne jemals wieder aufzutauchen. Ebenso, wie die Verwendung von indischen Gewürzen die Verdauung fördert, kann die regelmäßige Verwendung dieser Techniken im Rahmen der Selbstpflege die geistige, seelische Verdauung verbessern, so daß nichts unverdaut zurückbleibt, was uns weiter bedrohen oder beunruhigen könnte.

Bei meiner Massagebeschreibung habe ich bewußt das Wort „Freund" für die zu behandelnde Person gewählt. Dabei kann es sich um Deinen Verwandten, Deinen Patienten/Kunden oder um Deinen Geliebten oder

Deine Geliebte handeln. Wen immer Du auch behandelst, laß Dich von Deiner Güte und dem Respekt für wahre Freundschaft leiten. Daran soll Dich das Wort „Freund/Freundin“ bei Deiner Lektüre der nachfolgenden Seiten erinnern.

Öle für die Gesichtsmassage

Die richtigen Öle wirken ausgezeichnet auf die Haut, denn sie liefern die benötigten Nährstoffe, verleihen Geschmeidigkeit und Schutz. Sie sind der ideale Träger für Heilpflanzenmischungen und ätherische Öle.

Das Basisöl ist nach Konstitution und Zustand auszuwählen.

Bei *Vata* oder trockener Haut ist Sesam-, Avocado-Öl oder Ghee zu bevorzugen.

Bei *Pitta* oder fettiger Haut eignet sich Sonnenblumen-, Saflor- oder Kokosöl am besten.

Bei *Kapha* oder feuchter, träger Haut wird Mandel- oder Olivenöl empfohlen.

Jojobaöl wirkt bei jedem Hauttypus gut. Dieses Öl wird rasch absorbiert, so daß sehr wenig Öl auf der Haut verbleibt. Der relativ hohe Preis ist der einzige Nachteil.

Zur Anreicherung des Basisöls kann man auf jeweils zehn Teile dieses Öls einen Teil Weizenkeim- oder Vitamin-E-Öl hinzugeben. Bei Hautproblemen mit Narbenbildung, großer Trockenheit, oder wann immer eine zusätzliche heilende Wirkung benötigt wird, ist ein kleiner Zusatz von Rosa-mosquita- oder Karottensamenöl zu empfehlen. Der Zusatz von ätherischen Ölen eröffnet eine neue Dimension von therapeutischen Wirkungen, von den herrlichen Düften ganz abgesehen. Die richtigen ätherischen Öle steigern den Genuß der Massageerfahrung ganz erheblich. Auf 60 ml Basisöl kommen 20 Tropfen ätherisches Öl.

Bei Vata oder trockener Haut bewähren sich folgende Mischungen:

- Sandelholz, Geranium, Ylang-Ylang, Rosenholz
- Rose, Jasmin, Geranium
- Zedernholz, Sandelholz, Rosenholz

Bei Pitta oder fettiger Haut wähle unter folgenden Mischungen:

- Zitrone, Zypresse

- Bergamotte, Orange, Geranium
- Zypresse, Wacholder

Bei Kapha oder reifer Haut sind folgende Mischungen zu bevorzugen:
- Lavendel und Weihrauch oder Myrrhe und Neroli
- Patchouli, Weihrauch
- Geranium, Jasmin

Bei Entzündungen bewähren sich die Mischungen von:
- Römische Kamille, Lavendel
- Sandelholz, Zedernholz
- Rosenholz, Neroli, Rose

Bei starker Faltenbildung der Haut wähle zwischen:
- Fenchel, Lavendel, Rose
- Weihrauch, Zypresse

Bei starker Akne sind folgende Mischungen zu wählen:
- Bergamotte, Wacholder, Zypresse
- Teebaum, Lavendel

Weitere Einzelheiten sind dem Abschnitt über die Aromatherapie zu entnehmen. Achte stets auf die Verwendung hochwertiger ätherischer Öle. Ätherische Öle sollten immer nach den jeweiligen Angaben verdünnt und auf einem begrenzten Hautareal auf Überreaktionen getestet werden. In den letzten Jahren wird die Aromatherapie immer beliebter. Als weniger erfreuliche Begleiterscheinung hiervon sind erhebliche Qualitätsschwankungen der Öle zu beobachten gewesen. Am besten bezieht man die Öle nur von zuverlässigen Lieferanten. Einige Bezugsadressen finden sich in der Bezugsquellenliste im Anhang (s. Seite 318).

Die Vorbereitung auf die Massage

Wenn Du eine Massage gibst, solltest Du Dir vergegenwärtigen, daß alles, was Du denkst und fühlst, dem anderen Menschen mitgeteilt wird, und zwar durch die einfache Berührung Deiner Fingerspitzen auf der Haut Deines Freundes. Damit die Massage die beste Wirkung erzielen kann, solltest Du stets versuchen, Deine Gedanken und Dein Streben mit Deinen höchsten Idealen in Einklang zu bringen. Daher ist es eine gute Idee, Dir vor jeder Massage einige Minuten Zeit zu nehmen, um Deinen Körper zu entspannen und Deinen Geist zu klären.

Nimm eine bequeme sitzende Haltung ein und achte dabei auf einen geraden Rücken. Ziehe Dein Kinn ein wenig an, um etwaige Anspannungen im Nacken zu lösen. Laß Deine Zunge am Mundboden ruhen, so daß die Zungenspitze an der unteren Zahnreihe anstößt. Atme ruhig ein und aus. Richte Deine Aufmerksamkeit auf die Ausatmung und entspanne Dich ganz natürlich bei der Einatmung. Winkele die Ellbogen an und führe die Hände auf die Höhe des Herzens. Laß die Schultern gleichsam schmelzen und zum Boden sinken. Entspanne Deine Hände und bilde eine weiche Schalenform. Stelle Dir vor, daß Deine Hände mit intensivem Licht gefüllt werden, das sich vom Himmel kommend hinunter verdichtet. Laß dieses Licht als klaren Strom durch Deine Hände, Ellbogen, Schultern und dann zum Herzen fließen. Spüre, wie das Licht Dein Herz erfüllt, und akzeptiere die Kraft und die Freude, die es Dir schenkt. Laß dieses Gefühl Deinen ganzen Körper durchströmen. Ruhe Dich in dem so entstandenen Raum aus, und richte Deine Aufmerksamkeit auf jeden Teil Deines Körpers und auf alle Deine Gedanken und Gefühle.

Wenn Du schließlich bereit bist, reibe Deine Handrücken und anschließend Deine Handflächen kräftig aneinander. Bringe Deine Hände wieder vor dem Körper zusammen, und zwar so, als ob Du einen Ball hältst, jedoch ohne daß die Hände sich berühren. Spüre die Energie, die zwischen den Fingern fließt. Richte Deinen Geist auf das Gute, auf die Hilfe, die Du Deinem Freund geben möchtest, und denke daran, daß die eigentliche Arbeit nicht von Dir geleistet wird, sondern durch die klare Energie des Universums geschieht. Gieße warmes Öl in Deine Hände, und wenn Dein Freund ebenfalls bereit ist, dann beginne mit der Massage.

Gestützt auf diese klare und positive Geisteshaltung wirst Du Deine beste Arbeit leisten können, wenn Du Dich in einem Zustand geistigen und körperlichen Gleichgewichts befindest. Daher ist es wichtig, daß Du Dir Zeit nimmst, um Dich selbst zu pflegen. Zur Massage gehören immer zwei Personen, und wenn Du die Massage aufnimmst, sollte die zu behandelnde Person sich körperlich wohlfühlen und Deiner Arbeit eine offene, vertrauende Haltung entgegenbringen.

Nach der Massage benötigen Behandler wie Empfänger der Massage eine kurze Ruhepause, um die Energie in beiden Körpern zu sammeln und auszugleichen. Die massierende Person könnte eine kleine, aber energiereiche Zwischenmahlzeit bestehend aus warmer Milch, Nüssen, Datteln und Rosinen zu sich nehmen, um einen Verlust an Lebensenergie vorzubeugen.

Laß Dich beim Rhythmus und Druck der Massage von Deiner Intuition leiten. Achte vor allem darauf, daß Du immer entspannt bleibst. Im allgemeinen werden die unterschiedlichen Konstitutionstypen auf jeweils verschiedene Massagestile besser ansprechen.

Vata-Menschen zum Beispiel lieben subtile Energiearbeit; also leichte Berührung, Wärme und Sanftheit. Wenn Du mit diesen Menschen sprichst, dann achte auf eine weiche, unterstützende Sprache und auf gefühlsbetonte Töne und Musik. Vata-Menschen würden auf diese Ansprache und Visualisierung gut reagieren: „Laß Dich schweben und genieße die Wärme und den Duft des Öls. Laß das Öl Dein Gesicht streicheln und Deine Verspannungen dahinschmelzen und verweile nun an einem stillen, ruhigen kreativen Raum in Dir."

Pitta-Menschen lieben eine direkte, feste, kühle und erfrischende Berührung. Sie schätzen auch logische Erklärungen für die Arbeit und die farbigen Visualisierungen. Die folgende Ansprache und Visualisierung wäre für einen Pitta-Menschen das richtige: „Lege Dich zurück. Achte auf jeden Punkt, an dem Dein Körper den Tisch berührt. Laß Dich von einem kühlen, blauen Licht durchströmen, das Deine Verspannungen löst und Dich an einen Ort mit liebenden Freunden trägt, erfüllt von weichen Farben und luxuriösen Empfindungen."

Kapha-Menschen bedürfen einer festen, tiefgreifend anregenden Berührung bei der Massage. Man muß sie motivieren, ihre Aufmerksamkeit auf die Massage zu lenken, damit sie sich nicht wegtreiben lassen und einschlafen. Nachfolgende Ansprache und Visualisierung wäre für Kapha-Menschen zu empfehlen: „Laß meine Berührungen allmählich tief in Dein Gewebe eindringen und Dir Empfindungen von leichter, frischer, prickelnder, tanzender Energie vermitteln, die Deine tiefsten Gedanken und Empfindungen erwecken und inspirieren."

Einleitende Massagetechniken

Eine kurze Bearbeitung der Wirbelsäule ist die angenehmste und effektivste Art und Weise, eine Sitzung mit einer Schönheitsmassage einzuleiten. Mit Hilfe von Klopfen, Reiben, festem Druck und Heilpflanzenkompressen kann man auf sanfte Weise die Wirbelsäule entspannen, so daß sie ihre ursprüngliche, natürliche Haltung annimmt. Die richtige

Ausrichtung und Kraft der Wirbelsäule verleiht dem ganzen Körper mehr Anmut, Haltung und Selbstvertrauen. Eine rein körperlich orientierte Wirbelsäulenmassage kräftigt das Nervensystem und fördert den Fluß der Zerebrospinalflüssigkeit, was wiederum für das emotionale Gleichgewicht förderlich ist. Auf einer feinstofflicheren Ebene begünstigt diese Massage den freien Fluß der lebensspendenden Energien des Körpers, jene Energien, die dem Körper Vitalität, Jugendlichkeit und ein gutes Aussehen weit über die tatsächliche Zahl der Lebensjahre hinaus verleihen.

Beginne diese Massage mit hüpfendem Klopfen beziehungsweise Hacken. Hierbei sind die Hände ausgestreckt und die Finger leicht gespreizt. Diese Maßnahme weckt die Energien der Wirbelsäule und verbessert die Durchblutung zur Wirbelsäule.

Als nächstes nimm warmes Öl und reibe dieses an beiden Seiten des Kreuzbeins und anschließend an beiden Seiten der Wirbelsäule kräftig ein. Im allgemeinen ist Sesamöl zu bevorzugen, da dieses Öl sehr gut eindringt und das Bindegewebe im Bereich der Wirbelsäule „schmiert". Bei Personen mit ausgeprägter Steifheit oder Verkrümmung der Wirbelsäule ist Mahanarayan- oder Senföl vorzuziehen oder Sesamöl und Ingwersaft zu gleichen Teilen. Reibe diese Öle kräftig ein, damit sie gut absorbiert werden. Beginne ganz unten, an der Spitze des Kreuzbeins und übe mit beiden Daumen gleichmäßigen Druck aus und arbeite Dich auf beiden Seiten der Wirbelsäule allmählich nach oben. Der Druck sollte durchaus fest, jedoch nicht als unangenehm empfunden werden. Wenn der Druck zu stark ist, wirst Du sehen, wie der Körper sich in Erwartung des nächsten Druckpunktes verspannt.

Zum Abschluß lege eine heiße Ingwerkompresse über die Kreuzbeingegend (hierzu eignet sich das Rezept für Ingwertee auf Seite 74, in den Du einen gefalteten Waschlappen tauchst). Laß die Hitze gut einwirken. Wenn sie abgekühlt ist, kannst Du die Kompresse noch einmal in den heißen Tee tränken und erneut auflegen. Diese Anwendung wird dreimal wiederholt, bis die Haut sich deutlich rosa verfärbt. Trockne nun die Kreuzbeingegend ab und wische überschüssiges Öl vom Rücken mit einem heißen, ingwergetränkten Tuch ab.

Die zu behandelnde Person sollte sich nun umdrehen, damit Du eine Wärmflasche unter die Kreuzbeingegend legen kannst. Ein elektrisches Heizkissen kommt nicht in Frage, da diese die subtilen Energien des Körpers stören würde. Eine Wärmflasche oder eine heiße Packung eignen sich am besten (beide sind in der Apotheke erhältlich). Wenn Du nicht die Zeit für das vollständige, oben beschriebene Verfahren hast oder Dir die entsprechende Einrichtung hierzu fehlt, solltest Du zumindest eine heiße Packung unter die Kreuzbeingegend legen. Diese Maßnahme hat eine enorm entspannende und lösende Wirkung auf die Muskulatur im Schulter-Nackenbereich. Bei nervösen oder kalten Menschen legst Du eine heiße Packung auf den Unterbauch, knapp unterhalb des Nabels. Dies hilft auch bei Kopfschmerzen, die durch tiefsitzende Verspannungen im Unterbauch verursacht werden.

Erster Schritt

Stelle oder knie Dich hinter Deinen Freund und fasse den Hinterkopf behutsam mit beiden Händen. Verschließe die Ohren mit Deinen Daumen und lege Deine Finger an die Knochenleiste des Schädels am Hinterkopf. Spüre das Gewicht des Kopfes, das in Deinen Händen ruht. Je entspannter die zu behandelnde Person ist, desto schwerer wird sich der Kopf in Deinen Händen anfühlen. Achte darauf: je mehr Du Deine Arme entspannst, desto leichter wird es der zu behandelnden Person fallen, sich ebenfalls zu entspannen.

Bitte Deinen Freund, „loszulassen" und Dir die Führung der Bewegungen zu überlassen. Nun führst Du das Kinn nach vorne zur Brust, so daß der Nacken sich dehnt. Halte den Kopf in dieser Position und zähle bis drei. In Fällen von Schmerzen oder Steifigkeit wiege den Kopf sanft zwischen Deinen beiden Händen hin und her. Lasse anschließend den Kopf einige Augenblicke auf der Massagebank ruhen. Wiederhole die-

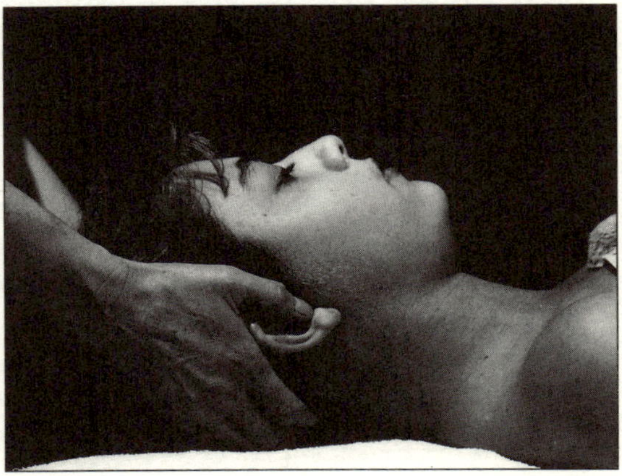

sen Vorgang zwei weitere Male, wobei Du den Kopf anhebst und dann sanft zurücksinken läßt. (Es kann sein, daß sich der Nacken während dieser Behandlung wieder verspannt. Das fällt auch dadurch auf, daß das Kinn mehr nach oben weist, statt eine zurückgezogene Position einzunehmen. In diesem Fall wende die sanfte Dehntechnik noch einmal an, um den Kopf in die gewünschte Position zu bringen.)

Durch diesen ersten Schritt wird ein behutsamer Kontakt zur behandelten Person hergestellt und gegenseitiges Vertrauen aufgebaut.

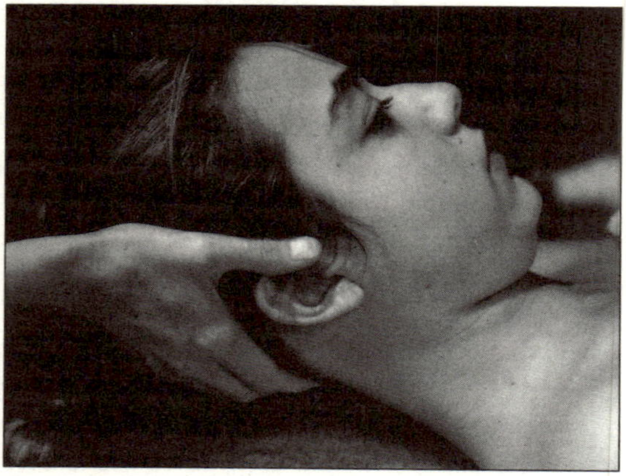

Wirkung: Verspannungen im Nackenbereich werden gelöst. Dies führt zu einem Entspannungsimpuls im ganzen Körper, indem der Energiefluß von der Wirbelsäule zum ganzen Kopfbereich geöffnet wird.

Zweiter Schritt

Du hältst den Kopf wie oben in beiden Händen mit dem einzigen Unterschied, daß die Daumen jetzt vor den Ohren liegen. Atme ein, wenn Dein Freund ausatmet, und atme bei seiner Einatmung aus. Ruhe in Deiner Mitte, indem Du bis hinunter in Dein Hara atmest, jenes Zentrum, das etwa 4 bis 6 cm unterhalb Deines Nabels liegt. Sende dabei positive Gedanken aus. Dieses wird als „Berührung des Unbewußten" bezeichnet. Hierdurch entsteht ein tieferer Kontakt mit dem zu behandelnden Menschen, und die Energien beider Personen werden harmonisiert. Bei diesem Schritt kannst Du auch mit suggestiven Sätzen arbeiten wie zum Beispiel den folgenden:

„Laß jeden Atemzug Deinen Körper nähren und entspannen. Laß diese Empfindungen anwachsen, bis Du nichts anderes mehr wahrnimmst. Mit jedem Atemzug wird Dein Körper einerseits entspannter, andererseits vitaler, und Dein Geist friedlicher, gleichzeitig jedoch auch klarer. Jeder Atemzug lädt Deine Sinnesorgane auf und bringt Freude in Dein Leben.“

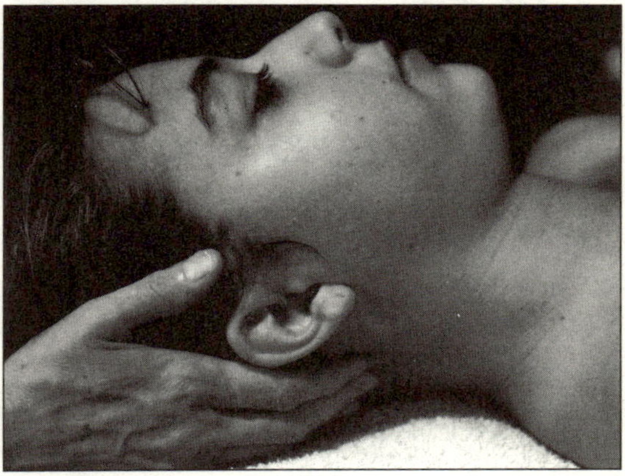

Denke auch hier daran, je mehr Du ganz gegenwärtig und entspannt bist, desto leichter wird es Deinem Freund fallen, sich ebenfalls zu entspannen. Wenn Du zu irgendeinem Zeitpunkt das Gefühl hast, daß Du Deine Konzentration oder Deinen Kontakt verloren hast, dann kehre zu der oben beschriebenen Atmung zurück.

Wirkung: Ausgleich der elektromagnetischen Energien in der rechten und linken Gehirnhälfte. Dies reduziert Streß genauso wie es die Fähigkeit des Gehirns steigert, einströmende Informationen zu verarbeiten, koordiniert logische und intuitive Reaktionen.

Dritter Schritt

Wechsele die Position Deiner Hände, so daß die linke Hand nun den Hinterkopf hält und die rechte Hand über der Stirn liegt. Verwende

dieselbe alternierende Atemtechnik wie im zweiten Schritt für die Dauer von etwa 90 bis 120 Sekunden.

Wirkung: Ausgleich der elektromagnetischen Energien der vorderen und hinteren Gehirnabschnitte. Hierbei können tief verdrängte Erinnerungen an die Oberfläche des Bewußtseins gelangen und losgelassen werden.

Der zweite und dritte Schritt fördern einen wachen, ausgeglichenen Geisteszustand, der durch Ruhe und Empfänglichkeit gekennzeichnet ist.

Vierter Schritt

Setze die Handwurzeln beider Hände auf den Mittelpunkt zwischen Nacken und Schulterspitzen an. Lehne Dich nach vorn und benutze Dein Körpergewicht, um die Schultern in Richtung Zehen zu drücken. (Auf diese Weise brauchst Du wesentlich weniger Kraft, als wenn Du nur die Arme einsetzt.) Wiederhole diesen Vorgang ein- oder zweimal.

Wirkung: Nach einer gedehnten Position entspannt sich die Schultermuskulatur auf ganz natürliche Weise, wodurch die Haltung des Schultergürtels ausgeglichen wird. Durch die Entspannung der Schultern reagiert der Beckengürtel ebenfalls mit einem leichten Ausgleich der Haltung. Wenn Verspannungen an Schulter- und Beckengürtel gelöst werden, kann die Energie zwischen beiden Polen freier fließen. Dadurch wird die Atmung sowohl freier als auch tiefer. Bisweilen kommt es vor,

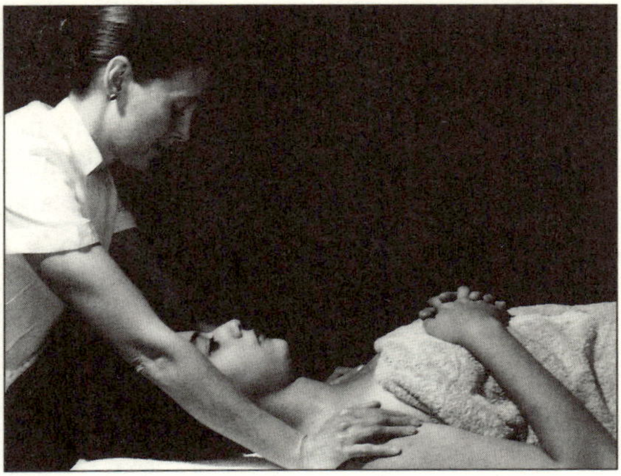

daß die behandelte Person seufzt oder sichtbar lange und tief durchatmet. Diese Art von Atmung ist ein gutes Zeichen von tiefer Entspannung.

Fünfter Schritt

Begib Dich nun auf die rechte Seite Deines Freundes, und zwar auf Kniehöhe. Lege Deine linke Hand auf den großen Oberschenkelmuskel auf der Vorderseite des rechten Beins und umfasse die rechte Kniescheibe mit Deiner rechten Handinnenfläche. Drehe die Kniescheibe fünfmal gegen den Uhrzeigersinn und fünfmal im Uhrzeigersinn.

Die Bewegungen gegen den Uhrzeigersinn sind anregender, während

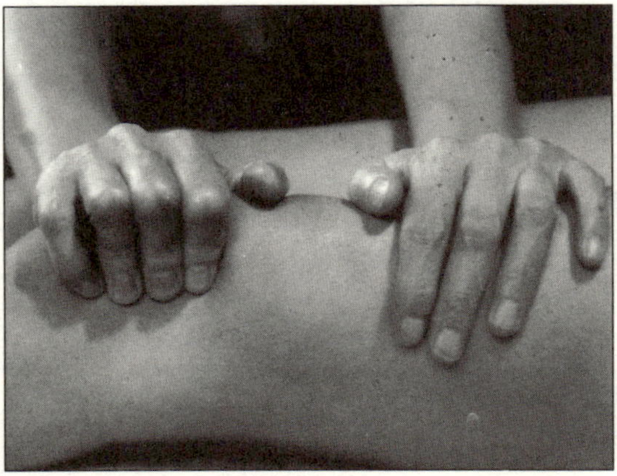

die Bewegungen im Uhrzeigersinn beruhigend wirken. Zuerst wird also angeregt und anschließend beruhigt. Bleibe auf der rechten Seite, reiche zum linken Bein hinüber und wiederhole diese Griffe.

Wenn Du mit beiden Händen mit Deinem Freund in Verbindung bleibst, erzielst Du eine beruhigendere und ausgleichendere Wirkung. Beachte dies bei allen Schritten, selbst wenn Du nur mit einer Hand arbeitest.

Sechster Schritt

Stelle Dich nun am Fußende auf, bilde eine V-Form zwischen den Daumen und den übrigen Fingern. Fahre mit Deinen Händen die Unterschenkel über die Schienbeine nach oben, bis Du knapp unterhalb der Kniescheiben angelangt bist. Du spürst die Enden der großen Knochen kurz vor dem Kniegelenk an der Innenseite des Knies. Laß Deine Daumen dort ruhen, wo die großen Knochen enden. Wie beim vierten Schritt wendest Du einen leichten Druck an und lehnst Dich zur behandelten Person hin, so daß der Großteil des ausgeübten Drucks in Richtung Hüfte verläuft. Auf keinen Fall darf der Druck nach unten zur Massagebank verlaufen, da die Knie hierdurch Schaden nehmen könnten. Massiere den Punkt, auf dem Deine Daumen liegen, in kleinen Kreisen im Uhrzeigersinn.

Wirkung: Die ausgeglichene Energie wird hierdurch allmählich vom Kopf, Nacken und den Schultern in die Beine geführt. Die Massage des Punktes an der Innenseite der Knie hilft dabei, Kraft und Kondition auf-

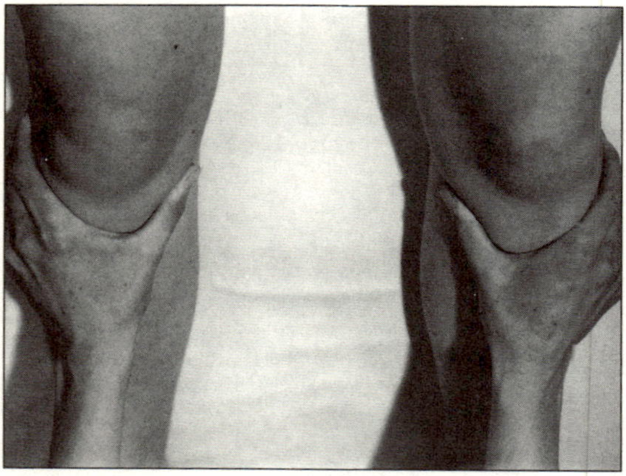

zubauen. Dieser Punkt ist besonders bei Personen zu behandeln, die lange unter Streßeinwirkung gestanden haben, das heißt, wenn es Faktoren im Leben des Betreffenden gibt, die sehr schwer zu ertragen sind. Die Massage dieser Punkte verleiht auch zusätzliche Kraft für lange Auto- oder Flugzeugreisen.

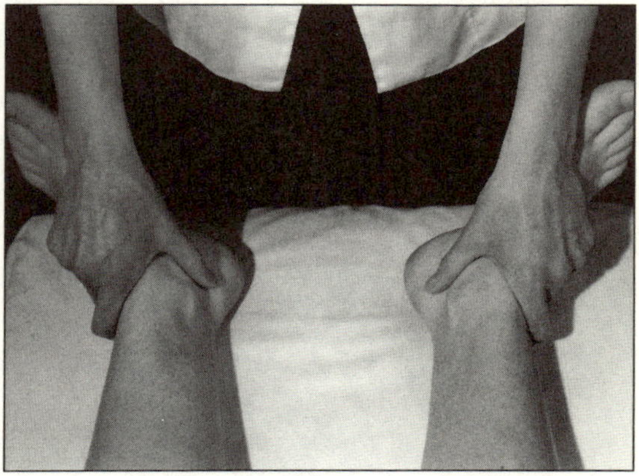

Siebter Schritt

Führe Deine Hände nun zu den Fußknöcheln. Laß die Daumen auf dem Mittelpunkt ruhen zwischen der Stelle, an der die Ferse aufliegt, und der vorstehenden Erhebung des Innenknöchels. So, wie der Kopf den positiven Pol des Körpers darstellt, sind diese beiden Punkte die negativen Pole des Körpers. Übe sanften Druck auf diese Punkte aus und lehne Dich mehrere Male nach vorne, wobei der Hauptdruck in Richtung Hüften geht.

Wirkung: Indem man zunächst am Kopf, das heißt, am positiven Pol des Körpers beginnt und sich zu den Fußknöcheln, dem negativen Pol, hinunterarbeitet, während man sich gleichzeitig auf den Atem konzentriert, wird der elektromagnetische Fluß des Körpers in Bewegung gebracht und ausgeglichen, was den ganzen Körper in einen Zustand von Harmonie und Entspannung versetzt.

Achter Schritt

Begib Dich nun auf die rechte Seite Deines Freundes auf Brusthöhe. Lege Deine linke Hand auf die Stirn und die rechte Hand auf den Bauch, etwa drei bis vier Fingerbreit unterhalb des Nabels. Reibe den Bauch langsam fünfmal im Uhrzeigersinn. Danach wird der Bauch sanft geschaukelt, in dem Du Deine Hand vor und zurück und über den ganzen Bauch nach oben und nach unten führst. Der Bauch ist der neutrale Pol des Körpers.

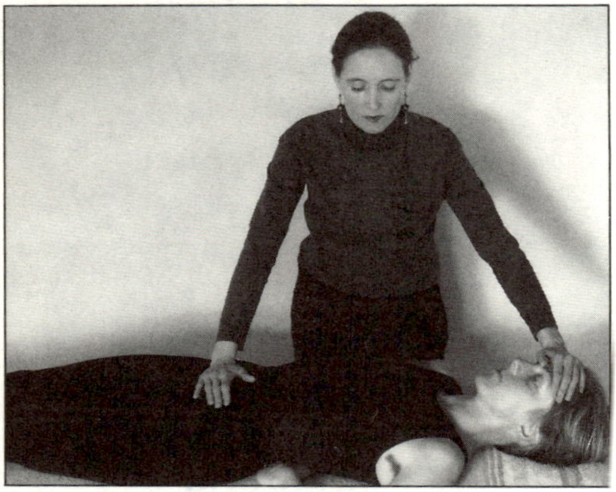

Wirkung: Es kommt häufig vor, daß viele Ängste und Verspannungen in der Bauch- und Zwerchfellmuskulatur festsitzen. Sanfte Bewegungen lösen den Streß und werden als ausgesprochen nährend empfunden. (Personen, die häufig von Ängsten und Unruhe befallen werden, kann man die Einreibung des Bauchs mit warmem Sesamöl empfehlen und die Auflage einer warmen Kompresse oder einer heißen Wärmflasche. Die Anwendung von warmem Sesamöl vor dem Schlafengehen an den Füßen ist ebenfalls sehr hilfreich. Menschen, die häufig an Bauchschmerzen leiden, können dasselbe Verfahren mit warmem Rizinusöl durchführen. Dadurch wird altes Narbengewebe weicher und alte, durch chronische Verstopfung bedingte harte Ansammlungen aufgelöst. Wenn eine leichte Berührung starke Schmerzen auslöst, sollte man einen Arzt konsultieren.)

Neunter Schritt

Du stehst noch immer neben Deinem Freund und begibst Dich nun auf Höhe der Taille. Du bist dem Körper zugewandt und hältst Deine Hände mit den Handflächen nach unten im Abstand von etwa zwölf Zentimetern über den Bauch. Beginne am Nabel und beschreibe kleine Kreise über dem Körper, die einer Spirale folgend nach außen über den Rumpf wandern. Führe anschließend die linke Hand über die Brust nach oben über das Gesicht und den Kopf, während die rechte Hand nach unten über die Hüften, Beine und Füße wandert. Dabei stellst Du Dir vor, daß hierdurch eine Kapsel, eine schützende Hülle entsteht, die Deinen Freund in einem Abstand von etwa zwölf Zentimetern zum Körper umgibt. Du kannst Dir nun diese Kapsel als einen Schutzschild vorstellen, die mit heilendem Licht gefüllt ist.

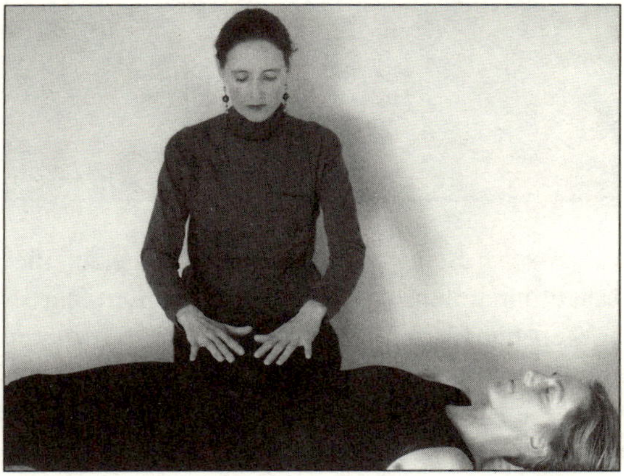

Wirkung: Durch die Schaffung dieses geschützten Raumes empfindet die behandelte Person eine größere Sicherheit bei den Empfindungen und Gefühlen, die durch die Behandlung ausgelöst werden.

Zehnter Schritt

Nun stehst Du wieder wie zu Beginn hinter dem Kopf Deines Freundes, umfaßt den Kopf mit beiden Händen, so daß die Daumen auf dem Dritten Auge aufliegen, einem Punkt, der an der Mittellinie des Kopfes etwas über den Augenbrauen liegt. Deine Handflächen umfassen den Kopf auf beiden Seiten.

Verharre kurze Zeit in dieser Position und atme dabei bis tief in den Bauch hinunter.

Wirkung: Durch diesen Schritt wird die Aufmerksamkeit wieder zum Kopf und zum Gesicht geführt, wo der Großteil der Massage durchgeführt wird. Dieser Schritt ermöglicht Dir ebenfalls, zur Ruhe zu kommen und Deine Energie erneut zu konzentrieren.

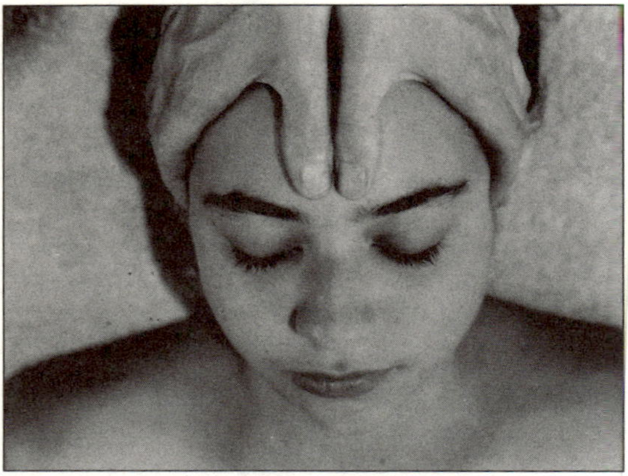

Obwohl diese zehn Schritte eine Vorbereitung auf die eigentliche Gesichtsmassage darstellen, ist ein gründliches Durcharbeiten ratsam. Wenn Dir die Zeit hierfür fehlt, solltest Du einige Minuten damit verbringen, Deine Aufmerksamkeit auf den Kopf, die Knie, Knöchel, Stirn und anschließend auf den Bauch Deines Freundes zu richten und diese Teile zu berühren. Dabei solltest Du Dich sammeln und konzentrieren und gedanklich eine positive Atmosphäre schaffen.

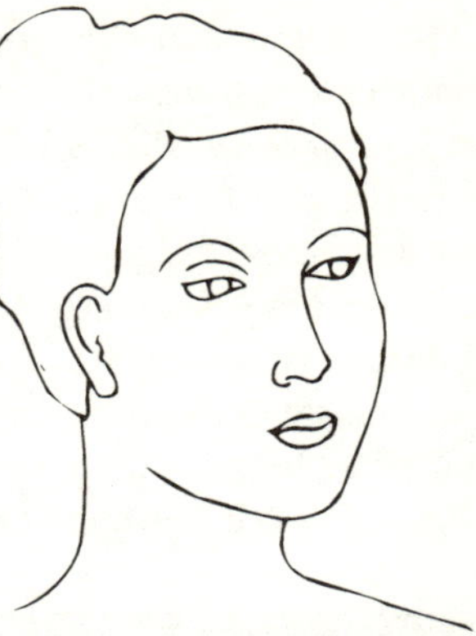

Die Kopfmassage (*Shirobhyanga*)

Wenn Öl auf den Kopf aufgetragen und einmassiert wird, dringt es über die Haarwurzeln tief in die Kopfhaut ein. Dadurch werden die Haarwurzeln und die Kopfhaut genährt, geölt und gekräftigt. Diese Maßnahme beugt Haarausfall und vorzeitigem Ergrauen vor. Die Durchblutung des Kopfes wird verbessert, wobei Muskeln und Nerven gleichzeitig beruhigt werden. Die Ölmassage des Kopfes verhilft zu mehr geistiger und körperlicher Frische, lindert Verspannungen, beseitigt Müdigkeit und verbessert den Teint. Der Grund hierfür liegt darin, daß die Kopfmassage die Sauerstoff- und Glukoseversorgung des Gehirns steigert sowie den Kreislauf der Rückenmarksflüssigkeit um das Gehirn und Rückenmark anregt. Durch die Ölmassage des Kopfes werden ebenfalls vermehrt Hormone und Enzyme freigesetzt, die für das Gehirnwachstum und die Entspannung des Körpers erforderlich sind. Die Kopfmassage vermehrt *Prana*, den feinstofflichen Aspekt der Vata-Dosha-Energie, im Körper.

Die Kopfmassage wirkt besonders gut vor dem Baden am Morgen, um das Nervensystem auf sanfte Art und Weise anzuregen. Am Abend hilft diese Massageform, den Streß des Tages abzubauen, und fördert einen friedlichen Schlaf. Die Füße mit Öl einzureiben ist ebenfalls sehr wirkungsvoll, um einen tiefen, erfrischenden Schlaf herbeizuführen, da diese Maßnahmen die Vata-Energie zähmt und hilft, Sorgen zu vertreiben.

Erster Schritt

Der erste Punkt ist der Scheitelpunkt und liegt in der Mittellinie. Damit Du ihn rasch und genau findest, bittest Du Deinen Freund, die rechte Hand auf die Stirn zu legen, wobei die Handwurzel am Nasenansatz ruht und die Finger zum Hinterkopf weisen. Nimm die linke Hand der zu behandelnden Person und messe, ausgehend von der Spitze des Mittelfingers der rechten Hand, drei Fingerbreit nach hinten. Dieser sogenannte Scheitelpunkt wird in der ayurwedischen Tradition als *Mardhi Marma* bezeichnet. Er ist die wichtigste therapeutische Stelle am Kopf, da Nerven, Blut- und Lymphgefäße hier zusammenlaufen. Hier ist ebenfalls der Schnittpunkt der Vata-, Pitta- und Kapha-Doshas.

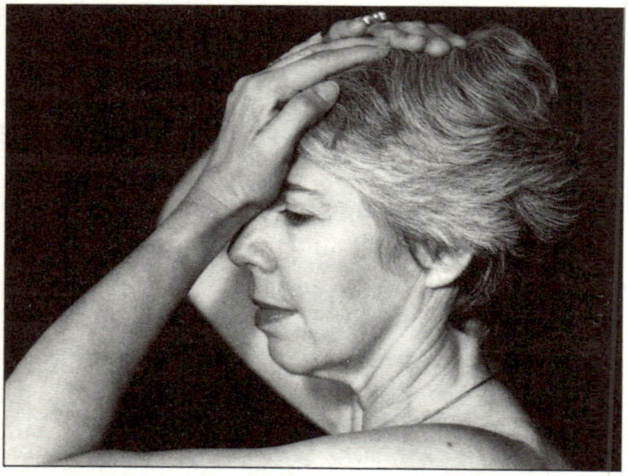

Alle Marma-Punkte dürfen nur mit großer Behutsamkeit berührt werden. Die Punkte werden mit einem sanften Reiben behandelt. Dabei ziehst Du kleine Kreise im Uhrzeigersinn. In Spiralbewegungen ziehst Du nach außen und dann wieder nach innen. Der Druck wird langsam gesteigert und anschließend wieder langsam gelöst.

Trage warmes Öl aus einer Dispensierflasche auf und massiere diesen Marma-Punkt etwa 30 bis 60 Sekunden lang, ungefähr solange, wie Du für 35 Kreise im Uhrzeigersinn benötigst. Merke Dir die Lage dieses Punktes, damit Du eine Bezugsstelle für das Finden weiterer Punkte hast.

Wirkung:

1. Linderung von Verspannungen im Nacken sowie durch Verspannungen bedingter Kopfschmerzen
2. Fördert die Korrektur von Verformungen der oberen Wirbelsäulenabschnitte
3. Verbessert die geistige Klarheit und die Konzentrationsfähigkeit
4. Zieht Energie im Körper nach oben, was Linderung verschafft bei Hämorrhoiden und Stauungszuständen des Beckens.
5. Wirkt ausgleichend und regulierend auf die sensorischen und motorischen Zentren des Gehirns.

Zweiter Schritt

Der zweite Punkt liegt drei Fingerbreit vom Scheitelpunkt entfernt und befindet sich ebenfalls auf der Mittellinie. (Denk daran, die Hand Deines Freundes als Maß zu verwenden und nicht die eigene. Wenn Du die Lage einfach über den Daumen peilst, solltest Du Dich lieber noch durch Maßnehmen vergewissern.) Dieser Punkt wird *Brahma Randra* genannt und liegt über der vorderen Fontanelle – dort, wo bei Säuglingen eine weiche Stelle zu tasten ist. Bisweilen ist eine kleine Leiste oder Vertiefung dort zu spüren, wo die Knochennaht liegt. In seltenen Fällen fehlt letztere, so daß statt dessen eine ledrige Platte zu fühlen ist. An dieser Stelle darf kein Druck angewandt werden, nur sehr sanfte kreisende Bewegungen.

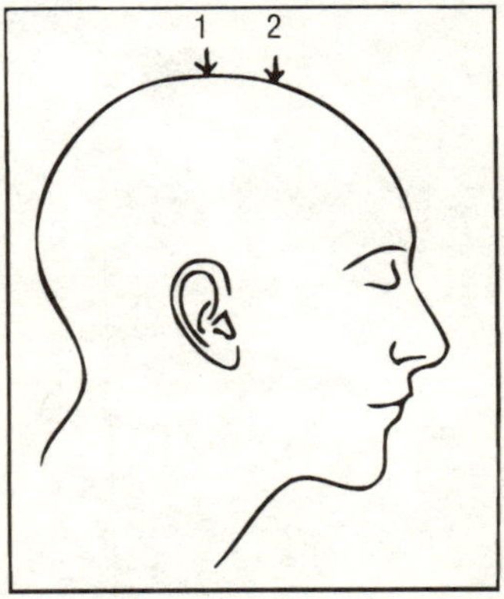

Trage warmes Öl in der zuvor beschriebenen Weise auf. Massiere wie im ersten Schritt angegeben – in kleinen Kreisen im Uhrzeigersinn, zunächst in Spiralbewegungen nach innen und dann nach außen für die Dauer von etwa 30 bis 60 Sekunden.

Wirkungen:

1. Reguliert die Ausschüttung von Hormonen über die Anregung der Hypophyse und der Zirbeldrüse
2. Fördert die Ausschüttung von Serotonin in die Blutbahn, was zu Empfindungen von Wohlbefinden und Zufriedenheit führt und stimmungsaufhellend wirkt
3. Regt den Fluß der Zerebrospinalflüssigkeit an
4. Gute unterstützende Maßnahme bei Schlaflosigkeit
5. Lindert Spannungskopfschmerzen im Stirnbereich
6. Kräftigt die Leber sowie die Verdauungsleistung und unterstützt die Gewichtsnormalisierung auf diesem Weg

Dritter Schritt

Der dritte Punkt auf der Mittellinie befindet sich vier Fingerbreit hinter dem Scheitelpunkt. Dieser Punkt wird als *Shiva Randra* bezeichnet und liegt über der hinteren Fontanelle. Wie bei der vorderen Fontanelle, die im zweiten Schritt angeführt wurde, ist auch hier eine Knochenleiste oder eine Vertiefung dort zu tasten, wo die Schädelplatten aneinandertreffen.

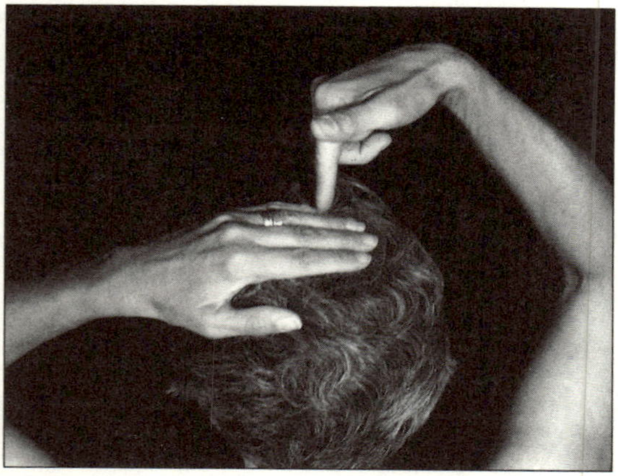

Massiere diesen Punkt wie im ersten Schritt beschrieben und beginne mit der Anwendung von warmem Öl.

Wirkungen:

1. Trägt zur Senkung von hohem Blutdruck bei
2. Lindert Schwindelgefühle und Ohrensausen
3. Erhöht die Wachheit
4. Hilft, das Gedächtnis zu verbessern
5. Hilft, die Tätigkeit der Zirbeldrüse und der Hypophyse auszugleichen
6. Lindert Spannungskopfschmerzen und Schlaflosigkeit in Verbindung mit der Behandlung des ersten und zweiten Punktes und wirkt auf beide Seiten der Wirbelsäule bis auf die Höhe der Schulterblattmitte.

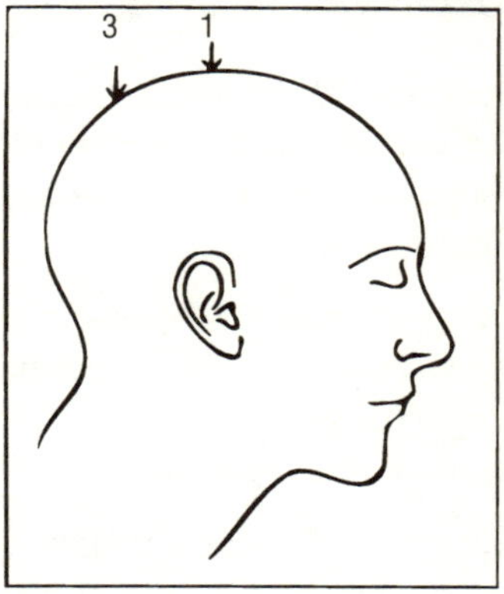

Vierter Schritt

Drehe den Kopf Deines Freundes nach links, wobei Du den Kopf mit Deiner linken Hand umfaßt. Verwende den Zeige- und Mittelfinger Deiner rechten Hand, um die Knochenerhebung hinter dem rechten Ohrläppchen zu lokalisieren. Dieser Punkt trägt den Namen *Karna Marma.*

Massiere diesen Punkt im Uhrzeigersinn mit kräftigen Kreisbewegungen. Führe nun Deine rechte Hand entlang der Knochenleiste des Schädels zur Schädelbasis hin, wo die großen Nackenmuskeln am Schädel ansetzen. Wenn Du an der Mittellinie der Schädelbasis angekommen bist, wechsele die Hände und arbeite Dich mit Deiner linken Hand an der linken Schädelseite nach oben, bis Du an der Knochenerhebung hinter dem linken Ohr angekommen bist. Arbeite von diesem Punkt wieder zur rechten Seite zurück, wobei Du wieder an der Mittellinie der Schä-

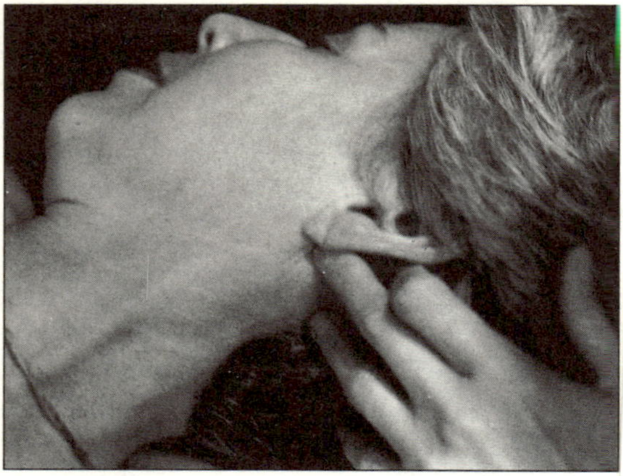

delbasis die Hände wechselst. Wiederhole dieses Hin und Her zweimal oder häufiger. Bei der wiederholten Anwendung wirst Du über zwei weitere Marmas, die sogenannten *Manya Marmas,* gelangen, die ebenfalls besondere Beachtung verdienen.

Wirkungen (Behandlung des Karna Marmas):
1. Entspannung der Gesichts- und Kiefermuskulatur
2. Lindernd bei Ohrengeräuschen
3. Hilft, Kongestionen und Stauungen im Mittelohr zu beseitigen

Wirkungen (Behandlung des Manya Marmas):
1. Entspannt den ganzen Körper über Wirbelsäulenreflexe
2. Lindert Hinterkopfschmerzen und Nackenverspannungen
3. Hilft, das Gehör zu verbessern

Fünfter Schritt

Deine linke Hand umfaßt den Kopf und hält diesen noch immer auf die linke Seite gedreht. Verwende alle Finger der rechten Hand, um auf der rechten Seite die Kopfhaut mit Zickzack-Bewegungen über den ganzen Kopf bis zum Haaransatz anzuregen. Verwende genügend Druck, damit die Kopfhaut auf den Schädelknochen hin- und herbewegt wird.

Bei der Anpassung der Behandlung an Deinen Freund ist Deine Sensibilität gefordert. Magere Menschen benötigen in der Regel weniger Druck und ein langsameres Vorgehen als beleibtere Personen mit einer kräftigeren Kopfhaut.

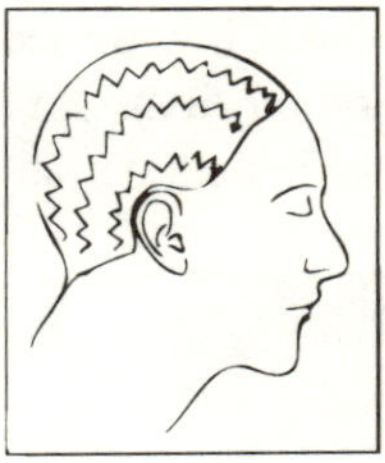

Bearbeite die rechte Seite dreimal. Wende den Kopf nach rechts und wiederhole auf der linken Seite der Kopfhaut. (Wenn Du Rechtshänder bist, wird das Arbeiten mit der linken Hand ein wenig Übung erfordern – und natürlich umgekehrt bei Linkshändern. Der Wechsel und das Arbeiten mit der rechten Hand auf der linken Seite gestaltet sich jedoch sehr schwierig.) Achte darauf, daß die nicht bearbeitete Seite immer gut gelagert ist, damit die zu behandelnde Person nicht die Nackenmuskulatur anspannen muß, um den Kopf in der gewünschten Position zu halten.

Zum Abschluß faßt Du den Kopf mit beiden Händen, so daß der Nacken wieder gerade ist und das Gesicht nach oben weist, um die Energie zu beruhigen und erden.

Die Massage am Hals und des oberen Brustbereichs

Erster Schritt

Hebe den Kopf mit Deiner linken Hand ein wenig an und arbeite mit der rechten mit zwickenden Griffen von der Schädelbasis nach unten zu den Schulterspitzen. Wiederhole das zweimal.

Befeuchte Deine Fingerspitzen jetzt mit warmem Massageöl. Warmes Öl wirkt beruhigender, entspannender und dringt besser in die Haut ein. Es steigert ebenfalls die Wirkung der Massage, indem das Muskelgewebe genährt und das Bindegewebe „geölt“ wird. Bei allen weiteren Schritten sollte Du soviel Öl verwenden, daß Deine Finger leicht über die Haut gleiten.

Zweiter Schritt

Wende den Kopf wieder ein wenig nach links und stütze ihn mit Deiner linken Hand. Suche erneut die Knochenerhebung hinter dem Ohr.

Dieses Mal streichst Du über den großen flachen Muskel, der an die-

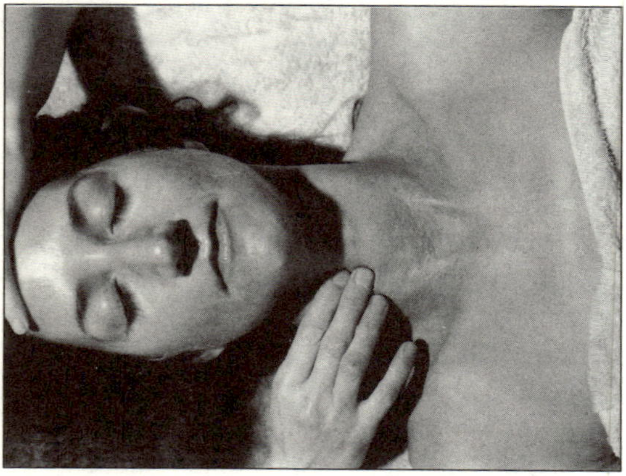

ser Stelle am Schädel ansetzt, seitlich am Hals verläuft und am Schlüsselbein nahe der Luftröhre ansetzt. Dieser Muskel wird als Kopfwendermuskel bezeichnet. Wiederhole dieses Streichen noch einmal. Danach wendest Du den Kopf leicht auf die rechte Seite und wiederholst diesen Griff auf der linken Seite.

Dritter Schritt

Mit dem Kopf wieder in der Mittellage neigst Du das Kinn etwas nach oben und streichst auf beiden Seiten der Luftröhre von unterhalb des Kinns nach unten zum Schlüsselbein. Wiederhole diesen Schritt zweimal.

Wirkungen:

1. Lockert und tonisiert die Muskulatur an der Vorderseite des Halses

2. Regt die Schilddrüse an, was einen Schub frischer Energie erzeugt, der den ganzen Körper durchströmt

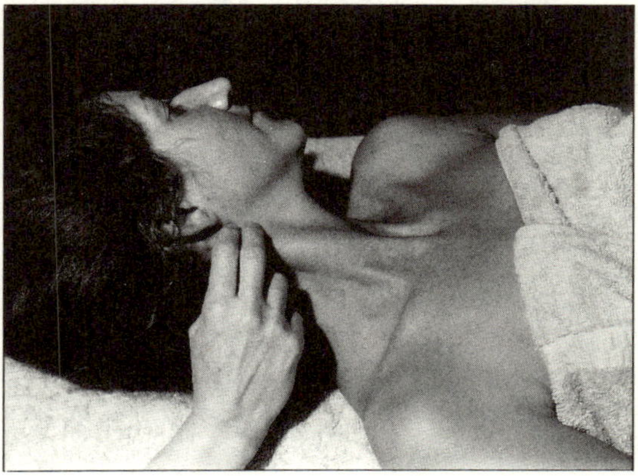

Vierter Schritt

Mit sehr kleinen Kreisbewegungen im Uhrzeigersinn wird der Mittelpunkt der Schilddrüse massiert.

Wirkungen:
1. Unterstützt die Regulierung der Schilddrüse
2. Fördert das Verbalisieren von Gefühlen

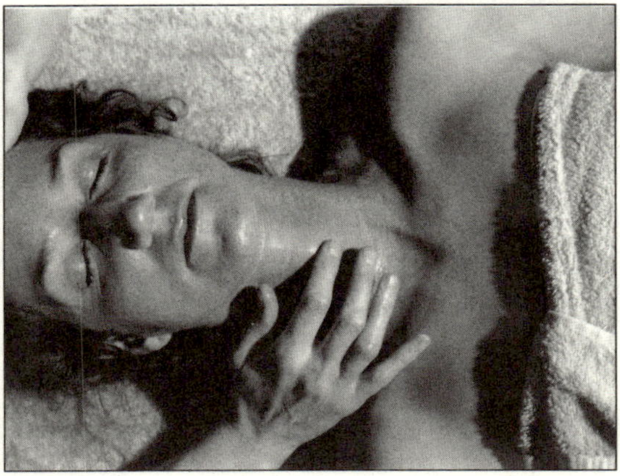

Fünfter Schritt

Hake Deinen Daumen hinter jener natürlichen Vertiefung ein, die am oberen Ende des Brustbeins liegt. Dieser Punkt wird als *Jatru Marma* bezeichnet. Drücke unter dem Knochen nach innen und löse den Druck sanft in Richtung Luftröhre. Führe nach innen und dann nach außen gerichtete spiralenförmige Bewegungen aus. Diese Behandlung wird zweimal durchgeführt. Bisweilen wird hierdurch ein Hustenreiz ausgelöst.

Wirkungen:
1. Löst Kongestionen (Stauungen und Verschleimungen) im Brustbereich
2. Verbessert die Stimme
3. Fördert das Gleichgewicht der Schilddrüsen- und Nebenschilddrüsenfunktionen
4. Fördert die Durchblutung des Gesichts

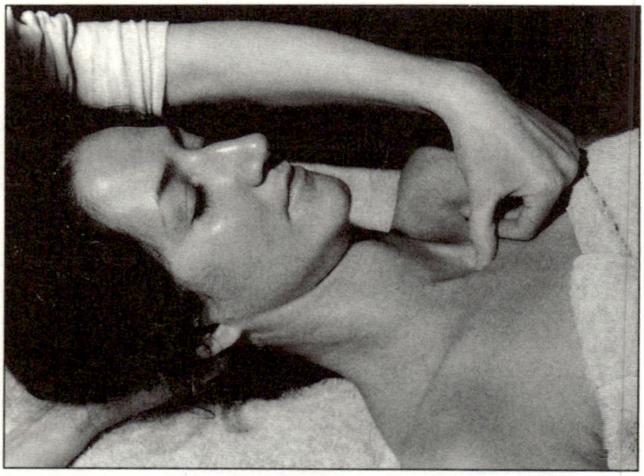

Mit sanften, klopfenden Bewegungen arbeitest Du Dich nun am Brustbein hinunter. Verwende die Fingerkuppen, um Verspannungen zu lösen und die Öffnung des Brustkorbs während der Atmung zu fördern. Diese Behandlung regt die Thymusdrüse an, was die Leistung des Immunsystems steigert.

Sechster Schritt

Verwende den Mittel- und Ringfinger beider Hände, um die Punkte zu drücken, die sich dort befinden, wo Schlüsselbein und Brustbein aufeinandertreffen. Diese Punkte sind die *Arshak Marmas*. Drücke den Punkt auf einer Seite und dann auf der anderen Seite.

Wirkungen (Behandlung des rechten Arshak Marmas):
1. Hilft, Leber- und Gallenblasenfunktionen zu verbessern
2. Wirkt ausgleichend auf Gefühle wie Zorn, Stolz und Frustration
3. Allgemein verdauungsverbessernd

Wirkungen (Behandlung des linken Arshak Marmas):
1. Verbessert die Milztätigkeit
2. Hilft, den Blutzuckerspiegel zu regulieren
3. Schwächt Stimmungsschwankungen ab

Verwende beide Hände zusammen und streiche von diesen beiden Punkten aus über das Schlüsselbein nach außen zu den Schulterspitzen. Wende leichten Druck auf den Schulterspitzen an und löse ihn rasch. Wiederhole ein- oder zweimal.

Laß beide Hände nun oben auf den Schultern ruhen. Entspanne Dich. Konzentriere Dich auf Deine Atmung, die nun tief in den Bauch hinunterreicht. Jetzt solltest Du Deinem Freund mitteilen, daß Du mit der Arbeit am Gesicht beginnen wirst. In den meisten Fällen wird die zu behandelnde Person die Augen geschlossen haben, und deswegen ist dieser Hinweis wichtig, damit die erste Berührung dieses intimen Körperteils keine Schockwellen auslöst.

Für die Arbeit am Gesicht dürfen nur kaltgepreßte, pflanzliche Öle oder Ölmischungen verwendet werden, die frei von Konservierungsmitteln sind. Wenn bestimmte aromatherapeutische Wirkungen erwünscht

sind, können ätherische Öle hinzugefügt werden (wir verweisen auf die Lieferanten in der Bezugsquellenliste (siehe dazu Seite 318). Denke stets daran, ätherische Öle entsprechend den Anweisungen zu verdünnen und auch einen Allergietest an einer kleinen Stelle am Arm durchzuführen. Es kommt gelegentlich vor, daß auch hochwertigste Öle nachhaltiges Brennen und Reizerscheinungen hervorrufen. Die Tatsache, daß es sich um eine natürliche Substanz handelt, ist keine Garantie für eine problemlose Verträglichkeit in allen Fällen. Für die Auswahl der geeigneten ätherischen Öle verweisen wir auf die Tabelle im Abschnitt über die tägliche Gesichtspflege.

Die Gesichtsmassage

Durch sanfte Striche werden feinstoffliche Spannungen unter der Hautoberfläche gelöst. Die Behandlung der Druckpunkte wirkt auf tiefere Gewebe oder reflektorisch auf zugeordnete Organsysteme.

Erster Schritt

Gib eine relativ knapp bemessene Menge warmes Öl in Deine Handflächen. Trage es mit glatten Strichen auf und beginne an der Mittellinie des Kinns. Mit beiden Händen arbeitest Du nun in Richtung der Schläfen.

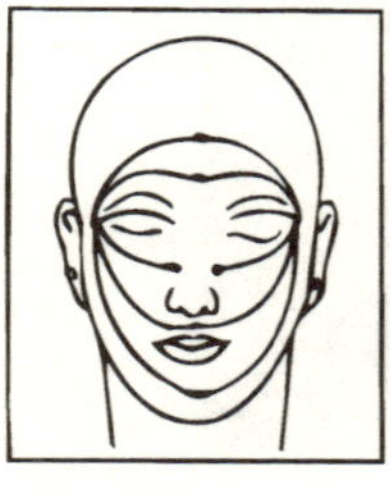

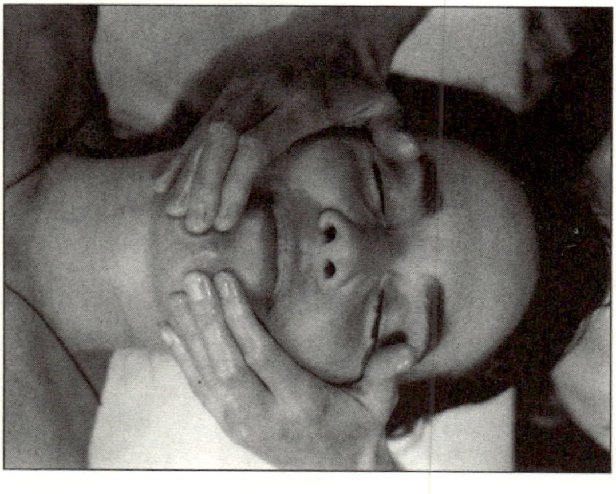

Wirkung:
Warmes Öl entspannt die unter der Hautoberfläche liegende Muskulatur. Durch die Anwendung des Öls wird die Haut „genährt". Sesamöl und ätherische Öle sind einige der wenigen Substanzen, die die äußeren Hautschichten tatsächlich durchdringen.

Zweiter Schritt

Lege Deine Finger unter den Unterkiefer und laß die Daumen auf dem Kieferrand ruhen. Bitte Deinen Freund, den Mund leicht zu öffnen. Bearbeite die ganze Gegend unter dem Kinn und Kiefer durch Druck nach oben und sanftes Loslassen. Achte besonders auf den Bereich der Zungenwurzel und der Mandelgegend, da diese häufig sehr verspannt sind. Dies ist besonders der Fall, wenn es sich um einen Menschen handelt, der Schwierigkeiten hat, seine Gedanken und Gefühle zu artikulieren.

Die Muskulatur, die am Kiefer ansetzt, hält häufig viele rigide Gewohnheitsmuster fest, die zu erheblichen Beschwerden im Nacken wie auch im Gesicht führen können. Der Kiefermuskel ist in der Tat der stärkste Muskel des menschlichen Körpers. Verspannungen dieses Muskels können folglich sehr viel Körperenergie festhalten. Wenn Du jemanden behandelst, der im Kieferbereich stark verspannt ist, bitte die zu behandelnde Person, den Mund so weit wie möglich zu öffnen, während die Zungenspitze hinter der oberen Zahnreihe anliegen sollte. Diese Übung sollte sechsmal am Tag durchgeführt werden. Lautes Vorlesen mit einem zwischen den Schneidezähnen eingeklemmten Korken ist

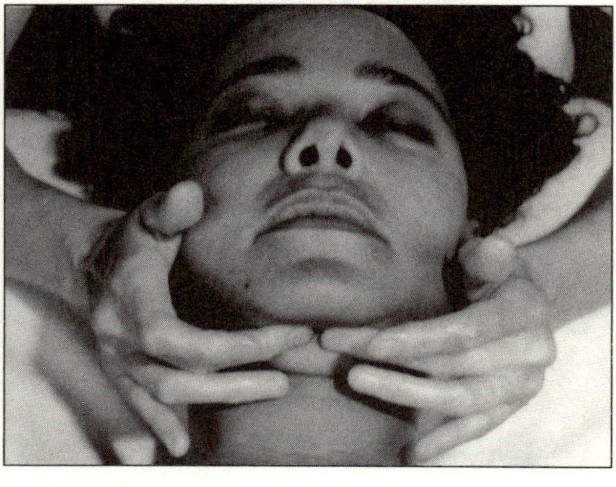

eine andere sehr wirksame Methode, um Verspannungen im Kieferbereich zu lösen. Diese Übung wird häufig von Schauspielern verwendet, die eine große Beweglichkeit im Ausdruck benötigen.

Wirkung:

1. Löst Gefühle
2. Löst Verspannungen des Kiefers und damit einhergehendes Knirschen der Zähne
3. Fördert die verbale Kommunikation

Dritter Schritt

Lege Deine Daumen an Kiefer und Kinn und fasse mit Zeige- und Ringfinger unter den Kiefer. Übe Druck auf die Oberseite und Unterkante des Kieferknochens aus, während Du am Kiefer entlang zu den Ohren und dann zu den Schläfen streichst.

Führe kleine Kreise im Uhrzeigersinn an den Schläfen aus. (Im Uhrzeigersinn bedeutet die Bewegung einer Uhr, als sei sie auf die Haut der zu behandelnden Person gelegt worden.) Wir verwenden Kreise im Uhrzeigersinn, da diese eine stärker entspannende Wirkung als andere Richtungen oder Druckarten haben. Bei dieser Behandlung bewegen sich Deine Finger in entgegengesetzten Richtungen an beide Seiten des Kopfes, was natürlich einige Übung erfordert. Probiere die Behandlung zunächst nur auf einer Seite.

Der Punkt an der Schläfe wird als *Shankar Marma* bezeichnet.

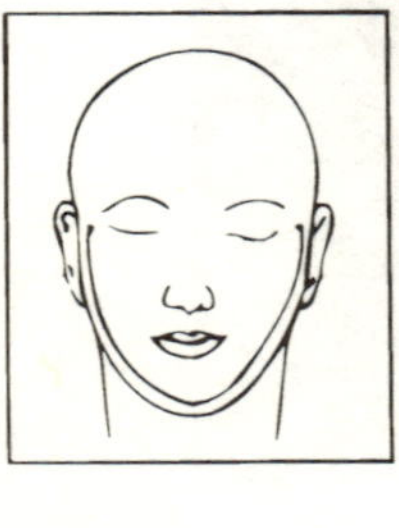

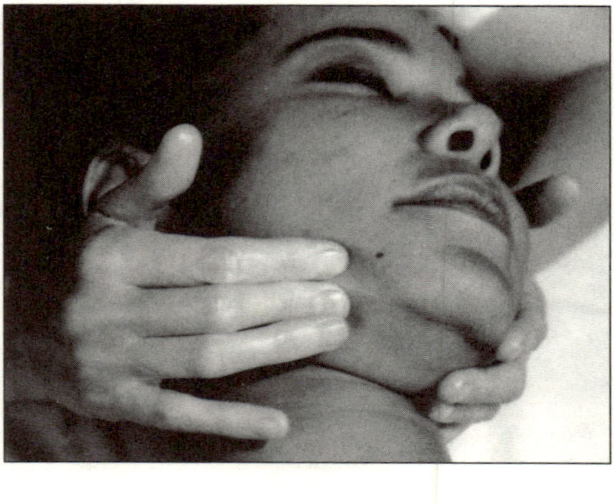

Wiederhole diese streichende Behandlung noch zweimal.

Wirkung:

1. Lindert Verspannungen des Kiefers

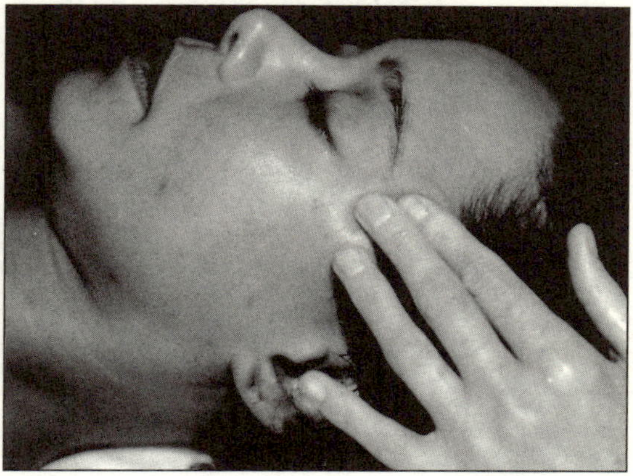

2. Lindert Druck im Auge und der umliegenden Bereiche
3. Unterstützende Maßnahme bei Spannungskopfschmerzen
4. Unterstützend bei Hyperaktivität
5. Verbessert das Gedächtnis
6. Öffnet das Unterbewußtsein für suggestive Botschaften oder positive Gedankenmuster
7. Die Massage der Schläfen verbessert die Sehkraft, schafft einen zentrierten Zustand der Aufmerksamkeit und öffnet den Geist, so daß die Empfänglichkeit für neue Ideen gesteigert wird.

Vierter Schritt

Lege Deine Zeigefinger auf den Mittelpunkt zwischen Unterlippe und Spitze des Kinns. Bitte Deinen Freund, den Mund etwas zu öffnen. Führe kleine Kreise im Uhrzeigersinn an diesem Punkt aus.

Arbeite mit kräftigem Streichen an der oberen Leiste des Kiefers bis knapp unterhalb der unteren Mundwinkel. Führe auch hier wieder kleine Kreise im Uhrzeigersinn aus. Danach streichst Du weiter am Kiefer entlang bis zum Mittelpunkt der Muskeln, die den Kiefer öffnen und schließen. Hier werden auch wieder kleine Kreise ausgeführt.

Streiche an den Wangen zu den Schläfen hinauf wie im dritten Schritt beschrieben. Wiederhole diese Behandlung noch zweimal.

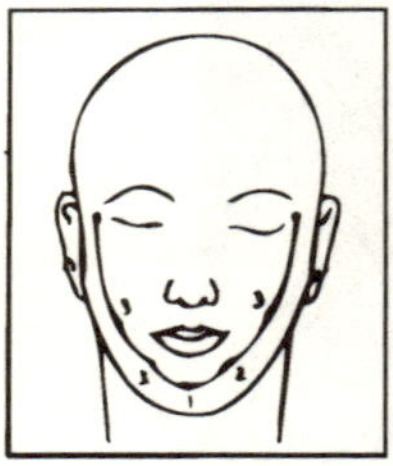

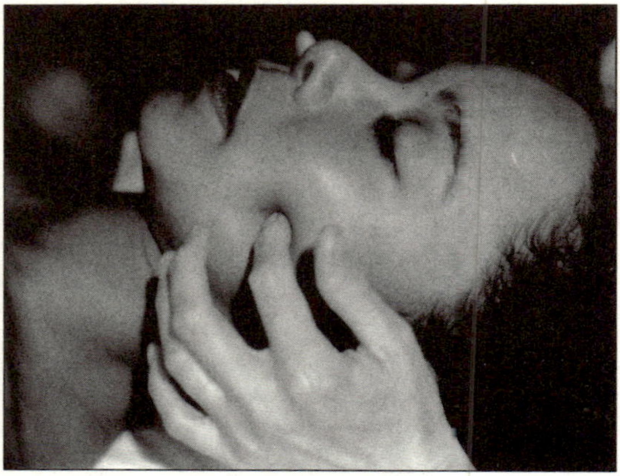

Wirkung (am 1. Punkt):

1. Steigert die Durchblutung des Gesichts
2. Lindert Verspannungen des Kiefers

Wirkung (am 2. Punkt):

1. Löst Speichelfluß aus, wodurch der Mund gut befeuchtet bleibt (die Massage kann Durst auslösen)
2. Glättet Falten durch Verbesserung des Muskeltonus

Wirkung (am 3. Punkt):

Lindert Kieferverspannungen, fördert den verbalen Ausdruck, lindert Schmerzen im Kiefer, Kopf und Nacken (TMJ-Syndrom)

Fünfter Schritt

Lege die Spitzen Deiner Zeigefinger auf den Mittelpunkt zwischen der Nase und der Mitte der Oberlippe. Dieser Punkt heißt *Usta Marma.* Übe sanften Druck darauf aus. Anschließend streichst Du auf beiden Seiten zu den Punkten, die knapp oberhalb der Mundwinkel liegen und danach unter den Wangenknochen zur Ohrspitze, weiter am Ohr entlang und folgst dabei der Falte, die durch den Ansatz des Ohres am Kopf gebildet wird, bis Du an der Knochenerhebung hinter dem Ohr angekommen bist. Wiederhole diese Behandlung zweimal oder öfter. An den erwähn-

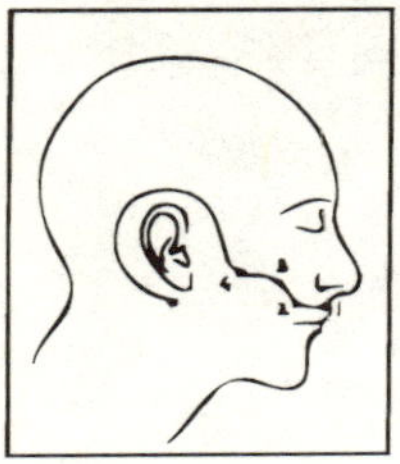

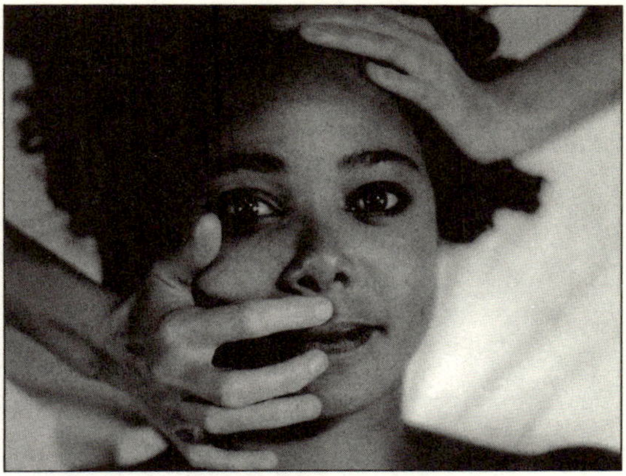

ten Punkten solltest Du anhalten und ein wenig Druck oder mit kleinen Kreisbewegungen im Uhrzeigersinn massieren.

Wirkung (am 1. Punkt):
1. Fördert die Durchblutung des Gehirns
2. Verbessert die Wachheit – ist nützlich bei Schwindel, Übelkeit oder zur Wiederbelebung nach einer Ohnmacht
3. Steigert das sexuelle Verlangen
4. Glättet horizontale Linien, die sich nach den Wechseljahren oder einer Gebärmutterentfernung bilden

Wirkung (am 2. Punkt):
1. Löst Speichelfluß aus und befeuchtet auf diese Weise den Mund
2. Glättet Falten und beugt durch Verbesserung des Muskeltonus einer Faltenbildung an den Mundwinkeln vor

Wirkung (am 3. und 4. Punkt):
1. Öffnet die Nebenhöhlen
2. Verleiht den Wangen eine rosige, gesunde Hautfarbe
3. Strafft eingefallenes Gewebe, verleiht weichere Konturen

Sechster Schritt

Lege Deine linke Hand oben auf die linke Seite des Kopfes. Setze Deinen rechten Zeigefinger knapp oberhalb des rechten Nasenflügels an. Dieser Punkt wird als *Nasa Marma* bezeichnet. Massiere diese Stelle mit kleinen, kreisenden Bewegungen. Anschließend streiche unter dem

Wangenknochen bis zur Schläfe hinauf und um das Ohr herum wie unter dem fünften Punkt beschrieben.

Wiederhole diese Behandlung zweimal. Wechsele die Hände und verfahre in derselben Weise auf der linken Seite.

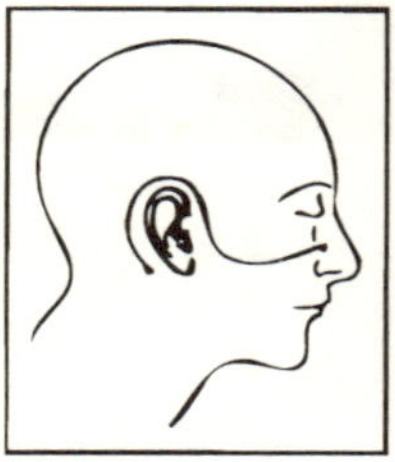

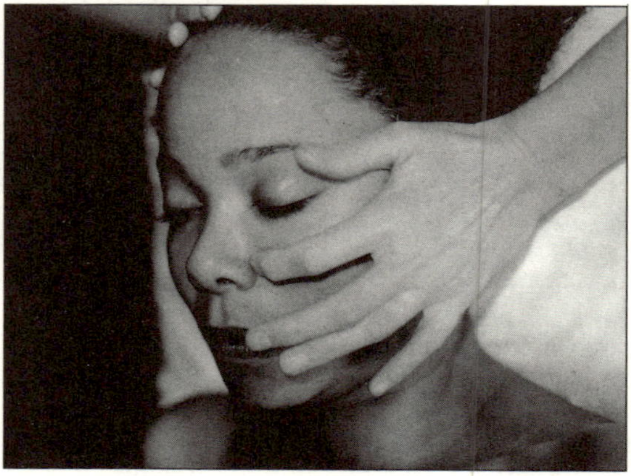

Wirkung (am 1. Punkt):

1. Verbessert die Funktion der gegenüberliegenden Gehirnhälfte
2. Lindernd bei Asthma und Kongestionen (Verschleimung der Bronchien)

Siebter Schritt

Lege die Spitzen der Zeigefinger auf beiden Seiten der Nase am Nasenbein auf den Mittelpunkt der Strecke zwischen innerem Augenwinkel und der Spitze der Nasenflügel. Dieser Punkt wird als *Ganda Marma* bezeichnet. Massiere diesen Punkt auf der rechten Seite der Nase mit kleinen kreisförmigen Strichen, streiche anschließend über den Wangenknochen, verweile am Punkt direkt unterhalb der Mittellinie des Auges (der Pupille) und führe kleine Kreise im Uhrzeigersinn aus. Streiche danach weiter um das Ohr herum in der zuvor schon beschriebenen Weise. Beende mit einer kreisenden Massage des Punktes hinter dem Ohrläppchen. Führe diese Behandlung auf der linken Seite durch. Wiederhole noch zweimal und behandele beiden Seiten im Wechsel.

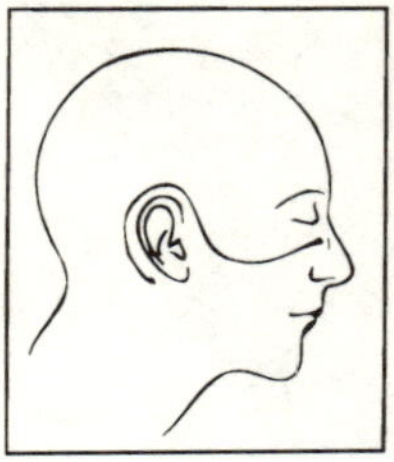

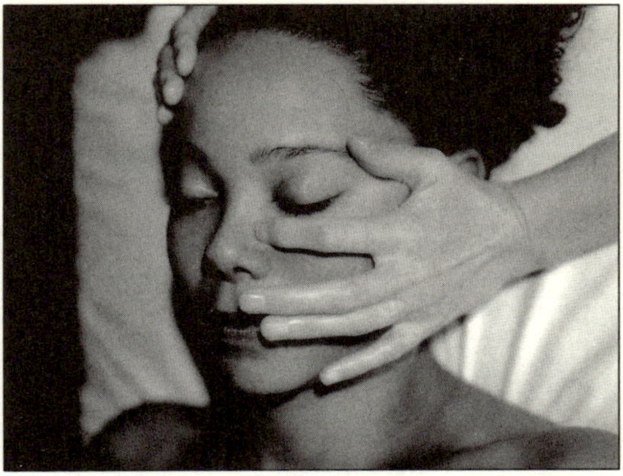

Wirkung (am 1. Punkt):

1. Wirksam bei Sekretstau der Nebenhöhlen, Nebenhöhlenentzündungen
2. Erhellt die Augen und lindert Ermüdung der Augen
3. Lindert Stauungen, die zur Bildung von Säckchen unter den Augen führen

Die Schritte sechs und sieben können gleichzeitig auf beiden Seiten durchgeführt werden. In vielen Fällen wird es jedoch besser sein, zunächst nur eine Seite zu behandeln, denn einige dieser Punkte – besonders die Nebenhöhlenpunkte – können sich als recht druckempfindlich erweisen.

Achter Schritt

Lege Deinen rechten Zeigefinger genau unterhalb des inneren Augenwinkels unmittelbar neben die Nase. Laß Deine linke Hand über der linken Kopfseite ruhen. Übe sanften Druck aus und streiche entlang der unteren Knochenlinie, die die Augenhöhle bildet, wobei Du an den in der Zeichnung angegebenen Punkten Druck ausübst. Es ist wichtig, die Haut nicht zu ziehen, sondern statt dessen auf der Haut zu gleiten und dann in kleinen Schritten Druck auszuüben. Beende am äußeren Augenwinkel zwischen Augenhöhle und Augapfel. Übe sanften Druck auf diesen Punkt aus, der als *Apanga Marma* bezeichnet wird. Wiederhole noch zweimal und behandele das gegenüberliegende Auge dreimal mit der linken Hand.

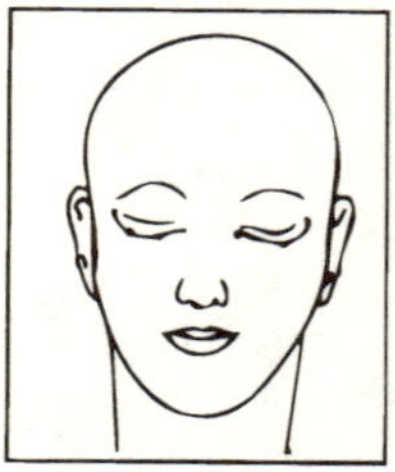

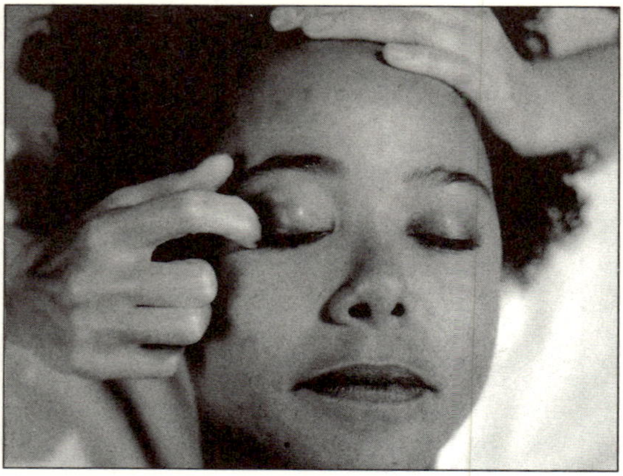

Wirkung:

1. Löst Sekretion der Tränenflüssigkeit aus, wodurch – ähnlich wie durch Tränen, die beim Weinen entstehen – Gefühle freigesetzt werden, die in den Augenhöhlen festgehalten worden sind
2. Lindert die Müdigkeit der Augen
3. Verbessert die Sehkraft
4. Verbessert den Tonus der Haut um die Augen, baut Säckchen ab und dunkle Stellen

Neunter Schritt

Lege die Spitzen der beiden Ringfinger auf die Nasenspitze. Streiche an der Mittellinie der Nase bis ganz nach oben und verzweige nach beiden Seiten, bis Du jenen Punkt erreichst, der sich knapp unterhalb der Stelle, wo die Augenbrauen beginnen, auf dem oberen Knochenrand der Augenhöhle befindet. Dieser Punkt wird *Kaninika Marma* genannt. Wende sanften Druck auf beide Seiten an und arbeite nun weiter am oberen Rand der Augenhöhle entlang, wobei Du jene Punkte bearbeitest, die in der Abbildung gezeigt werden und etwa einen halben Zentimeter vom äußeren Augenwinkel entfernt liegen. In manchen Fällen wird es besser sein, nur eine Hälfte zu behandeln, da dieser Bereich empfindlich sein kann, besonders bei Personen mit schwacher Sehkraft.

Wirkung:

1. Setzt Energie frei, die durch die Augenhöhle, Nase und den mittleren Gesichtsabschnitt fließt

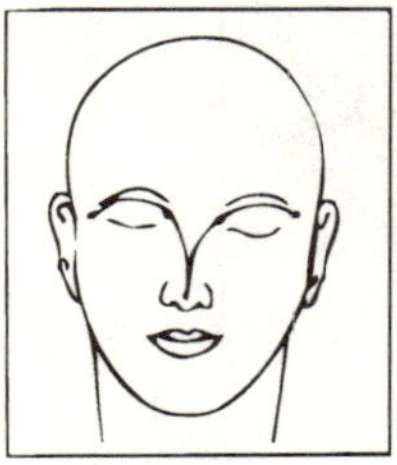

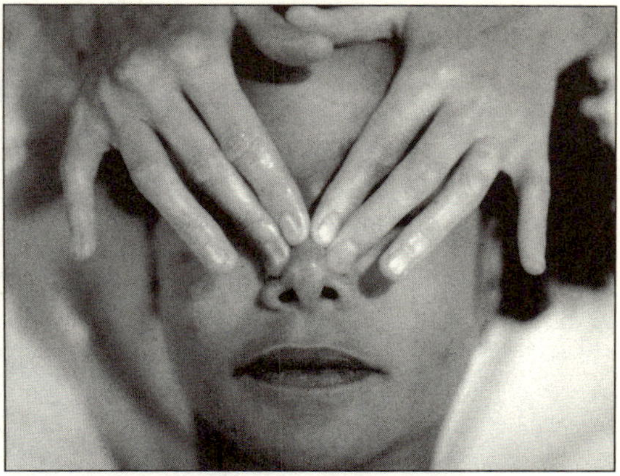

2. Entfaltet eine entgiftende Wirkung auf die Leber
3. Hilft bei der Freisetzung von unterdrückten Gefühlen, besonders Zorn, Frustration und Kummer
4. Lindert durch Überanstrengung der Augen verursachte Kopfschmerzen

Wenn die im achten und neunten Schritt beschriebenen Punkte sich als sehr druckempfindlich oder schmerzhaft erweisen, kann *Netra Basti*, ein besonderes ayurwedisches Behandlungsverfahren, bei dem die Augen in warmem Ghee (gereinigte Butter) gebadet werden, sich als außerordentlich wirksame Maßnahme erweisen. Diese Methode wird im Abschnitt über „Besondere ayurwedische Behandlungsverfahren" ausführlich beschrieben (S. 279 ff.).

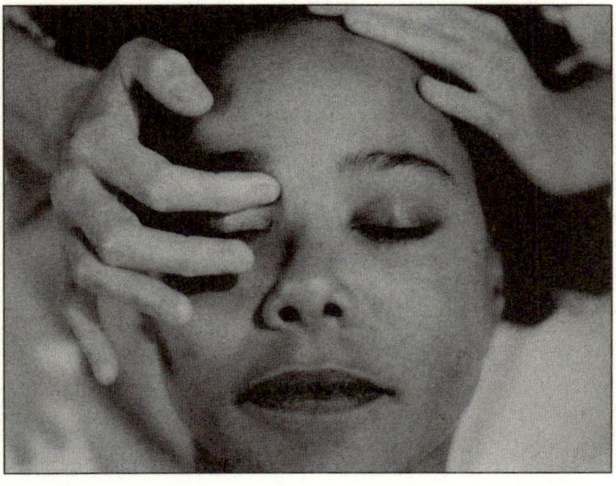

Zehnter Schritt

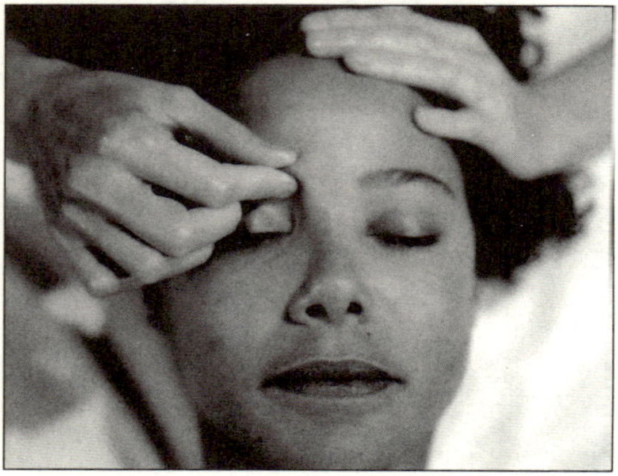

Beginnend am inneren (medialen) Ende der Augenbraue arbeitest Du mit zwickenden Griffen entlang der Augenbraue bis zum äußeren Rand. Dabei bleibt Dein Zeigefinger unter dem oberen Knochenrand der Augenhöhle, während Daumen und Zeigefinger eine rollende Bewegung durchführen, wobei einmal der Zeigefinger über dem Daumen liegt, dann wieder der Daumen über dem Zeigefinger. Wiederhole diese Behandlung noch einmal.

Wirkung:

1. Löst Verspannungen im ganzen Körper, besonders jedoch im Bereich des oberen Randes der Augenhöhle

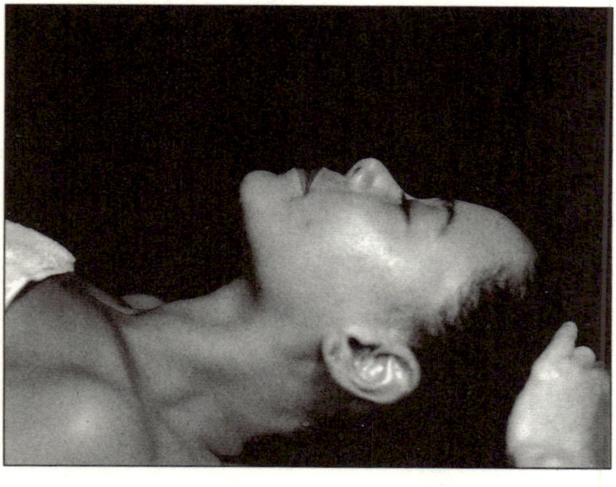

2. Regt die zarte Muskulatur im Schläfenbereich an, wodurch Lachfalten geglättet werden
3. Unterstützt die Augen
4. Wirkt nährend und entspannend auf das Nervensystem

Elfter Schritt

Streiche von der Nasenspitze bis zum Bereich des Dritten Auges, das sich etwas oberhalb des Mittelpunktes zwischen den Augenbrauen befindet. Dieser Punkt wird als *Ajna Marma* bezeichnet. Massiere diese Stelle mit sanften Kreisen im Uhrzeigersinn für die Dauer von etwa 60 bis 90 Sekunden.

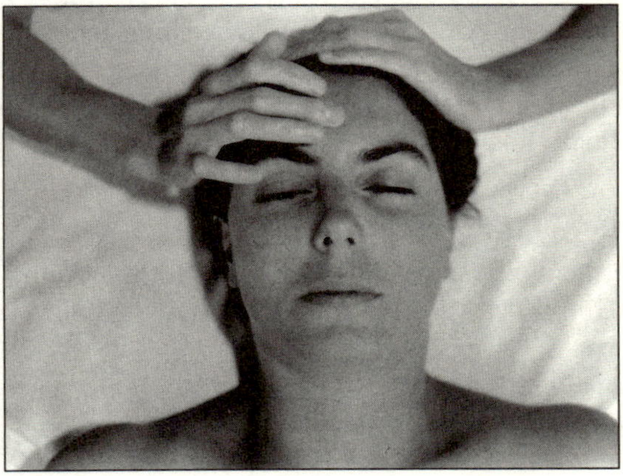

Wirkung:
1. Lindert Kopfschmerzen über den Augen
2. Unterstützt die Lösung von emotionalen Spannungen
3. Gleicht die feinstofflichen Energien des Körpers aus
4. Schärft die Wahrnehmungen
5. Bringt dem Geist Frieden

Manche Menschen empfinden eine sehr starke Energie an diesem Punkt. Frage Deinen Freund, wie es sich bei ihm verhält. Wer viel Energie an diesem Punkt verspürt, sollte versuchen, diese Empfindung zur Mitte des Körpers zu lenken und die Energie sich von dort ausbreiten zu lassen und jeden Muskel und alle Organsysteme mit Energie aufzuladen, damit man gut geerdet bleibt.

Die Anwendung von Sahne an der Stirn erzeugt angenehme Empfindungen. Feuchte Tonpackungen helfen, den ganzen Organismus zu kühlen. Die Anwendung von einem Tropfen ätherischen Sandelholzöls auf *Ajna Marma* (Bereich des Dritten Auges) verhilft zu einem klaren und friedlichen Geist, der auf diese Weise für eine Meditation besser vorbereitet ist.

Zwölfter Schritt

Die Finger einer Hand bilden eine klauenähnliche Form, während die andere Hand den Kopf hält. Nun ziehst Du die Klauenhand in Zickzackbewegungen über die Stirn von einer Seite zur anderen. Wenn Du die Zickzackbewegung von links nach rechts durchführst, stützt Du die linke Seite des Kopfes und umgekehrt. Durch die richtige Unterstützung des Kopfes wird eine Anspannung der Nackenmuskeln vermieden.

Führe die Zickzackbewegungen noch zweimal durch und streiche anschließend zweimal mit der Handwurzel über die Stirn Nun werden wieder zweimal Zickzackbewegungen ausgeführt und die Stirn einmal von links nach rechts und dann von rechts nach links gestrichen.

Wirkung:
1. Wirkt wärmend und entspannend auf die Stirnmuskeln
2. Baut den Tonus der Muskeln auf und verhindert Linien- und Faltenbildung
3. Hilft, die Sehkraft zu verbessern
4. Steigert die Konzentrationsfähigkeit

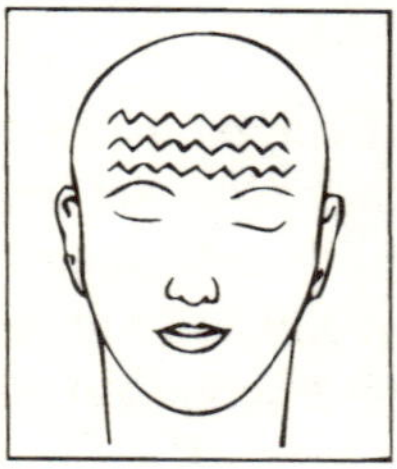

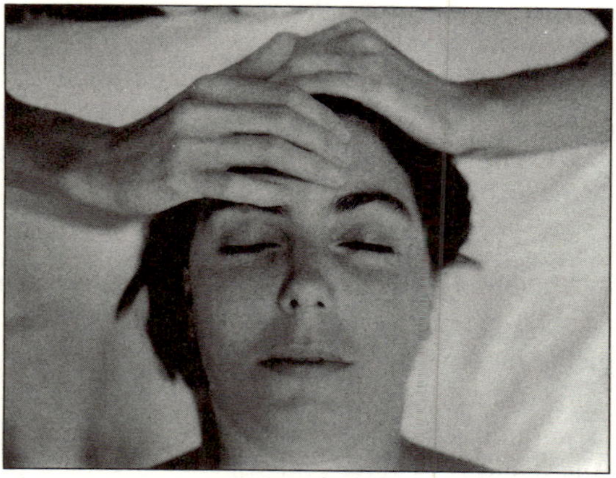

Dreizehnter Schritt

Wiederhole die gleiche streichende Behandlung, wie sie im elften Schritt beschrieben ist, ausgehend von der Nasenspitze, entlang der beiden Seiten der Nase bis zur Stirn und weiter entlang der Mittellinie der Stirn bis zum Haaransatz. Massiere mit kleinen kreisenden Bewegungen auf der linken und rechten Seite nach außen, immer am Haaransatz entlang, über die Ohren und zum Hinterkopf. Laß Deine Finger an der Schädelbasis zusammentreffen.

Massiere nun am Hinterkopf nach oben, auf beiden Seiten der Mittellinie, wobei Du die gleichen nach oben und nach außen gerichteten Kreisbewegungen durchführst. Fahre weiter über den Kopf fort bis zum vorderen Haaransatz. Wiederhole und beginne jetzt am Haaransatz.

In vielen Fällen werden Verspannungen am Haaransatz festgehalten, an der Grenzlinie zwischen dem Gesicht, das für alle sichtbar ist, und der unsichtbaren Kopfhaut. Auf der Mittellinie des Schädels befinden sich Energiezentren, ähnlich den Chakren oder Energie-Rädern, die sich am Körper befinden. Eine Massage über diesen Punkten stimuliert die tiefen Gehirnzentren und verhilft zu größerer körperlicher, geistiger und emotionaler Ausgeglichenheit.

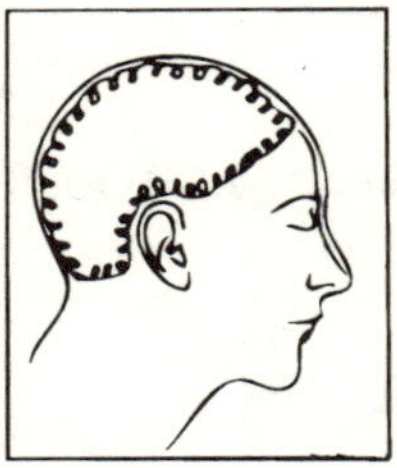

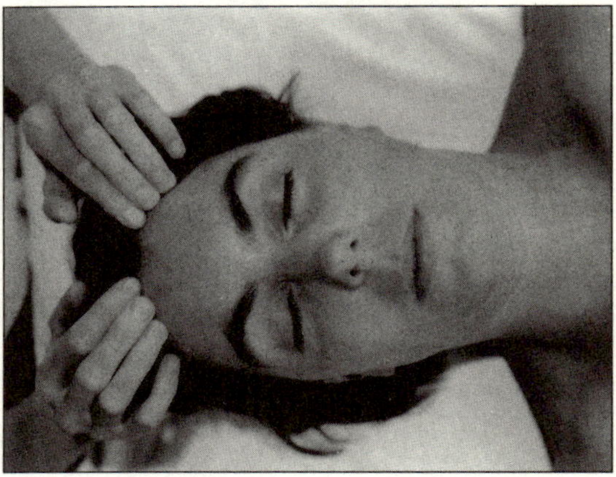

Wirkung:

1. Öffnet einen Energiefluß bis zum Gesicht hinunter
2. Entspannt und kräftigt die Stirnmuskulatur
3. Lindert Kopfschmerzen
4. Regt die Chakren am Kopf an

Die Ohrmassage

Umfasse den Kopf so, daß dieser etwas nach links zeigt und durch die linke Hand gelagert wird. Behalte die Position während der weiteren fünf Schritte der Ohrmassage bei.

Erster Schritt

Halte das rechte Ohrläppchen zwischen Daumen und Zeigefinger. Arbeite mit einer rollenden, drückenden Bewegung am Außenrand des Ohrs entlang bis zu der Stelle, wo das Ohr am Kopf ansetzt. Wiederhole diesen Vorgang zweimal.

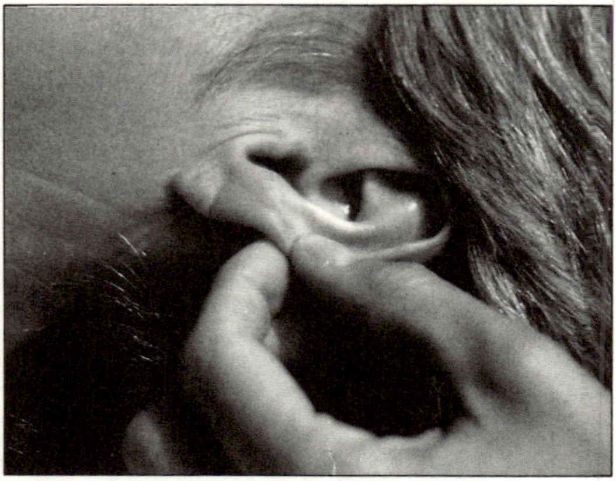

Wirkung:

1. Lindert Verspannungen und unterstützt die Korrektur von Wirbelsäulenverformungen
2. Stimuliert das Zentralnervensystem

Zweiter Schritt

Arbeite in ähnlicher Weise an der mittleren Erhebung des Ohres. Wiederhole dies zweimal.

Wirkung:

Verbessert den Kreislauf (unterstützende Wirkung)

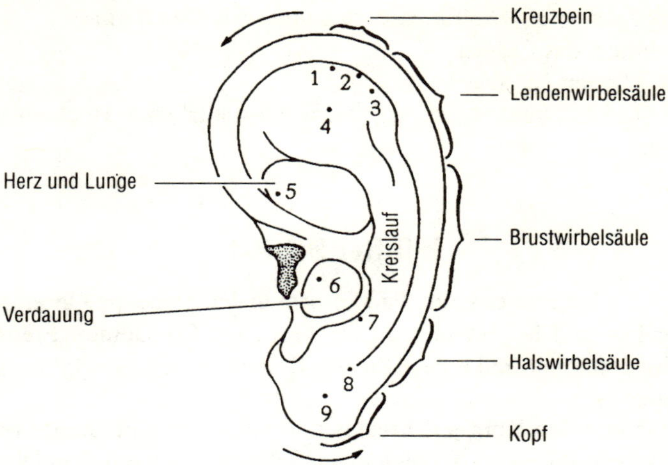

1 Zehen
2 Handgelenk
3 Knie
4 beruhigt den ganzen Körper
5 Dickdarm
6 Teint des Gesichts
7 nervöse Hautbeschwerden
8 Kiefer
9 Auge

Dritter Schritt

Verwende die Spitzen Deiner Zeigefinger, um die innersten Bereiche und die Ohröffnung zu massieren. Die Anwendung von Öl um die Ohröffnung herum hilft, Ohrensausen zu beseitigen. Das Einbringen von warmem Sesamöl ist eine tiefgreifendere Behandlung für Beschwerden dieser Art. (Diese Behandlung setzt voraus, daß keine Infektionen vorliegen).

Vierter Schritt

Reibe die Stelle, an der das Ohr am Kopf ansetzt. Beginne hinter dem Ohrläppchen und arbeite Dich nach oben bis zu der Stelle, an der die Ohrmuschel wieder am Kopf ansetzt. Die Massagerichtung ist in der entsprechenden Abbildung des Ohres angegeben.

Wirkung:

1. Hilft, dank der indirekten Wirkung auf den Dickdarm, das Vata-Dosha auszugleichen

2. Wirkt positiv auf die Energie im Dünn- und Dickdarm
3. Stimuliert das Gehirn
4. Senkt hohen Blutdruck
5. Bei starker Druckanwendung wird ein natürliches Hochgefühl erzeugt

Fünfter Schritt

Bilde mit allen Fingern eine Paddelform und schlage die Ohren relativ kräftig hin und her. (Wenn dieses Vorgehen für Deinen Freund zu energisch ist, dann reibe das Ohr mit Deiner ganzen Hand, bis es heiß geworden ist.)

Drehe nun den Kopf nach rechts und lagere ihn mit Deiner rechten Hand. Wiederhole die vorangegangen Schritte nun am linken Ohr.

Lege zum Abschluß die Handflächen über beide Ohren und halte die Energie fest, die durch die Massage entstanden ist.

Wirkung:
1. Bewirkt eine starke energetische Aufladung der Nieren, was wiederum einen günstigen Einfluß auf Schmerzen der Lendenwirbelsäule und der Kreuzbeingegend hat und die Ausdauer steigert
2. Verbessert den Kreislauf und entfaltet eine wärmende Wirkung auf den Körper
3. Unterstützt die Ausscheidungsfunktionen. Dies ist nützlich, um die durch Massage freigesetzten Toxine auszuscheiden

Die abschließende Massage

Reibe Deine Hände aneinander, bis sie wirklich warm geworden sind. Lege sie über die Augen Deines Freundes. Dieser wird zunächst spüren, wie die Wärmeenergie Deiner Hand über die Augen bis tief in den Kopf eindringt und dann allmählich den Körper durchdringt. Lenke die Aufmerksamkeit Deines Freundes auf diese Empfindung. Frage nach, ob er diese Wärme spüren kann. Bitte Deinen Freund nun, diese Empfindung durch den ganzen Körper fließen zu lassen.

Anschließend legst Du Deine Daumen über die geschlossenen Augenlider. Dabei liegen Deine Handflächen über der Stirn und verschließen beide Ohren mit Deinem Ring- und Mittelfinger. Dadurch wird der

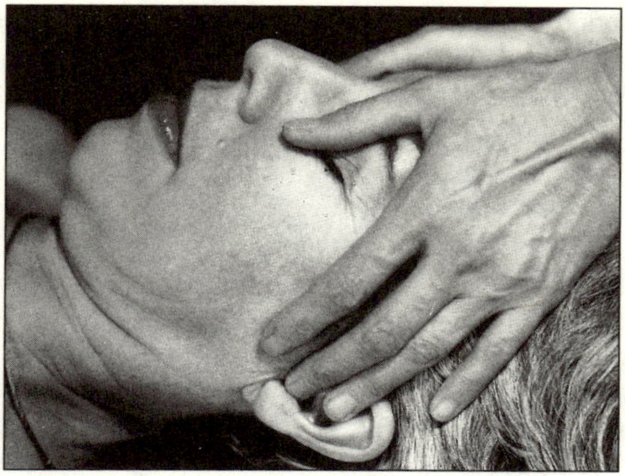

Empfänger der Massage für einige Minuten in einen ruhigen, dunklen Raum versetzt und kann noch einmal mit den inneren Erfahrungen allein sein, ehe er der Welt wieder entgegentritt.

Löse den Kontakt mit den Händen sanft auf, berühre beide Schultern und lasse Deinen Freund wissen, daß die Massage nun beendet ist. Sage ihm, daß er sich Zeit lassen und sich erst dann langsam bewegen soll, wenn er sich bereit fühlt. Nimm Dir ein paar Minuten Zeit, um die Erfahrung gemeinsam ausklingen zu lassen. Dein Freund sollte die nächsten Stunden in einer möglichst ruhigen Umgebung verbringen und auf jeden Fall Konfrontationen, große Menschenmengen, Lärm oder hektischen Straßenverkehr vermeiden.

Erfahrungsberichte über die Gesichtsmassage

„Die Idee der ayurwedischen Gesichtsmassage hat mir zugesagt, denn ich hatte die Hoffnung, daß östliche Heilverfahren helfen könnten, meine starken Verspannungen im Kopf- und Nackenbereich zu lösen.

Die Erfahrung der ayurwedischen Gesichtsmassage hat jedoch alle meine Erwartungen übertroffen. Nicht nur im Gesicht, sondern am ganzen Körper haben sich verspannte Muskeln gelockert. Die Erleichterung, die ich durch die Auflösung von schmerzhaften Knoten in Kopf, Nacken und Schultern erfahren habe, war einfach großartig. Unbewußte Muster des Festhaltens haben sich gelöst und alle Falten wurden nachhaltig geglättet.

Ich habe die Behandlung mit einem weicheren, jüngeren und glücklicheren Gesicht und einem lockereren Körper verlassen. Die Erinnerung an diese wunderbare Entspannung ist etwas, was ich jeden Tag aufs neue anstrebe, wenn ich darauf achte, daß sich meine Muskulatur nicht verspannt. Die ayurwedische Gesichtsmassage ist der Höhepunkt meiner Woche."

Michelle Herman

„Die Arbeit von Melanie Sachs war einfach wunderbar. Etwas Zauberhaftes passierte, als mein Körper losgelassen hat und mich seine Energien in einen geräumigeren und friedlicheren Raum in meinem Körper versetzten."

Deb Bergeron

Besondere ayurwedische Behandlungsverfahren

Diese besonderen ayurwedischen Behandlungsverfahren wurden traditionell aufgrund ihrer speziellen therapeutischen Eigenschaften eingesetzt und vermögen darüber hinaus das Aussehen eines Menschen sehr positiv zu beeinflussen. Diese Verfahren üben eine tiefgreifende Wirkung auf das Zentralnervensystem aus, aktivieren die Gehirnzentren und entfalten eine sowohl entspannende als auch verjüngende Wirkung auf den ganzen Körper. Das Ergebnis ist das, was ich als „die Entdeckung des ursprünglichen Gesichts" bezeichne, nämlich ein Gesicht (und Geisteszustand), das weich, offen, sanft, vital und zentriert ist. Diese Behandlungsverfahren lassen die Schönheit aus den tiefsten Schichten unseres Seins hervortreten.

Die im nachfolgenden beschriebenen Methoden wirken sowohl vorbeugend als auch therapeutisch. Sie können auch tiefsitzende Erinnerungen und Ängste, die Verspannungen im Körper festhalten, ins Bewußtsein treten lassen. Gleichzeitig sind sie aufgrund ihrer sanften, jedoch nachhaltigen Wirkung dazu geeignet, die körperlichen Aspekte traumatischer Erfahrungen aufzulösen. Sie sind im wahrsten Sinne des Wortes transformativ, ohne jedoch das Risiko einer erhöhten Verwundbarkeit und erneuter traumatischer Erfahrungen mit sich zu bringen. Dennoch ist es wichtig, für eine schützende und liebende Atmosphäre und Umgebung vor, während und nach der Behandlung zu sorgen.

Netra Basti

Netra Basti bedeutet die Waschung des Auges mit arzneilichen Ölen. Es handelt sich um ein uraltes indisches Verfahren, um Verspannungen zu lösen, die in der Augenhöhle festgehalten werden und zu Sehschwäche, Schmerzen, Müdigkeit und einem eingesunkenen, fahlen Aussehen führen können. In der ayurwedischen Tradition wird diese Behandlung zur Verbesserung der Sehkraft und zur Nährung des Nervensystems auf dem Weg über den Augapfel angewandt, da dieser in direkter Verbindung zum Gehirn steht. Wir haben herausgefunden, daß diese Behandlung den Augen einen herrlichen Glanz verleiht, Falten beseitigt, die Wahrnehmung von Farben und Tiefe steigert, ein neue Empfindung von Wohlsein und Annehmenkönnen schafft und ein tiefes Gefühl von Zufriedenheit fördert.

Diese Behandlung ist von sehr tiefgreifender Wirkung und vermag unvorhersehbare emotionale Wirkungen hervorzurufen. Daher ist es wichtig, für eine ruhige, friedliche und geschützte Umgebung zu sorgen, die auch das erforderliche Maß an Fürsorge und Unterstützung garantiert. Während der Behandlung darf die zu behandelnde Person zu keinem Zeitpunkt alleingelassen werden. Nach der Behandlung ist es am besten, wenn der Behandelte für die Dauer von mindestens zwei Stunden keinem Streß in Form von grellem Licht, lauten Geräuschen, großen Menschenmengen oder emotionalen Konfrontationen ausgesetzt ist. Diese Behandlung öffnet das Sehfeld und läßt Eindrücke tief in das Reservoir des visuellen Gedächtnisses eindringen. Deswegen solltest Du dafür sorgen, daß diese Eindrücke angenehm sind.

Zur Verabreichung von Netra Basti benötigst Du die folgenden Dinge:

1. $^1/_2$ Tasse Ghee oder zerlassenes Butterfett (siehe Rezept S. 283) in einem Keramik- oder Glasbehälter
2. 1 Tasse Vollkornweizenmehl vermischt mit etwa $^1/_4$ Tasse Wasser zur Herstellung von zwei Teigkugeln, die etwa die Konsistenz des Ohrläppchens haben
3. Zwei kleine Schüsseln, eine für den Teig, die andere zum Auffangen des Ghees nach der Anwendung

4. Ein Eßlöffel
5. Kosmetiktücher
6. Eine kleine Schüssel mit heißem Wasser oder ein kleiner irdener Topf, um das Ghee warmzuhalten

Stelle diese Gegenstände auf ein kleines Tablett, damit Du alles rasch im Griff hast. Die Temperatur des Ghees sollte so bemessen sein, daß es sich gerade warm anfühlt, wenn Du mit Deinem Finger durchfährst. Die Temperatur von öligen Substanzen wird so am besten abgeschätzt. Wenn Du Deinen Finger darin stehenläßt, wirst Du einen falschen Eindruck von der tätsächlichen Temperatur bekommen.

Vergewissere Dich, daß die zu behandelnde Person ihre Kontaktlinsen entfernt hat, falls sie welche benutzt. Erkläre die Vorgehensweise, bevor Du beginnst. Sorge dafür, daß die betreffende Person warm und bequem auf dem Rücken liegen kann, was der Entspannung förderlich ist. Bei Menschen, die an Schmerzen oder Verspannungen in der Lendenwirbelsäule oder Kreuzbeingegend leiden, hilft oft ein Kissen, das unter den Knien gelagert wird. Besonders leicht frierenden Menschen hilft man mit einer Wärmflasche oder warmen Packung, die man auf den Bauch oder auf die Füße legt.

Erster Schritt

Beginne mit einem kurzen Polarity-Ausgleich wie im Abschnitt über die Massage beschrieben, wobei Du zuerst den Kopf, die Schultern, Knie und Knöchel und anschließend den Kopf und Bauch zusammen behandelst (S. 237 ff.).

Zweiter Schritt

Fahre mit einer kurzen Streichmassage des Gesichtes fort, wobei Du nur soviel Öl verwenden solltest, daß Deine Finger leicht über das Gesicht gleiten. Wende die nach außen und nach oben führenden Striche an, die in den Illustrationen zur Gesichtsmassage dargestellt werden. Wische das überschüssige Öl um die Augengegend ab, da der später um die Augenhöhlen angepreßte Teigring ansonsten möglicherweise undicht wird.

Dritter Schritt

Nimm die Hälfte des Teiges und bilde einen kleinen Teigring, der die Augenhöhlen einfaßt (siehe Foto).

Beginne mit dem rechten Auge. Drehe den Kopf der zu behandelnden Person etwas nach links, so daß das Auge direkt nach oben blickt. Stütze den Kopf auf der linken Seite mit einem zusammengerollten Handtuch. Lege den Teigring um die Augenhöhle, und drücke diesen fest auf die Haut an der Außen- und Innenseite des Rings auf.

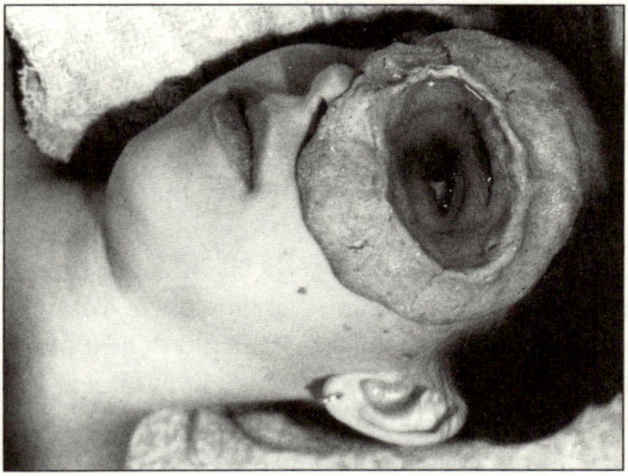

Vierter Schritt

Gieße einen halben Teelöffel Ghee (sollte sich beim raschen Eintauchen mit dem Finger gerade noch warm anfühlen) in den äußeren Augenwinkel. Frage nach, ob die Temperatur als angenehm empfunden wird. (Dies ist eine relative Wahrnehmung, die bei jedem anders ist, weswegen es immer besser ist, sich zu vergewissern. Wird das Ghee als zu warm empfunden, kann es durch mehrmaliges Umfüllen zwischen zwei Behältern leicht abgekühlt werden. Ist es zu kühl, kann es sehr rasch wieder erwärmt werden. Prüfe die Temperatur erneut nach dem Erwärmen in dem Du mit dem Finger rasch durchfährst.) Wenn das Ghee gut warm und als angenehm empfunden wird, gib weitere 4 bis 5 Eßlöffel hinzu, so daß Auge und Wimpern vollständig bedeckt sind. Manche Personen fühlen sich wohler, wenn das andere Auge abgedeckt ist, damit es nicht auf das Licht und andere visuelle Ablenkungen reagieren muß. Du kannst mit den Fingern oder mit einem gefalteten Tuch das andere Auge sanft abgedeckt halten.

Fünfter Schritt

Die zu behandelnde Person kann das Auge entweder geschlossen halten oder das Auge öffnen. Es kann sein, daß das Ghee zunächst etwas brennt. In den meisten Fällen läßt dies rasch nach, wenn die Augen durch mehrmaliges Blinken ein wenig Tränenflüssigkeit absondern. Wenn die zu behandelnde Person sich mit dem offenen Auge wohlfühlt, sollte das Auge mit einer sanften Bewegung in die acht Richtungen des Kompaß bewegt und anschließend im und gegen den Uhrzeigersinn gerollt werden. Diese Bewegungen sollten ganz langsam und sanft erfolgen, damit die Muskeln nicht überanstrengt werden. Der Behandelte schließt dann das Auge und legt, je nach Bedarf, eine Ruhepause ein. In manchen Fällen wird das nicht behandelte Auge tränen, und deswegen ist es gut, ein Taschentuch bereitzuhalten.

Durch diese Behandlung werden bisweilen unterdrückte traumatische Erinnerungen oder Gefühle an die Oberfläche des Bewußtseins befördert. Hier mußt Du bereit sein, die erforderliche Unterstützung zu gewähren und die Behandlung gegebenenfalls abzubrechen. Wenn Du den Kopf Deines Freundes oben umfaßt oder einfach nur den Kopf oben berührst, wird dies oft als angenehm und beruhigend empfunden. In den meisten Fällen werden dieselben Emotionen nicht bei der Behandlung beider Augen an die Oberfläche gelangen und daher kannst Du Deinen Freund ermutigen, die Behandlung des anderen Auges folgen zu lassen. In manchen Fällen tritt hierdurch eine Beruhigung ein. Laß das Ghee insgesamt 20 Minuten wirken. Dieses Verfahren ist natürlich etwas ungewöhnlich, erfordert viel Aufmerksamkeit und kann als solches auch etwas ängstlich stimmen. Denke daran, das Verfahren gründlich, Schritt für Schritt zu erklären und sei bereit, entsprechend langsam vorzugehen.

Sechster Schritt

Entferne das Ghee, indem Du eine kleine ausgußähnliche Delle am Außenrand der Teigrolle eindrückst. Wende den Kopf Deines Freundes langsam, damit das Ghee in eine der kleinen Schüsseln abfließen kann.

Entferne den Teig und wische das überschüssige Ghee mit einem Papiertaschentuch oder Kosmetiktuch ab.

Wiederhole diese sechs Schritte nun am linken Auge.

In manchen Fällen kommt es vor, daß Personen mit einer Pitta-

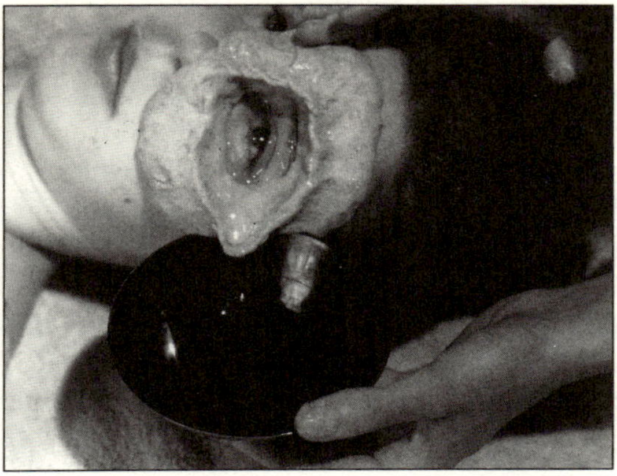

Konstitution oder mit überschüssigem Pitta im Organismus gerötete Augen bekommen. Wenn dies anhält, kannst Du Abhilfe schaffen, indem Du einige Tropfen reines Rosenwasser oder Gurkensaft in das Auge träufelst. Andere Hinweise sind dem Abschnitt über Augenpflege auf Seite 173 zu entnehmen.

Wirkungen der Netra-Basti-Anwendung:

1. Verbessert das Gedächtnis
2. Verbessert die Fähigkeit, sich in einer fremden Sprache auszudrücken
3. Erinnerung visueller Traumata in einer sanften Art und Weise, die durch das Verfahren selbst unterstützt und abgefangen wird
4. Verbesserung der Sehfunktionen
5. Lösung von Verspannungen im ganzen Körper
6. Verleiht dem Aussehen Sanftheit

Die Herstellung von Ghee oder zerlassener Butter

Ein Pfund ungesalzene Butter wird in einen Kochtopf gegeben. Erhitze langsam, bis die Butter vollständig geschmolzen ist und kurz vor dem Kochen ist. Drehe die Hitze herunter und koche bei schwacher Hitze weiter.

Zunächst wird die geschmolzene Butter wolkig aussehen und ein weißer Schaum wird nach oben gelangen. Das Geräusch der kochenden Butter erinnert nun an ein leises Zischen von Wasser. Während die zerschmolzene Butter sich langsam klärt, wird der Schaum nach unten sinken, wo sich ein sichtbares Sediment herausbildet. Koche auf schwacher Hitze weiter, bis das Sediment eine goldbraune Farbe annimmt und die restliche Flüssigkeit klar wird und eine goldene Farbe aufweist. Das Geräusch wird sich allmählich von einem Zischen zu einem kräftigerem Knistern verändern wie das Öl beim Fritieren von Speisen. Gutes Ghee riecht wie Puffmais (Popcorn). Schalte die Kochplatte aus und lasse es zehn Minuten lang abkühlen.

Lege ein Sieb, das mit einem Nessel- oder Musselintuch ausgelegt wurde, auf einen Krug aus Ton oder Glas. Gieße das Ghee durch das Sieb ab und achte darauf, daß das Sediment möglichst im Kochtopf bleibt. Beim Abkühlen nimmt das Ghee eine feste oder halbflüssige Konsistenz an. Es ist nicht notwendig, Ghee im Kühlschrank aufzubewahren.

Ein Erfahrungsbericht zur Netra-Basti-Behandlung

„Obwohl ich mich beim Lesen zu diesem Behandlungsverfahren hingezogen fühlte, habe ich mir immer größere Sorgen gemacht, je näher der Behandlungstermin rückte. Heiße Butter in meine Augen! Sollte ich das wirklich jetzt zulassen?

Aber sobald Melanie mit der Behandlung anfing, waren alle Ängste zerstreut.

Ich spürte zunächst nichts anderes als eine warme, sanfte Liebkosung meiner Augenlider und als ich meine von Butter bedeckten Augen öffnete, fühlte sich diese Wärme noch immer wunderbar an. Nach der Behandlung waren meine Augen herrlich entspannt. Meine Sehkraft hatte sich tatsächlich gebessert – und ich verspürte weniger Anspannung dabei.

Ich glaube, daß ich als Folge der Behandlung einige Einsichten über meine Sehprobleme bekommen habe und nun anfangen kann, einige Veränderungen auf der Gefühlsebene durchzuführen."

Margret Thompson

Nasya

Nasya bezeichnet das Einbringen von arzneilichen Pulvern oder flüssigen Tropfen in die Nase. Die Pulver oder Tropfen können beruhigend wirken, etwa zur Schlafförderung oder zur Entspannung, sie können aber auch reinigend oder anregend sein oder ausschließlich nährende Präparate. Für unsere Zwecke wenden wir flüssige Tropfen an, die eine reinigendere Wirkung haben. Mit dem Begriff der Reinigung ist nicht nur die Reinigung der Nebenhöhlen gemeint, sondern auch die Beseitigung überschüssiger Vata-Energie im Kopf- und Nackenbereich – der Energie, die Schmerzen und Verspannungen verursacht. Die Vata-Energie im Kopf wird als *Prana* bezeichnet. Die Prana-Energie hat einen starken Bezug zu den höheren zerebralen, sensorischen und motorischen Funktionen und auch zur Bewegung in den Nieren.

In der ayurwedischen Tradition wird diese Behandlung zur Reinigung der Nebenhöhlen, zur Schmerzlinderung im Gesicht-, Kopf- und Nackenbereich und zur Unterstützung der Nierenfunktion angewandt. Vom Standpunkt der Schönheitspflege kann es keinen Zweifel geben, daß dieses Verfahren dunkle Ringe unter den Augen zu reduzieren vermag sowie ein spitzes Aussehen im Bereich der Nebenhöhlen und/oder ein eingefallenes oder gedunsenes Aussehen im Augenbereich. Es handelt sich um eine einfache Methode, die sich durch ihre außerordentlich tiefgreifende Wirkung sowohl auf der körperlichen als auch auf der emotionalen Ebene auszeichnet. Die folgenden Kontraindikationen sind stets zu beachten:

Nasya darf niemals angewandt werden ...

1. nach einem heißen Bad
2. nach einer Mahlzeit
3. nach Geschlechtsverkehr
4. nach dem Genuß alkoholischer Getränke
5. während der Menstruation oder während der Schwangerschaft

Zur Durchführung von Nasya sind folgende Gegenstände erforderlich:

1. eine Vierteltasse Sesamöl
2. eine Glaspipette für die Augen mit einem Gummibalg
3. eine feine Reibe oder ein Mixer
4. ein etwa 7 bis 8 cm langes Stück frische Ingwerwurzel von guter Qualität
5. eine kleine Menge sauberes Wasser
6. Kosmetiktücher
7. eine Wärmflasche oder heißes Wasser und ein Waschlappen, wenn keine Wärmflasche zur Verfügung steht

Je nach ihrer Wirkung unterscheidet man drei Hauptarten von Nasya:

1. *Shodhan* oder reinigendes Nasya,
2. *Shamana* oder beruhigendes Nasya und
3. *Bruhan* oder nährendes Nasya.

Da Shodhan oder reinigendes Nasya die dramatischeren Wirkungen auf das Aussehen ausübt, habe ich eine bestimmte Form von Shodhan ausgewählt, um das Nasya-Verfahren eingehend zu beschreiben.

Vorbereitung des reinigenden Nasya (oder *Shodhan*) – Lösung mit Ingwer

Erster Schritt

Reibe den Ingwer mit einer feinen Reibe oder einem Mixer. Drücke den Saft aus der geriebenen Masse aus und fülle ihn in eine kleine Schüssel. (Wenn Du einen Entsafter hast, so erfüllt dieser denselben Zweck.) Seihe den Saft durch ein feinmaschiges Sieb ab.

Zweiter Schritt

Füge eine Prise braunen Zucker und ein Schuß Wasser auf je 2 Eßlöffel Ingwersaft hinzu. Der Zucker unterbindet die brennende Wirkung des Ingwers. (Diese Lösung sollte im Kühlschrank aufbewahrt werden.)

Dritter Schritt

Wickele die Wärmflasche in ein Handtuch, damit diese die Wärme länger hält. Du kannst ebenfalls heißes Wasser und einen Waschlappen bereitstellen.

Vierter Schritt

Erwärme das Sesamöl.

Fünfter Schritt

Lege alle Utensilien griffbereit hin. Sorge dafür, daß der Raum ruhig und gut geheizt ist.

Das Nasya-Behandlungsverfahren

Erster Schritt

Bitte Deinen Freund, sich auf den Rücken zu legen und führe die einleitende Massage durch, die im Abschnitt über die Gesichtsmassage beschrieben ist (siehe S. 237 ff.).

Zweiter Schritt

Führe eine energische Gesichtsmassage mit warmem Sesamöl durch. Kreisbewegungen im Uhrzeigersinn lindern Streß in den Geweben des Gesichts. Hierbei besteht der Hauptzweck der Massage darin, die Durchblutung zu verbessern und das Öl in die Haut einzuarbeiten.

Dritter Schritt

Decke beide Seiten des Gesichts mit einem Kosmetiktuch ab, so daß die Nase der einzig freie Bereich ist. Lege eine Wärmflasche oder einen heißen Umschlag (oder Waschlappen) kurze Zeit auf eine Gesichtsseite und dann auf die andere. Fahre mit dieser Wärmeanwendung solange fort, bis das Gesicht eine rosige Farbe angenommen hat und das Öl in die Haut eingedrungen ist.

Vierter Schritt

Lege ein zusammengerolltes Handtuch unter den Nacken, damit der Kopf gestützt ist, etwas nach hinten weist und die Nasenlöcher nach oben zeigen.

Fünfter Schritt

Benütze die Pipette, um 3 bis 5 Tropfen von der Ingwersaftlösung in das rechte Nasenloch einzuführen. Massiere die Nebenhöhlenbereiche über und unter dem rechten Auge. In manchen Fällen wird das Auge tränen, ein Zeichen, daß Gefühle freigesetzt werden. Andere Menschen berichten von einer Empfindung von Energie, die über das Gesicht tanzt. Wende glatte, geschmeidige Massagestriche an, um diese Energie zu erden. Frage Deinen Freund, wann Du mit der Behandlung des linken Nasenlochs beginnen sollst. Verfahre in der gleichen Art und Weise wie bei der rechten Seite. Lasse auf diese Anwendung eine kurze Ruhepause folgen .

Du kannst diese Behandlung einmal wöchentlich über einen Zeitraum von vier Wochen durchführen und die in die Nase eingeführte Menge um zwei Tropfen pro Woche steigern. Behandlungsbeispiel: 1. Woche – 4 Tropfen; 2. Woche – 6 Tropfen und so weiter, bis Du auf eine Höchstdosis von 10 Tropfen pro Nasenloch kommst.

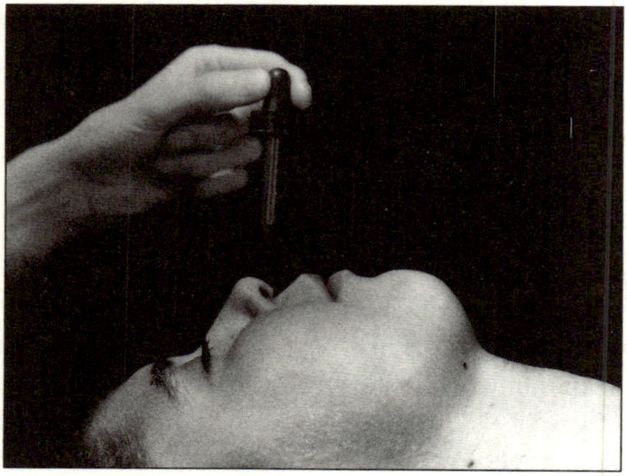

Sechster Schritt

Du solltest Dir für die Behandlung auf jeden Fall genügend Zeit nehmen. Wenn alles abgeschlossen ist, stütze die Schultern Deines Freundes beim Aufsitzen. Stütze anschließend das Brustbein mit einer Hand, während Du mit der anderen Hand die Wirbelsäule hinunterstreichst. Lasse alles langsam ablaufen und rate Deinem Freund, die nächste Stunde mit Ruhe und Gelassenheit anzugehen.

Dieses Nasya kannst Du an drei Tagen hintereinander oder alle drei bis vier Tage verabreichen.

Wirkungen (Erfahrungsberichte):

1. Umfassendes Gefühl von Entspannung und „Wiederaufgeladensein“
2. Lösung von Verspannungsmustern im Brustbereich
3. Bessere Schlafqualität, längeres Durchschlafen
4. Linderung chronischer Nackenschmerzen
5. Gefühl von Wachheit und größerer Energie
6. Jugendlicheres Aussehen
7. Weniger Streß im Gesichtsbereich festgehalten

Shamana Nasya ist nützlich, um das Nervensystem zu beruhigen und den Geist auf einen erholsamen Schlaf einzustimmen. Verwende hierzu Vacha- oder Siddha-Soma-Öl.

Die Durchführung von *Bruhan Nasya* erfordert spezielle Heilpflanzenöle, die eine Steigerung aller Sinneswahrnehmungen bewirken.

Erfahrungsbericht über Nasya

„Während der Behandlung verspürte ich ein überwältigendes Gefühl von emotionalem Loslassen, was durch die Reaktion meines Körpers auf das Ingwer und durch das behutsame Vorgehen des Behandlers erleichtert wurde.

In derselben Nacht habe ich so gut wie schon lange nicht mehr geschlafen, und am nächsten Tag waren die dunklen Ringe unter meinen Augen, übrigens ein chronischer Zustand, vollständig verschwunden.“

Carol Hoy

Shiro Dhara

Shiro Dhara bezeichnet die Anwendung eines feinen Strahls von warmem Sesamöl auf den Bereich des „Dritten Auges“ auf der Stirn für die Dauer von etwa einer halben Stunde. In der ayurwedischen Tradition wurde dieses Verfahren bei Fällen von Schmerzen und Streß angewandt, besonders – jedoch nicht ausschließlich – in den Bereichen Gesicht, Kopf, Nacken und Schultern. Die Stimulierung des „Dritten Auges“ wirkt auf die tiefen Gehirnzentren, auf jene Bereiche, die besondere gehirnwirksame, chemische Verbindungen freisetzen. Eine dieser Verbindungen ist das Serotonin, das Empfindungen von Genuß und Entspannung auslöst. Dieses Behandlungsverfahren sorgt ebenfalls für einen freien Fluß der feinstofflichen Energiekanäle, die an der Wirbelsäule verlaufen und beruhigend und klärend auf den Geist wirken.

Folgende Gegenstände sind für die Behandlung erforderlich:

1. eine Massagebank
2. eine Decke und ein Kissen
3. ein traditioneller Shiro-Dhara-Topf oder Scheidetrichter (erhältlich im Fachhandel für Medizin- und Laborbedarf).
4. eine große Schüssel
5. ein Liter warmes, kaltgepreßtes Sesamöl

Die zu behandelnde Person legt sich auf die Massagebank. Lege die Decke darüber, damit Dein Freund während der Behandlung angenehm warm bleibt. Manchen Personen, die an Rückenschmerzen leiden, fühlen sich wohler, wenn Du ihnen ein Kissen unter die Knie schiebst.

Erster Schritt

Führe die einleitende Massage, wie im Abschnitt über die Gesichtsmassage beschrieben, durch (S. 237 ff.). Trage anschließend warmes Öl mit relativ festen Strichen im Gesicht auf wie im ersten Schritt im Abschnitt über die Gesichtsmassage angegeben. (Diese Art energieausgleichender Arbeit wird im Ayurweda traditionell vor den spezifischeren Verfahren durchgeführt.)

Zweiter Schritt

Lasse Deinen Freund auf dem Tisch zum Kopfende rutschen, damit sein Kopf ein klein wenig über der Kante liegt. Mit einem zusammengerollten Handtuch unter dem Nacken sorgst Du für eine bequemere Lage des geneigten Kopfes.

Dritter Schritt

Bringe die Auffangschale in Position.

Vierter Schritt

Wärme das Öl und gib die erste Portion in den Scheidetrichter.

Fünfter Schritt

Stelle den Trichter auf einem Tisch auf oder in eine Haltevorrichtung, so daß der Ölstrahl auf den Bereich des „Dritten Auges“ in der Stirnmitte auftrifft. Vergewissere Dich, daß die Temperatur des Öls nicht zu hoch ist.

Sechster Schritt

Öffne das Ventil am Trichter und lasse einen feinen, ununterbrochenen Ölstrahl auf das „Dritte Auge“ fließen. Das Öl verläuft über die Mittellinie des Kopfes und anschließend in die Auffangschale.

Es gibt Energiezentren am Kopf, die den sieben Energie-Rädern oder Chakren an der Mittellinie des Körpers entsprechen.

Das über diese Bereiche am Kopf fließende, warme Öl wirkt beruhigend und ausgleichend auf die Energien im Körper, die Schmerzen und Streß verursachen.

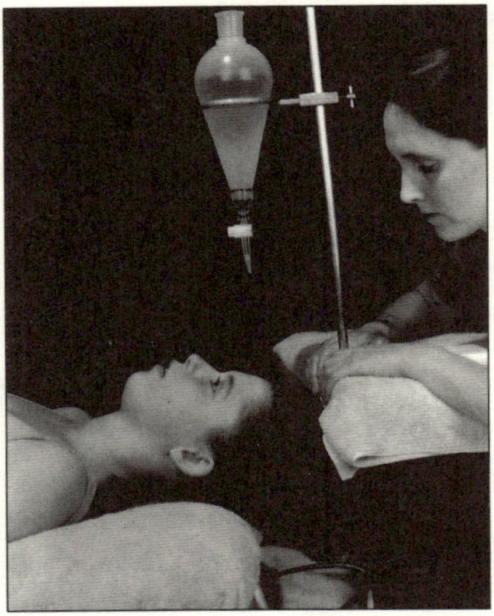

Siebter Schritt

Bleibe ständig in der Nähe Deines Freundes und vergewissere Dich, daß das Öl auf die richtige Stelle fließt. Fülle den Trichter erneut mit dem restlichen Öl auf, wenn der Trichter etwa halb leer ist. In Indien wird dieses Verfahren bisweilen auch länger als eine halbe Stunde lang durchgeführt. In diesem Fall wird das Öl erneut erwärmt und wiederverwendet.

Achter Schritt

Wenn der Trichter leer ist, wische das Öl von der Stirn und den Haaren Deines Freundes ab und empfehle diesem, sich erst dann langsam zu bewegen, wenn er sich bereit fühlt.

Im Anschluß an die Behandlung ist es empfehlenswert, die nächsten Stunden in einer relativ ruhigen Umgebung zu verbringen und alle streßverursachenden Faktoren nach Möglichkeit zu meiden.

Wirkungen (nach Beobachtungen und Berichten):
1. Öffnung und Beruhigung des Gesichts und der Stirn
2. Festgehaltene Energie wird im ganzen Körper freigesetzt
3. Bewirkt einen starken Fluß von psychischen Eindrücken und deutlichen Träumen
4. Klärt den Geist, so daß Entscheidungen rascher getroffen und Informationen leichter verarbeitet werden

Erfahrungsbericht über Shiro Dhara

„Shiro Dhara übt eine außerordentlich beruhigende Wirkung auf meinen Körper während der Behandlung aus. Nach der Behandlung ist mein Geist sehr klar und die ganzen banalen, inneren Zwiegespräche sind wie verflogen."

Karuna Fluhart

Karna Purana

Bei diesem besonderen Behandlungsverfahren wird warmes Sesamöl in das Ohr eingebracht. Dies wird am besten in Zusammenarbeit mit einem Partner durchgeführt, aber wenn die erforderliche Ölmenge für eine bestimmte Person einmal bemessen wurde, kannst Du diese Behandlung auch allein durchführen.

Folgende Gegenstände sind erforderlich:
1. ein kleiner Topf
2. eine Heizplatte oder Wärmequelle
3. ein Löffel
4. Handtücher

Vorgehensweise

1. Dein Freund liegt auf der Seite, mit einem zusammengerollten Handtuch als Kopfstütze. Wenn Du das rechte Ohr behandelst, lasse den linken Arm gerade hinter dem Rumpf ausgestreckt, während der rechte Arm angewinkelt vor dem Körper liegt, um Brust und Schultern zu stützen. Das linke Bein ist gerade ausgestreckt und das rechte Bein wird angewinkelt. Das rechte Knie liegt auf dem Boden oder der Massagebank/Matratze auf, um das Becken und die Hüften zu stützen. Nach Bedarf kannst Du Kissen unter das angewinkelte Knie legen oder die Haltung entsprechend anpassen. Wichtig ist hierbei, die bequemste und entspannteste Lage zu finden. Alles, was diesem Ziel dienlich ist, kann ohne Bedenken angewandt werden.

2. Nimm warmes Sesamöl und fülle das rechte Ohr soweit wie möglich auf, ohne etwas zu verschütten.

3. Massiere den Bereich hinter dem Ohr mit Deinem Zeigefinger von oben nach unten und schließe hinter dem Ohrläppchen ab.

4. Das Öl sollte mindestens zehn Minuten und höchstens zwanzig Minuten lang im Ohr verbleiben.

5. Entleere das Öl aus dem Ohr in eine Schale, indem Dein Freund den Kopf dreht und sich langsam auf den Rücken dreht. Wische überschüssiges Öl am Ohr ab.

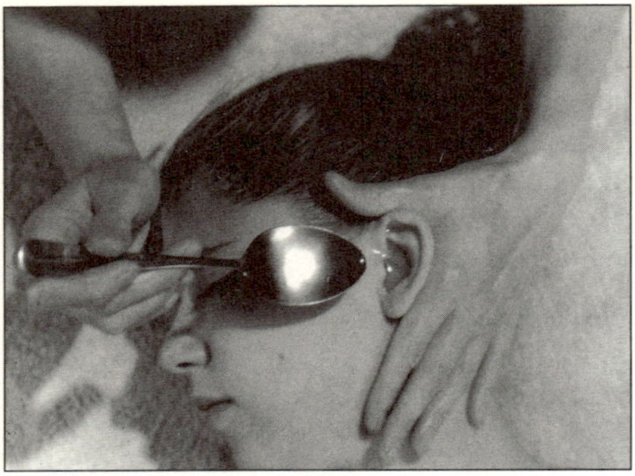

6. Wiederhole den Vorgang mit dem anderen Ohr.

Wirkungen:
1. Linderung von Juckreiz und Trockenheit in den Ohren
2. Reduziert das Vata-Dosha und schärft das Gehör
3. Nützlich zur Linderung von Ohrensausen

Eine abschließende Bemerkung

Die Macht der *Ayurwedischen Schönheitspflege* beruht auf der Fähigkeit, mit unserer grundlegenden, ureigenen Natur vertraut zu werden. Das Geheimnis liegt darin, unsere Einzigartigkeit zu akzeptieren und mit unserem ganzen Wesen auf unsere Bedürfnisse in einer wirklich fürsorglichen, nährenden Art und Weise einzugehen. Wenn dieses Vorgehen sowohl liebevoll als auch intelligent ist, wird es auf ganz natürliche Weise von innen heraus die wunderbare Offenbarung der Schöpfung, die genau das verkörpert, was wir sind, bewirken. Dieser Ansatz – durch Verständnis und Güte uns selbst gegenüber gekennzeichnet – ist der Keim zur einzigen Art von Schönheit, die von Dauer ist: der inneren Schönheit.

Im Laufe der Jahre erstrahlt die innere Schönheit mit zunehmend hellerem Glanz; ihr höchstes Ziel besteht darin, alle Menschen zu fördern und unterstützen.

Über die Autorin

Die Arbeit von Melanie Sachs im Bereich der vorbeugenden Gesundheits- und natürlichen Schönheitspflege hat internationale Bekanntheit erlangt. Ursprünglich als Beschäftigungstherapeutin ausgebildet, hat sie bei einigen der führenden Autoritäten der östlichen Heilkunde sowohl in Großbritannien als auch in den Vereinigten Staaten ihre Fachkenntnisse in den Bereichen Makrobiotik und Ayurweda besonders vertieft und ein Diplom als „Ayurwedic-Lifestyle-Management"-Berater erworben.

Zusammen mit ihrem Mann, Bob Sachs, leitet Melanie Sachs *Diamond Way Health Associates*. Mit ihren Kindern Kai Ling, Christina und Jabeth leben sie in Albuquerque, New Mexico.

Glossar

Agni: Die kosmische Kraft der Transformation. Bezeichnet ebenfalls die Kraft, mit der die Nahrung, Gefühle und Empfindungen verdaut werden.

Ama: Toxine im Organismus, die meist durch die unvollständige Verdauung oder Ausscheidung von Nahrungsmitteln oder Emotionen oder durch Stoffwechselfunktionsstörungen entstehen.

Apatarpana: Von gutem Tonus und sauber.

Asthi: Knochengewebe.

Atapa: Sonnen- oder Mondbaden.

Ätherisches Öl: Die Essenz oder das Lebensblut einer Pflanze; Träger von Düften und Heilkräften der Pflanze.

Aura: Das feinstoffliche Energiefeld des Körpers, das durch Ojas hervorgebracht und aufrechterhalten wird.

Basma: Ein durch die Oxidierung und Veraschung von Metallen oder Mineralstoffen hergestelltes Arzneimittel.

Baspa Sweda: Dampfbad mit Hilfe eines Kastens.

Dhana Sweda: Heiße Dusche im Wirbelsäulenbereich.

Dhatu: Bedeutet wörtlich „das, was das Leben erhält" – eines der sieben Grundgewebe des Körpers, die sich in einem Kreislauf ernähren.

Dosha: Die wörtliche Bedeutung kann mit „Mangel" oder „Fehler" wiedergegeben werden. Ein Dosha ist eine der drei feinstofflichen Kräfte, die in Lebewesen die fünf Elemente zusammenhalten und ihre Funktionen unterstützen. Die drei Doshas sind Vata (eine Kombination von Äther und Luft), Pitta (die Kombination von Feuer und Wasser) und Kapha (Kombination von Erde und Wasser).

Drava Sweda: Heißes Kräuterbad

Ghee: Zerlassenes Butterfett; die innerliche und äußerliche arzneiliche Anwendung genießt im Ayurweda eine hohe Wertschätzung.

Guna: Eigenschaft, Attribut oder Qualität einer bestimmten Substanz oder eines bestimmten Phänomens.

Hara: Der japanische Begriff für das energetische Zentrum des physischen Körpers (nach Vorstellungen der östlichen Heilkunde).

Hastavagaha: Heißes Heilpflanzenbad für die Hände.

Kapha: Die Erde-Wasser-Konstitution; die Kraft im Körper, die für die Stabilität und „Ölung" oder „Schmierung" verantwortlich ist.

Karna Purana: Die Einbringung von Ölen in das Ohr.

Kichadi: Ein leicht verdaulicher Eintopf aus Reis, halben Mungbohnen, Gewürzen und Gemüse.

Kshud: Vollständiges Fasten oder Befolgung einer Mono-Diät (bestehend aus einer einzigen Getreide- oder Saftsorte oder sogar Kichadi).

Majja: Knochenmark, Nervengewebe: das Gewebe, das Knochenräume füllt.

Malas: Abfallprodukte des Körpers wie Urin, Stuhl, Schweiß.

Mamsa: Muskelgewebe.

Marma: Energie-Druckpunkt.

Marut: Aufenthalt an der frischen Luft

Meda: Fettgewebe.

Nasya: Die Anwendung von arzneilichen Ölen, Heilpflanzenpulver oder Milch in den Nasengängen.

Netra Basti: Das Baden der Augen mit Ghee oder arzneilichen Ölen.

Ojas: Das Wesen der Vitalität des Körpers. Ojas unterstützt die Aura, verbindet die Energie des Geistes mit dem Körper und unterstützt die Immunleistung.

Padavagaha: Fußmassage.

Pancha Karma: Bedeutet wörtlich die „fünf reinigenden Handlungen." Diese umfassen Vamana (therapeutisches Erbrechen), Basti (nährende, reinigende oder verjüngende Einläufe), Nasya (Anwendungen an/ in der Nase), Virechana (therapeutisches Purgieren) und Rakta Moksha (die Reinigung des Blutes).

Pitta: Die Feuer-Wasser-Konstitution; die Pitta-Energie ist verantwortlich für die Transformation, den Stoffwechsel und das Verständnis der Sinne und der Emotionen.

Prakruti: Bedeutet wörtlich die „erste Handlung." Im Ayurweda bezeichnet Prakruti die innewohnende „Natur" eines Menschen, seinen Körpertypus und grundlegenden geistigen/emotionalen Zustand.

Purva Karma: Einleitendes Verfahren für Pancha Karma; beinhaltet die Massage mit warmem Öl und die Wärmeanwendungen, die die Mobilisierung von Toxinen einleiten, die im Gewebe festgehalten werden.

Rakta: Blutgewebe.

Rakta Moksha: Die Reinigung des Blutes durch die Anwendung von Heilpflanzen und durch Aderlaß.

Rasa: Plasma.

Rasayanas: Verjüngende Substanzen.

Rishi: Ein Weiser des alten Indiens.

Santarpana: Geist.

Shirobhyanga: Kopfmassage.

Shirodhara: Die Anwendung eines feinen Strahls warmen Öls oder Milch auf das Dritte Auge. Bisweilen werden dem Öl Düfte zugesetzt, oder es wird arzneiliches Öl verwendet.

Shukra: Das männliche und weibliche Fortpflanzungsgewebe.

Siddha Taila: Massageöl.

Srotas: Kanäle des Körpers für die physische Substanz feinstofflicher elektromagnetischer Energien.

Tapa Sweda: Trockene Hitze wie von einem Feuer, der Sonne, einer Sauna oder einer Schwitzhütte.

Tridosha: Die drei Konstitutionen – Vata, Pitta und Kapha.

Tridoshisch: Nahrungsmittel oder Phänomen, das auf alle Konstitutionen ausgleichend wirkt.

Triphala: Eine Heilpflanzenmischung aus Amalaki, Bibitaki und Haritaki, die die Ausscheidung von Toxinen und die verjüngenden Gewebe fördert.

Ubtan: Eine Paste, die am Körper oder im Gesicht aufgetragen wird und halb antrocknet, ehe sie entfernt wird.

Ubvartan: Die kräftige Einreibung von Pasten oder Pulver auf die Haut.

Upadhatu: Ein Körpergewebe, das von einem Dhatu ernährt wird, aber kein weiteres Gewebe außer sich selbst ernährt.

Upagni Sweda: Anwendungen, die Wärme in einem Gewebe erzeugen, selbst jedoch nicht heiß sind, wie zum Beispiel eine Kompresse mit Senfpulver.

Upanaha Sweda: Die Anwendungen von Umschlägen oder Kompressen.

Vamana: Therapeutische Reinigung der oberen Kanäle mit Hilfe von Erbrechen.

Vata: Die Luft-Äther-Konstitution.

Vikruti: Gestörtes Gleichgewicht oder Störung; kann physischer, geistiger, emotionaler Natur sein oder eine Verbindung davon.

Virechana: Verwendung eines purgierenden Abführmittels, um Abfallprodukte aus dem Dünndarm auszuscheiden. Beseitigt überschüssiges Pitta- und Kapha-Dosha.

Vyayama: Verschiedene Formen von Bewegung.

Yoga: Bedeutet wörtlich Einheit oder das Verbinden. Als allgemeiner Begriff werden Übungen und Praktiken bezeichnet, die dem einzelnen Menschen helfen, einen Zustand der Vereinigung mit dem Universum zu erreichen. Hatha-Yoga beinhaltet bestimmte Haltungen, die dem Körper Kraft, Flexibilität und Anmut und dem Geist Frieden und Klarheit verleihen.

Bibliographie

Aromatherapie:

Keller, Erich. Das Handbuch der ätherischen Öle. *Goldmann, München, Neuauflage 1991*

Price, Shirley. Praktische Aromatherapie. *Urania, Schaffhausen, Schweiz, 1992*

Tisserand, Maggie. Die Geheimnisse wohlriechender Essenzen. *Windpferd, Aitrang, 1985*

Tisserand, Robert. Das Aromatherapie-Heilbuch. *Windpferd, Aitrang, 1990*

Tisserand, Robert. Aromatherapie, *Bauer, Freiburg, 1993*

Ayurveda und Ayurveda-Massage:

Bhagwandash, Vaidya. Massage Therapy in Ayurveda. *Concept Publishing Company, New Delhi, 1934*

Chopra, Dr. Deepak. Ayurveda - Gesundsein aus eigener Kraft, *Goldmann, München, Neuauflage 1993*

Frawley, Dr. David. Ayurvedic Healing. *Passage Press, Morson Publishing, Salt Lake City, Utah, 1989*

Johari, Harish. Ancient Ayurvedic Massage. *Munshiram Manoharlal Publishers, Ltd., New Delhi, India, 1984*

Lad, Dr. Vasant. Das Ayurweda-Heilbuch. *Windpferd, Aitrang, 8. Auflage 1994*

Lad, Dr. Vasant und Frawley, Dr. David. Die Ayurweda-Pflanzen-Heilkunde, *Windpferd, Aitrang, 3. Auflage 1991*

Pathah. Pandit Ram Raksha. Therapeutic Guide to Ayurvedic Medicine. *Shree Baidyanath Ayurved Bhawan Private, Ltd., India*

Svoboda, Robert E. Ayurveda: Life, Health, and Longevity. *Arkana, The Penguin Group, Harmondsworth, Mddx., England, 1992*

Svoboda, Robert E. Prakruti: Your Ayurvedic Constitution. *160 Washington Ave. SE, Albuquerque, New Mexico 87108, Geocom Limited, 1988. Distributed by Lotus Press, Twin Lakes, Wisconsin*

Thakkur, Chandrashekhar G.. Introduction to Ayurveda. *Times of India Press, Bombay, India, 1965*

Diät:

Ballentine, Dr. Rudolph. Diet and Nutrition; a holistic approach. *Himalayan International Institute, Honesdale, PA, 1978*

Colbin, Annamarie. Food and Healing. *Ballantine Books, div. of Random House, New York, 1986*

Dunne, Lavon J. Nutrition Almanac. *McGraw Hill Publishing, 1990*

Morningstar, Amadea. Die Ayurveda-Küche, *Heyne, München, 1992*

Tiwari, Maya, und Esko, Wendy und Kushi, Aveline. Diet for Natural Beauty. *Japan Publishing, New York und Tokyo, 1991*

Schönheit (allgemein):

Buchman, Dian Dincin. Feed Your Face. *The old Piano Factory, 43 Gloucester Crescent, London NW1, Gerald Duckworth & Co. Ltd., 1973*

Hampton, Aubrey. Natural Organic Hair and Skin Care. *4419 N. Manhatten, Ave., Tampa, Fl. 33614, Organica Press, 1987*

Kenton, Leslie. The Joy of Beauty. *Arrow Books, Ltd., London, 1989*

Wagner, Lindsay und Klein, Robert M. Lindsay Wagner's New Beauty: The Acupressure Facelift. *Prentice Hall Press, New York, London, Toronto, Sydney, Tokyo, 1987*

Übungen und Entspannung:

Chia, Mantak und Maneewan. Tao Yoga der heilenden Liebe. *Ansata, Interlaken, Schweiz, 4. Auflage 1990*

de Langre, Jacques. The First Book of DO-IN. *Happiness press, Magalia, Ca., 1971*

de Langre, Jacques. Do-In 2. *Plejaden, 1981*

Hashimoto, Keizo. Sotai. *Haug, Heidelberg, 1992*

Kushi, Michio. Handbuch der fernöstlichen Diagnose. *Ost-West-Bund, Völklingen, 2. Auflage 1990*

Oki, Masahiro. Oki Yoga for Easy Childbirth and Feminine Health Care. *East West Entre, Amsterdam, Holland, 1978*

Pinckney, Callan. Callanetics. *Mosaik, München, 1991*

Reed Gach, Michael und Marco, Carolyn. Acu-Yoga. *Japan Publications, Inc., Tokyo und New York, 1981*

Stone, Justin. Tai Chi Chih. *Satori Resources, Dan Leandro, CA, 1984*

Sutton, Dr. Marcea. In Harmony: Resolving Stress. *Zivah Publishers, Albuquerque, New Mexico, 1991*

Trager, Dr. Milton. Trager Mentastics: Movement as a Way to Agelessness. *Station Hill Press, Barrytown, N.Y.*

Tulku, Tarthang. Selbstheilung durch Entspannung. Körper- und Atemübungen, Selbstmassage und Meditationstechniken. *Scherz, München, 1982*

Kräuter und Öle:

Garland, Sarah. The Herb & Spice Book. *Mortimer House, 37-41 Mortimer House, London W1N 7RJ, Francis Lincoln Publishers, Ltd., 1979*

Lad, Dr. Vasant und Frawley, Dr. David. Die Ayurweda-Pflanzen-Heilkunde, *Windpferd, Aitrang, 3. Auflage 1991*

Lawless, Julia. Encyclopedia of Essential Oils. *Element Books, Ltd., Shaftesbury, Dorset, England, 1976*

Rose, Jeanne. Jeanne Rose's Herbal Body Book. *Perigee Books, Putnam Publishing Group, New York, 1976*

Tierra, Michael. Planetary Herbology. *Lotus Press, Twin Lakes, Wisconsin, 1988*

Wood, Magda Ironside, editor. "All You Need To Know About HERBS.". *58 Old Compton Street, London, W1V 5PA, Marshall Cavendish Ltd., 1973*

Licht, Klang, Fraben und Edelsteine:

Anderson, Mary. Chromatherpy and How It Works. *Aquarian Press, England*

Chogyam, Ngakpa. Rainbow of Liberate Energy, *Element Books Ltd., Shaftesbury, Dorset, England, 1987*

Gimbel, Theo. Form, Sound, Colour and Healing. *C.W. Daniel Company, Ltd., Saffron Walden, England, 1987*

Raphaell, Katrina. Heilen mit Kristallen. *Droemer Knaur, München, 1988, Neuauflage 1992*

Meditationen:

Trungpa, Chogyam. Shambhala: The Sacred Path of the Warrior. *Shambhala Publications, Inc., Boulder, CO. 1984*

Index

Bezugsquellen und Adressen

Der Windpferd Verlag hält eine umfangreiche Liste mit Adressen bereit, die ständig aktualisiert werden. Dort findest Du unter anderem Adressen über Ausbildungszentren für ayurwedische Medizin, Fernkurse, ayurwedische Gesundheitszentren, Versandfirmen mit ayurwedischen Produkten (Kräuter, Tees, Kosmetika, Massageöle, Räucherstoffe u.a.), Ausbildungszentren für Aromakosmetik, Meditation, Yoga und vieles mehr. Gib auf dem Umschlag bitte das Stichwort „Ayurweda - natürlich" an und lege einen ausreichend frankierten (DM 3,00) Rückumschlag bei; wenn Du aus dem Ausland schreibst, bitte einen internationalen Antwortschein.

Windpferd Verlag
„Ayurweda – natürlich"
Postfach
D - 87648 Aitrang

Vasant Lad • David Frawley

Die Ayurweda Pflanzen-Heilkunde

Das Yoga der Kräuter-Anwendung und Rezepte ayurwedischer Pflanzenheilmittel

Dieses Buch stellt die ayurwedische Pflanzenheilkunde als eine auch hierzulande praktizierbare Naturheilmethode vor. Beim Ayurweda werden die pflanzeneigenen Energien individuell den menschlichen „Konstitutionen“ zugeordnet und entsprechend angewendet. Das Buch ist auf praktische Anwendung ausge-richtet und gibt Diagnoseanleitungen und Rezepturen mit bei uns heimischen oder gebräuchlichen Pflanzen. Die Ayurweda-Pflanzenheilkunde ist eines der umfassendsten Handbücher zur ayurwedischen Kräutertherapie.

320 Seiten, DM/SFr 24,80
ÖS 194,00 ISBN 3-89385-002-3

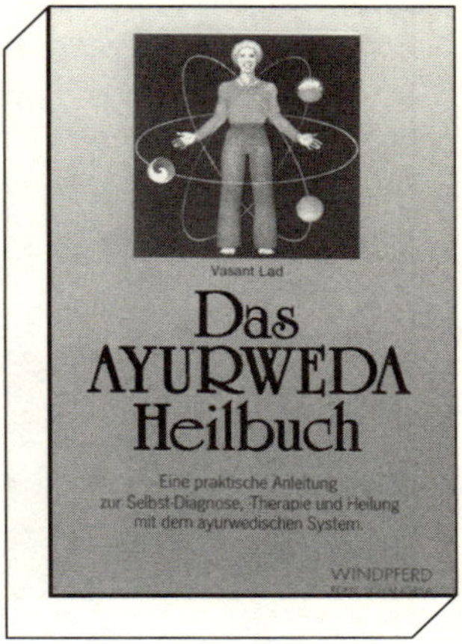

Vasant Lad

Das Ayurweda-Heilbuch

Eine praktische Anleitung zur Selbst-Diagnose, Therapie und Heilung mit dem ayurwedischen System

Diese praktischen Anleitungen zur Selbst-Diagnose, Therapie und Heilung beruhen auf einem jahrtausendealten System, auf der „Wissenschaft vom Leben“.
Neben den philosophischen Grundlagen dieses östlichen Medizinsystems enthält dieses Heilbuch die wichtigsten Diagnose- und Behandlungsmöglichkeiten, Ernährungshinweise und Ratschläge zur Lebensführung sowie das Wissen um die Wiedererlangung und Erhaltung der Gesundheit.
Ein umfassendes, mit vielen Diagrammen, Zeichnungen und Fotos ausgestattetes Handbuch der ayurwedischen Medizin.

192 Seiten, DM/SFr 19,80
ÖS 155,00 ISBN 3-89385-003-1

Ellen Hosbach • Maharishi Ayur-Veda • Gesundheitszentrum

Ayurveda wirkt natürlich

Maharishi Ayur-Veda
Die wirkungsvolle Orientierung für ein besseres und gesünderes Leben

Ayur-Veda, dieses jahrtausend alte Wissen, wird in Deutschland seit Jahren von erfahrenen Ayur-Veda-Ärzten praktiziert. Tausende von Patienten, die diese ganzheitliche Heilkunst kennengelernt haben, sind glücklich über ihre Erfahrungen mit diesem natürlichen Weg zu Harmonie, Gesundheit und Verjüngung.
Jeder, der sich mit diesen faszinierenden Themen beschäftigt, kann die Empfehlungen für sich im Alltag umsetzen. Ein Weg zu Harmonie, Gesundheit und Verjüngung. Dieses Buch ist eine ausgezeichnete Einführung in das Thema.

128 Seiten, DM/SFr 16,80
ÖS 131,00 ISBN 3-89385-063-5

Harish Johari

Das Ayurweda Kochbuch

Köstliche vegetarische Rezepte für Körper, Seele und Geist

Die ayurwedische Küche kennt eine Vielzahl von ausgefallenen vegetarischen Gerichten, die einen einzigartigen, elementaren Reiz besitzen, der sich wohltuend auf den gesamten Menschen, auf Körper, Seele und Geist auswirkt. Die Zutaten, die benötigt werden, sind auch hierzulande leicht erhältlich und ebenso einfach in der Zubereitung. Lassen Sie sich von diesem einzigartigen Kochbuch verführen – naschen sie aus dem Kochtopf der Götter.
Die energetischen Wirkungsqualitäten der einzelnen Lebensmittel sind in Harish Joharis Buch „Grundlagen der ayurwedischen Kochkunst" beschrieben.

192 Seiten, DM/SFr 19,80
ÖS 155,00 ISBN 3-89385-027-9